la maîtresse de Malvern

PATRICIA MATTHEWS

la maîtresse de Malvern

traduit de l'américain par Evelyne Stauffer

Éditions J'ai Lu

Ce roman a paru sous le titre original :

LOVE'S AVENGING HEART

Un matin de juillet 1717, les matineux de la ville de Williamsburg, en Virginie, furent régalés du spectacle d'un petit homme gras et échevelé tirant par une corde une jeune fille d'environ seize ans, de haute taille et aux formes agréables, le long des rues poussiéreuses. Au bout de la corde passée autour de son joli cou, Hannah McCambridge, la tête aussi haute que le lui permettaient les rudes saccades imprimées à la rêne, s'efforçait de refouler ses larmes et d'ignorer les regards aussi bien que les incisions dans sa chair. Ses mains étaient liées dans le dos.

Les larmes qui brûlaient ses yeux étaient surtout provoquées par la colère. De toutes les humiliations que lui avait fait subir son beau-père, Silas Quint, celle-ci était la pire; la dernière des insultes, l'écrasement final. Etre vendue comme servante, en toute propriété; être traînée dans les rues comme une esclave noire...

Hannah se souvint d'avoir vu une fois des femmes esclaves vendues aux enchères sur la place, leur chair noire dénudée luisant au soleil; des acheteurs intéressés caressaient et pinçaient leur peau, examinaient leurs dents comme ils l'auraient fait s'il s'était agi de chevaux. A l'époque, son cœur était allé vers elles, mais, aujourd'hui, elle éprouvait elle-même toute la profondeur de leur dégradation et de leur honte.

Silas Quint, ravi de l'agitation qu'ils suscitaient, tira violemment la corde dont les fibres grossières mordirent le cou d'Hannah; la jeune fille tomba sur les genoux, dans la boue.

Arrivés dans la Gloucester Street, Quint s'arrêta et se tourna vers sa belle-fille :

— Allons, dépêche-toi un peu, la demoiselle. Voilà *La Tasse et la Corne.*

Hannah considéra avec dégoût la face rouge de son beau-père. Aussi enclin à la charité que l'on fût, quels que fussent les modèles que l'on choisît, on ne pouvait dire de Silas Quint qu'il était séduisant. Son nez était énorme et couperosé — un groin d'ivrogne — et ses yeux noirs et cruels étaient enfoncés dans des masses de chair, comme des plombs dans le rein d'une bête. Quint poursuivait :

— Regarde donc de quoi t'as l'air. Sale comme si tu t'étais vautrée dans une porcherie. T'es plus aussi fière à présent, ma fille.

Hannah leva le menton et dévisagea Silas Quint de son regard vert et intense qui eût rempli de honte un homme pourvu de quelque sensibilité. Elle ne souffla mot. Il aurait été bien trop heureux de discuter avec elle. Elle le laissa parler :

— Maladroite, t'as toujours été maladroite comme une vache. Faudra que tu changes à la taverne, autrement, Amos Stritch passera la badine sur tes jolies jambes. (Il la regarda sournoisement, savourant sa colère et son désarroi:) Mais attends un peu... (Ses yeux habituellement éteints se mirent à briller et sa petite bouche aux lèvres minces s'entrouvrit en un sourire humide, ce sourire qu'Hannah n'avait vu que trop souvent sur son visage ces derniers temps :) Je vois que t'as déchiré ta robe. Autant en profiter. Je dis toujours qu'il faut savoir tourner les choses à son avantage.

Avant même qu'Hannah ait pu deviner son intention,

il fonça sur elle, accrochant de ses doigts boudinés l'encolure montante de la robe. Elle sentit la pression de l'étoffe contre son dos et l'entendit se déchirer; robe et chemise avaient cédé, dénudant presque son sein droit.

Le visage de Quint rougit encore davantage, il humecta ses lèvres de sa langue tandis qu'il fixait le joli sein rond de sa belle-fille.

« Sûr que c'est un beau morceau », pensa Quint et une sensation de lourdeur à la fourche de son pantalon lui rappela ses désirs contrariés. Il tendit la main pour caresser la peau douce, dégageant le mamelon rose des lambeaux de tissu, savourant l'attouchement, ravi de sentir la chair de la jeune fille frissonner sous ses doigts comme elle tentait vainement de reculer.

Hannah sentit le goût amer de la vomissure lui monter à la gorge. Les mains de l'homme étaient crasseuses, la saleté s'était accumulée sous les ongles cassés. Mais, surtout, elle savait ce qu'il avait en tête et cela lui répugnait. Au cours de ces derniers mois où son corps s'était épanoui avec une opulence presque embarrassante, elle avait vu cette même expression sur sa face à chaque fois qu'il la regardait. Bien qu'elle fût jeune et encore vierge, Hannah comprenait bien ce que cela signifiait. Le petit appentis qu'elle, sa mère et son beau-père appelaient leur foyer ne permettait aucune intimité, ni de jour ni la nuit.

Silas Quint était un chiche pourvoyeur pour Hannah et sa mère. Il travaillait le moins possible, en général comme employé à la journée dans les boutiques de Williamsburg. Il passait le reste de son temps à boire et à jouer dans les tavernes qui voulaient bien lui faire crédit.

La Couronne ne permettant pas aux colonies de frapper leur propre monnaie, l'argent comptant était toujours rare; il était fréquent qu'un boutiquier accordât un crédit prolongé. C'était l'habitude de régler les comptes à l'année. Le plus souvent, le règlement s'opérait sous forme d'échange : bons d'achat dans un entrepôt contre la livraison d'une récolte de tabac, par exemple. Silas Quint, toutefois, ne possédait pas de plantation de tabac; le misérable appentis dans lequel il vivait n'était même pas à lui.

Quint ôta sa main du sein d'Hannah et recula :

— T'es maladroite et pas tellement dure au travail, mais ce Stritch, vieux comme il est, il a encore l'œil sur les jeunes servantes. Un coup d'œil sur tes seins et son pantalon va bomber, c'est sûr, et il s'occupera pas de savoir si t'es une bonne servante. Viens, la demoiselle.

Quint exultait en tirant Hannah au bout de sa corde. Il avait été surpris le jour où Amos Stritch lui avait ouvert un compte fort important. Il ne s'était cependant pas demandé pourquoi et en avait fait usage. L'explication lui en avait été donnée la semaine précédente, quand Amos Strich lui avait réclamé son dû. Si le compte n'était pas réglé sur-le-champ, ce serait la prison pour Quint. Bien sûr, Quint n'avait pas un shilling. Stritch suggéra alors un autre moyen de paiement : que Quint lui donne sa belle-fille pour une période de cinq ans; après quoi, non seulement la dette serait oubliée, mais un *certain* crédit supplémentaire pourrait lui être accordé, selon le travail accompli par Hannah.

Quint avait saisi l'occasion. Pour lui, Hannah était une bouche supplémentaire à nourrir et des pensées lubriques l'agitaient depuis quelque temps. Il savait qu'il ne tarderait pas à se glisser dans le lit de Hannah pour la posséder. Dieu savait que ce n'était nullement quelque vague scrupule d'ordre moral qui l'avait retenu si longtemps. Mais bien qu'il ne fût qu'une brute, il savait bien que la mère de la jeune fille sera capable de le tuer s'il osait toucher Hannah. De plus, il songeait obscurément qu'une fille aussi avenante que Hannah pouvait être vendue d'une façon ou d'une autre, mais

8

que l'homme qui en donnerait un bon prix exigerait une vierge. Si Hannah était abîmée, elle ne vaudrait pas un sou.

La Tasse et la Corne était une étroite construction en brique à deux étages et au toit pentu. Au-dessus se trouvaient des dortoirs à louer. La table d'hôte était en bas. A cette heure matinale, la taverne était déserte. Un garçon d'une douzaine d'années s'affairait devant l'établissement avec un seau et un balai. Il resta bouche bée à la vue de l'homme halant la fille.

Clopinant derrière Silas Quint dans la puanteur d'alcool de la taverne, Hannah eut un violent haut-le-cœur. Elle n'avait pas mangé ce matin-là. Sa gorge était sèche. Heureusement, l'obscurité de la taverne dispensait une fraîcheur bienvenue après la brûlure du soleil. Elle allait se laisser tomber sur le sol quand la silhouette massive d'Amos Stritch, le propriétaire de la taverne, surgit devant eux. C'était un homme d'une cinquantaine d'années au crâne chauve et au ventre protubérant sous un gilet souillé. Ce ventre était tellement volumineux qu'Hannah pensa à une femme sur le point d'accoucher. L'homme boitait. Ses yeux gris et mobiles s'agitèrent encore plus que d'ordinaire en apercevant le *déshabillé* d'Hannah :

— Qu'est-ce que c'est que ça, Quint? Elle a l'air d'une prostituée qu'on vient de ramasser dans la rue!

Malgré ces paroles, Hannah nota que son regard ne quittait pas son sein que le corsage déchiré découvrait à moitié.

Quint ôta sa casquette sale et décrivit une courbe :

— Elle était récalcitrante, monsieur Stritch. J'ai dû l'amener ici au bout d'une corde. La demoiselle a du tempérament! C'est pas une poule mouillée qu'a pas de sang dans les veines. Je sais que vous aimez les donzelles qu'ont du feu.

Le tavernier lécha ses lèvres épaisses avec une langue

toute brunie par le tabac; les yeux qu'il fixait sur Hannah brûlaient comme des fagots enflammés.

Quint eut un petit rire étouffé, puis il saisit les lambeaux du corsage. Le reste du vêtement céda aisément et les jeunes seins fermes de Hannah surgirent en liberté.

— On dirait des melons frais, dit-il en les caressant de sorte que les bouts se dressèrent.

Amos Stritch, le visage presque apoplectique à présent, avalait sa salive et hochait la tête, incapable de parler. La fille était à point avec ses seize ans! Soudain, il lança un regard aigu à Quint qui agaçait toujours le sein de Hannah.

Hannah, muette de honte et d'horreur, s'efforçait de maîtriser le tremblement de ses lèvres et de refouler ses larmes. Ils n'auraient pas la satisfaction de la voir pleurer. Son humiliation, sa colère brûlante et son profond désespoir n'auraient-ils jamais de fin? Elle essayait de faire de ses pensées une espèce de bouclier contre la main de Quint sur sa peau.

Quint, cependant, ayant deviné les réflexions d'Amos Stritch, retira vivement sa main et fit un pas de côté :

— Allons, vous fâchez pas, elle vous appartient comme convenu.

Stritch s'éclaircit la voix :

— Vous avez juré que la fille était vierge. Je trouve que vous la traitez bien familièrement... Je ne veux pas de marchandise avariée. Quint, personne ne l'a jamais touchée?

Quint agita la tête et afficha une expression humble :

— J'en fais serment. Est-ce que je vous mentirais, monsieur, après ce que vous avez fait pour moi? Non. Je n'ai pas touché la fille. C'est pas faute d'en avoir eu envie. Seulement là, je n'ai pas pu résister, c'est tout. Vous pouvez voir par vous-même qu'elle est pas facile.

Hannah, uniquement désireuse que la scène cessât,

ne prêtait même pas attention à la conversation des deux hommes.

Stritch grogna, apaisé pour le moment. Ce qui ne voulait pas dire qu'il croyait Quint. Il savait que l'homme était un menteur, un ivrogne et un vaurien, mais il pourrait toujours vérifier par lui-même. Il changea de posture, tressaillant de douleur quand son poids considérable se déporta sur son pied goutteux. Il dit enfin :

— Marché conclu alors. Et toi, monte ces escaliers. Va dans ton dortoir. Ton beau-père et moi avons à parler affaires.

Quint ôta la corde du cou de Hannah, puis lui délia les mains. Hannah obéit à l'ordre de Stritch. Chancelant légèrement, elle s'accrocha à la rampe étroite et monta les marches abruptes en colimaçon. Stritch clopinait derrière elle. Lorsqu'il posa une main sur sa hanche, elle accéléra le pas, ce qui provoqua chez Stritch un rire strident comme un cri de pourceau.

Au second étage, il la poussa le long du couloir :

— Pas ici. C'est là que je couche les hôtes payants. Monte à l'échelle.

Hannah rassembla ses forces et grimpa à l'échelle, en réalité des morceaux de bois cloués au mur. Elle entendit à nouveau le rire lascif de Stritch et réalisa un peu tard qu'il regardait sous ses jupes. Elle était trop lasse et découragée pour se fâcher.

Dès qu'elle se fut glissée par la trappe, Hannah l'entendit claquer. Le verrou fut tiré.

C'était une pièce misérable, pas beaucoup plus grande qu'un box d'écurie. La pente raide du toit faisait qu'il n'était possible de se tenir debout que le long de la cloison intérieure. L'atmosphère était suffocante, sans air, sauf ce qui en passait à travers les planches brutes qui formaient le mur extérieur. La seule lumière venait d'une fenêtre minuscule percée dans le toit pentu. Elle était sale et Hannah ne réussit pas à l'ouvrir. Elle s'accroupit et essuya le carreau de sa main afin de regarder au-dehors. Elle ne vit qu'une mince tranche de ciel bleu et les toits des maisons voisines.

Découragée, elle parcourut la pièce du regard. Tout l'ameublement consistait en un coffre vide dans un coin, le couvercle rejeté en arrière, une paillasse par terre et un pot de chambre. La literie était sale et semblait infestée de punaises. Le sol en planches grossières était recouvert d'une épaisse couche de poussière.

Hannah s'assit avec précaution sur la paillasse. Dans un sens c'était à peine pire que l'endroit où elle dormait chez elle; mais, là-bas, sa mère et elle faisaient de leur mieux pour tenir leur maison à peu près propre.

Sa mère, sa pauvre mère usée par le travail. Hannah se souvenait à peine de son vrai père bien qu'elle eût huit ans à sa mort. Chaque fois qu'elle pensait à lui, elle voyait le sang et la violence, et c'était comme une cloison qui obturait son esprit.

Sa mère avait épousé Silas Quint peu après la mort de son père. Depuis, elles n'avaient connu que dureté et privations. En plus des soins du ménage et tout en veillant sur Hannah, sa mère exécutait tous les travaux qu'elle pouvait trouver dans les maisons bourgeoises. Quint lui prenait presque tout l'argent qu'elle gagnait. Elle cachait juste de quoi procurer quelque nourriture supplémentaire à sa fille, ou un vêtement neuf de temps en temps. Parfois, Quint s'emparait de ses pauvres économies, il la battait alors jusqu'à l'inconscience, puis s'en allait dépenser l'argent à boire et jouer.

La maison qu'ils habitaient n'avait qu'une chambre. Hannah dormait sur une paillasse, dans la cuisine; là au moins, elle avait plus chaud en hiver. Quelques centimètres seulement la séparaient de la chambre où Silas Quint dormait avec sa mère. Les fissures dans les murs étaient suffisamment larges pour permettre de voir au travers. Hannah ne l'avait jamais fait, mais elle pouvait entendre tout ce qu'ils se disaient. Elle entendait leurs accouplements, le coup asséné sur le visage de sa mère lorsqu'elle tentait de se soustraire à ce que Quint appelait son « devoir conjugal ». Elle entendait leurs querelles presque chaque soir, puis les ronflements de pochard de son beau-père et les sanglots de sa mère qui lui tordaient le cœur.

Ce fut au cours de l'une de ces conversations nocturnes que Hannah comprit l'intention de Quint de la vendre en apprentissage à Amos Stritch, le tavernier...

— Je ne veux pas entendre parler de cela, Quint! C'est ma fille! Ma fille vaut plus qu'une esclave noire!

— C'est peut-être ta fille, femme, mais, pour moi, c'est un ventre à remplir. Les temps sont durs. Je m'use les mains au travail, c'est jamais assez. Je pensais que tu serais contente. Elle aura à manger, elle aura un endroit où dormir et des habits sur le dos. C'est seulement jusqu'à ce qu'elle ait vingt et un ans. A ce moment-là, elle trouvera bien un jeune gaillard pour l'épouser.

Quint avait un ton cajoleur, inhabituel lorsqu'il parlait à sa femme.

— Il la fera travailler de l'aube à minuit. Il n'y a que les brutes et les vauriens pour fréquenter ces tavernes.

— Je suis un vaurien, moi? (Il y eut un bruit de gifle et la mère éclata en sanglots.) Pardon femme. C'est que tu m'agaces, tu sais. C'est le seul moyen, tu comprends. M. Stritch va effacer mon ardoise et me faire crédit.

— Silas Quint, tu es endetté à cause de ton ivrognerie! Et, à présent, c'est ma pauvre fille que tu veux vendre pour pouvoir boire et jouer à ta guise!

Hannah qui écoutait attentivement retint sa respiration. Il était rare que sa mère parlât ainsi; il y avait longtemps que sa volonté avait été anéantie. Hannah comprit alors que les seules fois où sa mère avait osé répondre à Silas Quint, c'était à cause d'elle.

— Un homme ne peut pas toujours travailler du matin au soir. Et puis, la fille en profitera, tu comprends pas ça? Elle apprendra un métier utile au moins. Il y a toujours de la place pour une servante de taverne qui connaît son boulot. A la fin de son apprentissage, elle aura cinquante shillings, peut-être plus. C'est sur le contrat.

— Non, je ne permets pas...

Il y eut de nouveau une gifle :

— Tu permettras comme j'ai dit! C'est décidé. Tiens ta langue maintenant, femme. J'ai envie de dormir.

Bientôt, on n'entendit plus que les ronflements de Quint et les sanglots étouffés de sa mère.

Le lendemain, cependant, sa mère avait changé d'avis, semblait-il. Elle dit à Hannah :

— Peut-être est-ce mieux comme cela, ma fille. Il vaut mieux que tu quittes cette maison. J'ai vu les regards de Quint...

Elle se tut subitement et serra les lèvres, mais Hannah ne savait que trop ce que sa mère voulait dire. Puis, brusquement, Mary Quint prit sa fille dans ses bras; Hannah sentit le visage humide de larmes de sa mère. La pauvre femme soupira :

— Le sort d'une femme est bien triste. Je me demande parfois si le Seigneur ne nous a faites que pour nous punir de quelque chose...

Hannah passa doucement la main sur les cheveux rêches de sa mère, écoutant à peine : comme à l'accoutumée, elle implorait Dieu et le blâmait alternativement. Hannah savait bien que sa mère avait raison; la condition des femmes n'était pas facile.

Et maintenant, après son expérience humiliante, Hannah avait le sentiment de connaître toute l'amertume du sort réservé aux femmes. Encore que sa mère eût peut-être raison en disant qu'il valait mieux pour

14

elle quitter la maison de Quint. Les choses ne pouvaient guère être pires que là-bas. Elle nettoierait la soupente. Elle aurait probablement davantage à manger. Même les reliefs de la table seraient plus convenables que l'ordinaire, chez Quint. Et sa mère lui avait raconté qu'il arrivait qu'un homme laissât une ou deux pièces de monnaie dans sa tasse en remerciement des services rendus.

Puis elle pensa à Amos Stritch, à son regard, à la sensation répugnante de sa main sur sa hanche comme il la suivait dans l'escalier. Il était aussi repoussant que Quint et il semblait avoir les mêmes intentions à son égard. Or, elle était maintenant sa propriété tout le temps de son apprentissage. Son statut ne valait guère mieux que celui de l'esclave noire enchaînée ramenée d'Afrique. C'était l'idée de cette servitude qui l'avait amenée à se rebeller et se débattre au point que Quint avait dû la tirer au bout d'une corde.

Cela arrivait aussi aux hommes, c'était vrai, comme à ce garçon qui nettoyait en bas. Mais s'il en avait la volonté, un homme pouvait s'enfuir. Certes, il pouvait être repris et remis dans les chaînes, et même être fouetté en public sur la place; mais il y en avait qui réunissaient.

Tandis qu'une fille n'avait aucune chance. Hannah savait que, si elle tentait de s'échapper, elle ne ferait guère plus de quelques miles avant d'être ramenée. Un homme pouvait se cacher dans les bois, il pouvait vivre dans la campagne. S'il rencontrait un étranger, il pouvait dire qu'il était de passage; on le croirait certainement.

Mais une femme inconnue, seule? Des doutes s'élèveraient aussitôt.

Hannah soupira. Il ne lui restait qu'à s'accommoder de sa situation. Ici, elle serait au moins délivrée de Silas Quint et peut-être se trompait-elle sur le compte d'Amos

Stritch. Peut-être serait-il gentil pour elle si elle travaillait dur et ne lui causait aucun ennui.

Si Hannah avait eu connaissance de la conversation qui se déroulait entre son beau-père et Amos Stritch dans la salle du bas, elle aurait eu bien des raisons de s'inquiéter.

Les deux hommes buvaient quelques chopes de bière. Stritch, son pied goutteux surélevé, tirait sur sa pipe malodorante tandis que Quint absorbait gloutonnement sa bière. Il l'aurait aimée un peu plus forte, mais il n'osait pas réclamer tant que leur accord n'était pas définitif. Stritch disait :

— Vous êtes sûr que la fille est vierge, Quint? Si elle ne l'est pas, notre marché ne vaut pas.

— Je vous jure qu'elle l'est, monsieur Stritch. Pas un homme n'a posé la main sur elle. S'il n'y a pas de taches de sang sur les draps la première fois que vous la posséderez, notre marché sera cassé.

— Bon sang, surveillez votre langue! Vous savez bien que c'est contre les coutumes et les lois qu'un patron culbute ses servantes en apprentissage. Faut dire tout de même que c'est une belle poupée, pulpeuse!

— C'est sûr. Pulpeuse comme une pêche. J'ai jeté un coup d'œil sans qu'elle me voie, pendant qu'elle prenait son bain. (Les pupilles mobiles de Stritch le dévisageant, il s'empressa d'ajouter :) Je vous l'ai dit! J'ai pas touché un seul cheveu de sa tête, je vous le jure! Mais, comme je suis honnête, faut que je vous dise d'avoir l'œil sur elle. Si vous la surveillez de près, elle travaillera; mais elle rêvasse souvent quand elle est seule.

— Vous inquiétez pas! J'en ai déjà eu des comme ça avant. Quelques coups de fouet dans le dos et elle se remettra au travail. Par le roi, elle s'y mettra! Tenez, Quint, voilà notre contrat. Mettez un X à l'endroit où j'ai écrit votre nom.

Quint apposa son X. Il vida ensuite sa chope, la reposa bruyamment sur la table et sourit aimablement en disant :

— On pourrait peut-être prendre quelque chose de plus fort pour sceller notre marché?

2

Bien qu'il ne fût que midi, Quint était ivre quand il rentra chez lui. Mary Quint n'en fut nullement surprise. Il était rare qu'elle vît son mari sobre. Il s'était enivré le jour de leurs noces, il s'était affalé dans le lit nuptial, complètement abruti, et Mary avait l'impression qu'il avait toujours été ivre depuis ce temps-là.

Appuyé au chambranle de la porte, il ricanait, les yeux rougis et boursouflés par l'alcool :

— Voilà, c'est fait, femme. Hannah va apprendre ce que ça veut dire de gagner son pain.

Mary ne répondit pas, et lui lança un regard morne. Il devint alors sarcastique :

— T'as rien à dire? T'en avais pourtant des choses à raconter quand j'ai entamé l'affaire.

Mary passa ses doigts rouges dans ses cheveux grisonnants :

— Quoi dire, Quint? Comme tu dis, c'est fait.

— Oui, et c'est tant mieux. (Il se dirigea en vacillant vers la chambre.) Je vais dormir un peu. Ça n'a pas été commode de traîner cette entêtée. Pire qu'une mule. Fais pas de bruit.

Mary le regarda tituber. Elle demeura immobile jusqu'à ce qu'elle entendît le lit craquer comme il s'y laissait tomber. Des ronflements rauques s'élevèrent bientôt.

Elle se mit à nettoyer la masure en veillant à ne pas faire de bruit. Tant que Quint dormait, elle pouvait penser à sa guise, elle avait un peu de paix. On ne pouvait pas dire que ses efforts amélioraient tellement les choses; un régiment de femmes de ménage ne serait jamais parvenu à décrasser le plancher et les murs. Mais c'était une habitude qu'elle avait prise. Cela l'occupait.

Il semblait à Mary que ces six années de mariage avec Silas Quint n'avaient été passées qu'à faire le ménage et la cuisine — quand il y avait quelque chose à faire cuire — et à adoucir le sort de Hannah. Elle avait épousé Quint pour donner un père à la fillette alors âgée de dix ans. Un père charmant qui avait fini par vendre sa fille comme une esclave! Elle se reprit très vite : doux Jésus, non, Hannah n'était pas la fille de Quint!

Comme cela lui arrivait souvent ces derniers temps, les pensées de Mary s'échappèrent vers le passé.

Légalement, Hannah n'avait pas de père; Mary n'avait pas été unie légalement à Robert McCambridge. Bien que Robert l'eût aimée passionnément, il avait toujours fermement refusé de faire de Mary son épouse légitime. Fils d'un planteur écossais de Caroline du Sud et d'une mère esclave, Robert avait obtenu sa liberté à la mort de sa mère. A vrai dire, sa mère n'était pas une Africaine de pure race; son père était blanc. Robert était donc quarteron. Il avait le teint olivâtre, mais il avait hérité des traits aristocratiques de son père et pouvait passer pour un Espagnol ou un Caucasien à la peau bronzée si on n'y regardait pas de trop près. Cependant, le monde des planteurs était très fermé et beaucoup de gens connaissaient ses origines. Pour un Noir ou un mulâtre, épouser une femme blanche signifiait le bannissement à vie des colonies, pour les deux époux. Les annales faisaient même état de pendaisons. C'était pour cela que Robert avait refusé de l'épouser.

Ils étaient allés vers le Nord, près de la frontière de la

Virginie, dans un endroit où personne ne les connais-sait. Ils avaient trouvé une petite ferme abandonnée et une cabane délabrée. Robert la remit en exploitation...

Ce furent des temps pénibles, sans argent à gaspiller et, le plus souvent, il y avait tout juste de quoi manger; ils furent pourtant heureux. Hannah naquit un an plus tard et Mary crut ne pas pouvoir supporter tant de bonheur. Au point qu'il lui arrivait quelquefois d'ou-blier qu'elle vivait en concubinage, en état de péché.

Robert adorait Hannah, père et fille étaient insépara-bles. Dès qu'elle sut trottiner, Hannah suivit son père partout. La famille vivait dans l'isolement, sans proches voisins, et Robert allait toujours seul au petit village, à vingt miles de la ferme, quand il fallait acheter des provisions. Avoir des amis aurait été dangereux pour l'une et l'autre race.

Par une étrange ironie du sort, ce fut un nègre qui tua Robert, et non un Blanc. Un esclave échappé de la plantation McCambridge fit irruption, un soir, dans leur cabane. Il était gravement blessé et à demi mort de faim, un pauvre déchet humain. Ils l'accueillirent, le soignèrent et le cachèrent même quand les chasseurs de primes passèrent. L'esclave, Isaï, demeura leur hôte pendant plusieurs semaines, partageant leur maigre pitance et leur pauvre abri.

Dès qu'il alla mieux, Isaï se mit à regarder Mary. Elle s'en aperçut et s'arrangea pour ne pas se trouver sur son chemin. Robert semblait ignorer ce qui se passait et elle n'osa pas lui en parler car bien qu'il fût un homme doux, il pouvait être terrible si on le provoquait.

Un après-midi que Robert travaillait dans les champs avec Hannah, alors âgée de huit ans, l'esclave évadé se saisit de Mary, la jeta sur le sol de la cabane et releva ses jupes. Comme elle se débattait, il la frappa violem-ment au visage. Elle revint d'un bref évanouissement pour trouver l'homme entre ses cuisses écartées; il avait

19

baissé son pantalon jusqu'aux genoux; il était prêt à la violer. Les cris aigus de Mary résonnèrent dans la petite cabane.

Tout ce qu'elle put se rappeler ensuite, c'était qu'Isaï était parti avant de l'avoir pénétrée, il avait été arraché d'elle comme par un ange secourable.

Mary s'était redressée et avait vu Robert, son visage sombre tordu de colère, des flammes dans les yeux. Le plus doux des hommes, cet homme qui ne l'avait jamais brutalisée, qui n'avait même jamais élevé la voix, cet homme était à présent fou de rage.

Il s'était mis ensuite à parler d'une voix de tonnerre et Mary se souvenait avoir regardé vers le coin de la cabane où Isaï avait été jeté, comme un sac de grains.

— Toi qui te nommes Isaï, tu étais presque mort quand tu es arrivé chez nous. Nous t'avons donné abri et nourriture; nous avons soigné tes blessures. Nous t'avons accueilli comme un frère, et voilà que tu attaques ma femme en guise de paiement!

Isaï se dressait le long du mur, tout en remontant son pantalon :

— Ta femme! Ta concubine, tu veux dire, ta concubine blanche! Tu sais ce que les Blancs disent : quand une femme fornique avec un nègre, elle devient négresse aussi. Monsieur McCambridge, c'est pas parce que tu as du sang blanc que tu es sauvé. Tu es encore un nègre, oui, un nègre, et elle, qu'est-ce qu'elle est?

Tremblant de colère, Robert s'approcha de lui :

— Je vais te tuer pour ce que tu viens de dire, Isaï.

— Tu ne tueras personne, nègre!

Le couteau était déjà sorti, le couteau de boucher qui venait de la cuisine de Mary luisait diaboliquement dans la main d'Isaï. Mary pensa confusément qu'il devait l'avoir caché sur lui, puis elle hurla le nom de Robert lorsqu'Isaï avança, penché en avant.

Robert était debout, souple et prêt à parer, poings

fermés. Soudain, les deux hommes bondirent avec la rapidité de félins et se heurtèrent en un choc qui fit trembler la petite cabane. Robert encercla d'une main puissante le poignet qui tenait le couteau. Les deux hommes luttaient, avançant et reculant tour à tour, se cognant aux meubles. Mary s'était levée, blottie contre le mur, pétrifiée de peur et d'angoisse pour Robert. Il était plus grand que l'autre, mais Isaï était plus jeune et plus vif. Le combat était furieux, silencieux. Puis Isaï donna un coup de genou dans le bas-ventre de Robert qui gémit de douleur et relâcha sa pression autour du poignet du Noir tout en se courbant encore davantage.

Rapide comme l'éclair, le couteau frappa, frappa encore et encore, ressortant à chaque fois tout écarlate de sang de Robert, qui tomba à plat ventre et ne bougea plus.

La respiration haletante, le regard sauvage comme un animal piégé, Isaï était penché sur lui, attendant. Robert ne bougeait pas. Finalement Isaï regarda autour de lui d'un air hébété. Il vit Mary. Il fit un pas vers elle et la jeune femme se mit à crier. Isaï fit alors demi-tour et quitta la cabane en courant, tenant le couteau dégouttant de sang dans son poing.

Mary se précipita sur Robert McCambridge. Elle le roula sur le dos à grand-peine. Il avait le ventre ouvert, ses intestins à l'air comme un tas de vers. Le sang s'écoulait à grosses gouttes.

Il ouvrit les yeux, essayant de les fixer sur elle. Il murmura :

— Mary... mon amour. Mary...

Puis il mourut.

Mary était agenouillée, désertée, le cœur vide. Sa raison de vivre lui avait été enlevée en un instant de violence inouïe. Elle demeura à genoux, priant, murmurant des mots inutiles et usés. Dieu l'avait châtiée pour quelque motif obscur. Parce que l'Eglise n'avait pas béni leur union? En ce sombre moment, elle aurait plongé le couteau dans sa propre poitrine si Isaï l'avait laissé à côté du corps.

— Maman, maman, qu'est-ce qui est arrivé à papa?

Une note d'hystérie dans la voix de Hannah avait fait reprendre ses sens à Mary. Elle avait encore à vivre pour quelqu'un. Comment avait-elle pu oublier Hannah?

Elle se leva et se hâta vers la fillette qui pénétrait dans la pièce, la serrant tendrement dans ses jupes.

— Papa est blessé, dis? Il y a du sang partout!

— Oui, mon enfant, il est blessé. Il y a eu... Ton père est parti, pour toujours. Il faudra que tu apprennes à...

Hannah glissa des bras qui l'enfermaient et s'évanouit. Mary en rendit grâce à Dieu. Elle prit la fillette dans ses bras et la porta doucement dans la petite chambre. Puis, mettant en œuvre des forces inconnues jusqu'à ce jour, Mary traîna à l'extérieur le corps de Robert et le mit en terre rapidement. Elle revint ensuite dans la petite cabane et frotta le sang machinalement pour occuper son corps tandis qu'elle pensait à ce qu'il y avait lieu de faire à l'avenir.

Elle avait déjà décidé qu'elle ne pouvait pas rester ici. Isaï pouvait revenir et les tuer toutes deux. Elle n'osa pas déclarer le crime. Ç'aurait été admettre qu'ils cachaient un esclave en fuite. De plus, elle aurait été incapable de mener la ferme toute seule.

Elles partirent le soir même. Elle entassa ses quelques biens sur la charrette et attela le cheval que Robert utilisait pour labourer. Hannah était effondrée à côté de sa mère. La fillette était prostrée depuis qu'elle avait repris conscience.

Mary n'avait pas d'argent. Elle vendit quelques-uns de leurs biens pendant le voyage, pour se procurer de la nourriture. Elle parvint finalement à Williamsburg où elle trouva acquéreur pour le cheval et la charrette. Elle faisait des ménages dans les maisons bourgeoises qui s'étaient édifiées autour de la place du Marché.

Puis elle rencontra Silas Quint. Bien sûr, elle ne lui avait jamais dit que Hannah avait du sang nègre...

Qu'allait-il arriver à Hannah maintenant? Robert étant son fils, le propriétaire de la plantation McCambridge avait veillé à ce que le garçon reçoive quelque instruction, et Robert avait appris à lire et à compter à Hannah. Mais Mary elle-même était fort peu instruite, de sorte qu'elle n'avait pas pu en apprendre davantage à sa fille...

— La vieille! J'ai faim. Fais-moi quelque chose à manger!

Mary soupira et se mit à préparer le peu de nourriture qui restait dans la maison.

Elle avait à peine quarante ans et elle était vieille déjà. Hannah aussi serait vieille avant l'âge.

3

A ce même moment, agenouillée par terre, Hannah frottait le sol grossier de la salle du comptoir. Une heure plus tôt, Amos Stritch avait déverrouillé la trappe et lui avait dit :

— Descends, ma fille, et va travailler. Il faut frotter la salle avant que les clients du soir arrivent. Et fais du bon travail, sinon je te donnerai de bons coups de canne sur le dos. Je ne peux pas te surveiller sans arrêt. Je m'en vais me coucher à cause de ce damné pied. Je ne peux pas m'appuyer dessus tellement ça fait mal. Je veux que le sol soit propre quand je redescendrai.

Hannah avait une astuce qui faisait passer plus vite le

temps tandis qu'elle accomplissait des besognes fasti-
dieuses; c'était cette astuce même qui avait amené
Quint à la houspiller, croyant qu'elle rêvait au lieu de
travailler.

Elle se remémorait les rares fois où elle avait accompagné sa mère dans les maisons élégantes de la place
du Marché. Que ce serait merveilleux de vivre dans une
maison semblable! Et combien plus merveilleux encore
d'en être la maîtresse! Et le linge blanc et fin, l'argenterie étincelante, et les grands chandeliers, et les meubles
cirés, tellement polis qu'elle pouvait s'y regarder. Et les
vêtements, les robes élégantes que portaient les femmes! Les soies, les velours et les satins. Hannah se
demandait quel effet feraient ces étoffes douces contre
sa peau. Et les parfums, si forts qu'elle en était presque
étourdie, odorante comme cent jardins en fleur.

On construisit beaucoup de ces maisons à Williamsburg. La plupart des travaux étaient effectués par des
artisans expérimentés, mais on pouvait y trouver aussi
des besognes ordinaires. Quand sa mère en parlait à
Silas Quint, c'était toujours la même réponse plaintive :

— Et mon dos, femme? Tu sais bien que je me suis
blessé il y a quelques années. Je ne peux pas faire de
travaux pénibles.

Hannah détourna ses pensées de ce sujet déplaisant
qu'était son beau-père et reprit son rêve. Elle n'avait
jamais oublié son voyage à Williamsburg sur la charrette grinçante. Il avait duré presque un mois pendant
lequel la mort de son père s'était peu à peu estompée;
ou plutôt, elle avait enfoui ce souvenir pour l'empêcher
de prendre possession de sa conscience.

Elle se remémorait les grandes plantations qu'elles
avaient rencontrées sur leur long chemin : les belles
maisons dans la verdure, les jardins, les jolies dames et
les beaux messieurs entrevus un instant. Elle se remémorait les champs de tabac tout verts dont s'occupaient

des esclaves à la peau d'ébène luisante de sueur sous la chaleur torride...

Beaucoup d'entre eux étaient nus. C'était la première fois que Hannah voyait des corps d'hommes dénudés. Terrifiée et curieuse tout à la fois, elle regardait fixement leurs organes génitaux qui se balançaient au rythme du travail. Mary Quint remarqua la direction de son regard et redressa le visage de sa fille.

— Ce n'est pas convenable pour une fillette de ton âge de regarder cela! dit-elle sans ambages.

— Pourquoi ne portent-ils pas de vêtements, maman?

Sa mère resta silencieuse un long moment et Hannah pensa qu'elle ne répondrait pas. Finalement, la femme expliqua avec amertume :

— Parce que trop de gens n'ont aucun respect pour leurs esclaves noirs. Pour eux, ils ne sont que... des choses, pas plus humaines que ce vieux cheval. Dans ces conditions, pourquoi les vêtir?

La plantation dont Hannah se souvenait le mieux était celle qui se trouvait à environ quatre heures de route de Williamsburg. La maison à deux étages était blanche, ombragée par de grands arbres; perchée sur une butte, elle dominait la James River, au milieu de vastes pelouses vertes. Des dépendances ou des annexes s'étendaient autour de la maison de maîtres. Pour Hannah, c'était comme un petit village.

Une pancarte pendait au-dessus du portail ouvrant sur une allée qui serpentait jusqu'au manoir. Hannah ne connaissait pas encore toutes les lettres de l'alphabet; elle demanda à sa mère ce qui était inscrit sur cette pancarte.

— Malvern, répondit-elle. Beaucoup de gens donnent un nom à leurs plantations. Par jeu, je suppose.

Plus tard, Hannah apprit que cette plantation appartenait à Malcolm Verner; il y vivait seul avec ses nombreux domestiques et travailleurs agricoles. Sa femme était morte de la mauvaise fièvre quelques années auparavant et son fils unique, Michael, s'était perdu en mer l'année précédente. « Malgré toute sa fortune et tous ses biens, il doit être bien malheureux », pensa-t-elle.

Etre la maîtresse d'un tel domaine, c'était la chose la plus magnifique dont elle pût rêver. Bien sûr, ce n'était qu'un rêve. Même simplement être placée dans une telle maison vaudrait infiniment mieux que cette...

— Vous êtes la nouvelle?

Surprise, Hannah sauta sur ses pieds. Elle eut un étourdissement subit dû à la fatigue et la faim. Elle chancela, prête à tomber. Des bras puissants la rattrapèrent et la pressèrent contre une ample poitrine fleurant bon le pain frais. Une voix grave dit :

— Doux Seigneur! Qu'avez-vous, belle enfant? Vous êtes pâle comme un fantôme! (Puis un rire sonore secoua la volumineuse poitrine :) Le bon Dieu sait que je suis pas un fantôme!

Hannah ouvrit les yeux et vit le visage le plus noir et le regard le plus doux qu'elle ait jamais contemplés. Elle recula, embarrassée.

— Merci. Je suis désolée...

La femme noire balaya d'un geste les excuses :

— Je m'appelle Bess. Quand le vieux Stritch est de bonne humeur, il m'appelle la Noire. Quand il est enragé, la plupart du temps, il me donne des noms qu'une fillette n'a pas le droit d'écouter. Vous êtes Hannah. Pourquoi vous êtes-vous évanouie? Ah, bien sûr! Vous avez faim, enfant? Et en plus frotter par terre à quatre pattes par cette chaleur. Venez.

— Mais, M. Stritch a dit...

— Faites pas attention à ce que dit ce vieux démon! D'abord, il bougera pas de son lit avant la fin de la journée. Pas avec ce vieux pied goutteux.

Bess emmena Hannah dans la cuisine, séparée du

bâtiment principal par plusieurs cours. Ce n'était donc pas les foyers de la cuisine qui chauffaient la taverne. Pénétrant dans la pièce à la suite de Bess, la chaleur suffocante et l'odeur de la viande en train de rôtir l'accablèrent. Son regard fit rapidement le tour de la pièce et la jeune fille vit avec étonnement qu'elle était plus vaste que la masure tout entière où elle avait vécu avec sa mère.

L'un des murs était occupé par une énorme cheminée, assez large pour qu'une personne pût s'y tenir debout : il ne manquait rien à son équipement. Un gros quartier de venaison tournait lentement sur une broche et Hannah en fut subjuguée pour un moment, au point qu'elle sentit la salive lui envahir la bouche. Bess avait suivi la direction de son regard. Elle montra d'un geste une petite table près de la porte :

— Asseyez-vous là, enfant, il fait plus frais. Je prépare quelque chose pour votre ventre.

La femme noire se dandina vers l'âtre, arrêta le mécanisme qui faisait tourner la broche et se mit à couper des tranches de viande rôtie. Elle mit la viande sur un grand plat d'étain, sous le regard incrédule d'Hannah, qui n'osait pas penser que ce mets lui était destiné.

Bess remit la broche en marche et posa le plat sur une grande table, au centre de la cuisine. Puis elle prit une grosse miche de pain dans un coffre à vivres et en coupa une tranche large qu'elle déposa à côté de la viande.

Du pain blanc. Il n'y avait jamais de pain blanc chez elle. La faim tiraillait l'estomac de Hannah tandis qu'elle observait Bess qui ajoutait au plat une coquille de beurre et remplissait une cruche de lait frais et mousseux.

Bess mena Hannah à la grande table et déposa le plat devant elle. Hannah, en dépit de la résolution qu'elle avait prise de se conduire comme une dame, se jeta sur la nourriture comme une sauvage mourant de faim. Bess la contempla d'un air approbateur pendant un moment, puis se détourna.

La viande était craquante à l'extérieur et juteuse à l'intérieur; le pain était tendre et odorant, le lait frais et agréable. Lorsque enfin Hannah ralentit son rythme, elle vit que Bess avait déjà apporté une autre assiette. Elle contenait des gâteaux au gingembre, âcres et croustillants, une tranche de pudding à l'indienne et une grosse pêche rose et bien mûre.

Elle lança à Bess un regard de gratitude. La grande femme sourit en signe de compréhension puis retourna à sa cuisine, laissant Hannah terminer son repas tranquillement.

Hannah, sa faim apaisée, détailla la pièce; son étonnement allait croissant. Elle n'avait encore jamais vu autant d'ustensiles. C'était certainement une cuisine moderne. Elle ne savait même pas à quoi servait tout ce matériel suspendu au-dessus de la cheminée et aux râteliers muraux; et cette broche qui tournait toute seule était un véritable miracle.

Enfin rassasiée, elle se renversa sur sa chaise, somnolente et quelque peu ballonnée par le repas copieux et inhabituel qu'elle venait de consommer. Elle regarda Bess se déplacer pesamment dans la cuisine; elle travaillait lentement mais sans gestes inutiles, sans cesser de bavarder. La femme était d'une rondeur telle que Hannah se demandait comment elle pouvait supporter la chaleur.

— ... Ce vieux démon de Stritch fait sa crise de goutte à peu près tous les quinze jours. Il se bourre avec ma cuisine. Son ventre va éclater un jour! J'espère que je serai encore en vie pour voir ça! C'est mieux pour vous que le vieux Stitch ait sa goutte, enfant. Vous fichera la paix pendant quelques jours.

Elle se tut pour regarder Hannah avec compassion, mais la jeune fille était trop engourdie pour le remarquer. Bess accomplissait sa tâche, parlant toujours:

— Vous savez à cause de qui je m'appelle comme ça? A cause de la reine que les Blancs ont là-bas, en Angleterre. La reine Elizabeth. Ils l'appellent la reine Bess. Ma vieille mère, elle trouvait tout drôle, on était pourtant des esclaves, elle a trouvé que ce serait drôle de me donner le même nom que la reine des Blancs.

Hannah secoua la tête vivement et essaya de montrer quelque intérêt :

— Bess, pour combien de temps es-tu placée chez M. Stritch?

Bess se retourna, le visage soudain grave, les mains sur les hanches :

— Placée! Doux Seigneur, j'ai pas été placée du tout. C'est lui qui m'a achetée, corps et âme, pour la vie! A moins qu'il en ait assez et, alors, il me vendra.

Hannah en eut le souffle coupé :

— Oh, Bess! Je m'excuse!

— Allons, ma douce. Pas besoin de vous essouffler à demander des excuses à la vieille Bess. J'ai été une esclave toute ma vie. Vous n'en finiriez pas...

A cet instant, le garçon que Hannah avait vu le matin nettoyer devant la taverne pénétra timidement dans la cuisine. Bess se tourna vers lui :

— Tu viens chercher un morceau? T'as fini dehors?

— Oui, m'ame.

— Cet enfant s'appelle Dickie, dit Bess.

Hannah sourit :

— Bonjour, Dickie. Quel est ton nom de famille?

Le gamin baissa la tête et contempla ses pieds nus. Il marmonna :

— J'ai pas d'autre nom, m'... lady.

Bess empoigna la longue tignasse du garçon :

— Dickie est un orphelin. Pas de parents, pas d'amis.

Il a été embarqué de l'autre côté, où il y a l'Angleterre, et il a été placé chez le vieux Stritch. Gamin, avant de te remplir le ventre, va remplir le seau au puits de la maison.

Dickie hocha la tête et prit un seau en bois dans un coin avant de sortir. Bess s'adressa à Hannah :

— Vous, vous avez besoin d'un bon lavage. Je vais faire chauffer une bassine d'eau. Vous vous laverez dans le baquet là-bas. On va trouver d'autres vêtements. Vous êtes en haillons.

S'en souvenant subitement, Hannah ajusta le corsage déchiré sur sa poitrine.

— Il... il a été déchiré en venant ici.

— J'ai vu. Je regardais quand l'homme est arrivé en vous traînant au bout de sa corde. Mériterait d'être empoisonné! Se débarrasser de son propre enfant comme ça!

— Ce n'est pas mon père. C'est mon beau-père!

— Ça ne fait rien. C'est honteux.

Dickie revint avec un seau d'eau et remplit la grande bassine noire suspendue au-dessus de l'âtre. Bess attisa le feu pendant que Dickie faisait d'autres voyages, vidant les seaux dans un baquet en bois qui se trouvait dans un angle de la pièce. Bess annonça enfin,

— Ça ira. Tiens... Va dehors, Dickie. T'as rien à voir ici. On va laver l'enfant, là.

Elle chassa Dickie, puis se tourna vers Hannah :

— Maintenant, déshabillez-vous, ma douce. Tout enlever.

Hannah hésitait. Elle n'avait jamais été nue devant personne, sauf sa mère. Bess, percevant la gêne de la jeune fille, lui tourna le dos :

— On va brûler ce chiffon qui vous servait de robe. La fille qui était avant vous a laissé quelques affaires qui vous iront. Elle venait de finir son...

Elle se retourna de nouveau juste au moment où

Hannah quittait son lambeau de chemise. Hannah s'immobilisa, pétrifiée.

— Doux Seigneur! Que c'est joli! Comme une dame de qualité.

Hannah se sentir rougir :

— Tu crois, Bess? Quint dit que je suis trop grande pour une femme. Il dit que je suis une grande vache.

— Faut pas écouter ce que disent les gens de son espèce, ma douce. Il dit que des bêtises et sait pas ce que c'est que la qualité. Ecoutez la vieille Bess, et elle dit que vous êtes une beauté.

Le regard noir de Bess enveloppa les longues boucles cuivrées qui encadraient le visage en forme de cœur. Les yeux verts étaient comme deux émeraudes. Les seins étaient hauts et orgueilleusement dressés. Le ventre s'arrondissait légèrement au-dessus de la toison floconneuse dorée recouvrant sa féminité. Les jambes étaient longues et bien faites. Bess songea que Hannah promettait de devenir une grande beauté une fois débarrassée de quelques traits encore enfantins. Même à présent, dressée avec fierté, elle ferait honte à bien des dames de qualité. Elle possédait une grâce particulière, souveraine. Quant à sa peau, elle était douce et d'un rose doré, comme la peau d'une pêche mûre.

Soudain, Bess prit la main de Hannah. Bien que marquée par les travaux, c'était une belle main fine. Bess la laissa retomber et caressa la tête de Hannah, affligée de ce qu'elle y avait lu. Il y avait le sang d'une reine africaine dans cette enfant, mais elle était certaine que la jeune fille n'en avait aucune idée.

Ayant examiné le corps épanoui de Hannah, elle comprenait pourquoi ce vieux démon de Stritch avait sauté sur l'occasion. Pauvre enfant! Si elle savait ce qui l'attendait! Bess se ressaisit brusquement :

— Allons, enfant, dans le baquet.

Hannah obéit, y mettant un pied puis l'autre :

— Oh! Bess, c'est froid!

— Bien sûr, ma douce, dit Bess d'une voix sévère, arrivant avec la bassine fumante. Dites-moi quand c'est assez chaud.

Bientôt, la chaleur commença à monter le long de ses jambes. Elle s'assit dans le baquet, les genoux levés.

— C'est assez chaud?

Hannah fit un signe de tête et Bess lui donna un morceau de savon ordinaire et un gant de toilette :

— Frottez fort maintenant!

« Elle n'a pas de souci à se faire », pensa Hannah, se frottant avec délices. Chez elle, tout ce qu'elle réussissait à faire, c'était à se baigner dans l'eau de lessive. Aujourd'hui, c'était le paradis! Elle se lavait lentement, écoutant distraitement les bavardages de Bess.

— Dans la plupart des tavernes, il y a une douzaine de gens pour aider, des esclaves et d'autres qui sont en placement. Mais le vieux Stritch serre les cordons de sa bourse. N'y a que vous, moi, Dickie et puis trois autres pour servir à la table et nettoyer en haut. Et puis Nell.

— Qui est Nell?

— C'est l'autre servante. C'est une mauvaise, dégoûtante comme la merde de chat. Ne la laissez pas vous embêter...

Tout d'abord, Hannah avait été choquée d'entendre un tel langage dans la bouche d'une femme; mais elle s'y habituait, peu à peu, et elle savait qu'elle allait aimer Bess, son langage rude et le reste.

— Vous avez au moins une chance, enfant. Nous serons sans doute pas trop occupés pendant quelques semaines encore. Ça vous donnera le temps de prendre le fil. C'est pendant la Session, quand la Chambre des Bourgeois se réunit, qu'il y a de quoi faire. De beaux messieurs viennent de toute la Virginie. Là, on est sur pied sans arrêt. Tous les lits du haut sont occupés, sauf celui du vieux Stritch, et les hommes mangent et boivent n'importe quoi...

Un cri venu de l'étage de la taverne interrompit Bess. Elle alla à la porte :

— Oui, missé Stritch?

— Monte ton cul noir jusqu'ici et apporte-moi à manger, sacrebleu!

— Ça vient, missé Stritch!

Se retournant, Bess intercepta le coup d'œil de Hannah. Elle lui fit un large sourire et eut un geste significatif :

— C'est comme ça que le vieux Stritch aime que je lui parle. Dans sa tête, il est persuadé qu'une grand-mère noire sait pas parler autrement. Il se fâche facilement quand il a sa crise, alors je le contrarie pas. Le vieux Stritch est toujours très fort, mais quand il est en colère... Oh, la la! (Elle s'activait à garnir un plat de nourriture :) Vous restez là jusqu'à ce que je revienne, ma douce. Ce sera pas long. Je vous apporterai aussi une robe. Je vais le remplir avec ce beau canard, ça le tiendra au lit toute la soirée. Le vieux Stritch se rend pas compte que c'est le manger qui le fait rester au lit.

Hannah se rendit compte que Bess avait raison sur trois points. Stritch ne parut pas; la salle du comptoir n'était pas bondée et enfin Nell, l'autre serveuse, avait l'esprit vicieux et était aussi vulgaire que sale. Sa personne exhalait une odeur rance. Elle arrivait à la fin de son contrat de placement, et était plus âgée que Hannah. Elle était quelque peu rondelette et portait un corsage très échancré d'où menaçaient de s'échapper deux seins généreux chaque fois qu'elle se penchait en avant, ce qui arrivait fréquemment quand elle servait les hommes.

La robe que Bess avait trouvée pour Hannah était un peu trop ample, mais Bess l'avait arrangée en conséquence. L'étoffe en était souple, d'un vert clair qui convenait au teint de Hannah. Puis Bess lui avait brossé les cheveux, jusqu'à ce qu'ils brillent. Hannah s'était ensuite admirée dans un fragment de miroir que Bess avait tiré de l'un des placards. Elle ne s'était jamais sentie aussi bien ni aussi jolie. Son bain l'avait rafraîchie et parfumée et Bess l'avait en outre large- ment aspergée de quelque essence odorante.

La salle du comptoir était presque vide lorsque Han- nah y arriva pour prendre son travail. Nelle vint à sa rencontre. Elle toisa Hannah de la tête aux pieds de ses yeux noirs pleins de méchanceté et de mépris; elle railla ouvertement :

— Ah! c'est vous la belle dame! Pomponnée comme une bourgeoise de grande maison. Je parie que vous aurez plus aussi bel air ce soir. Balancez pas votre fes- sier avec tant d'insolence, ou bien il tardera pas à être noir et bleu à force d'être pincé!

Hannah était trop ahurie pour répondre. Mais aurait- elle eu la réponse adéquate qu'elle n'en aurait pas été plus avancée; en effet, ayant débité sa tirade, Nelle s'en alla avec grand fracas.

Tout étant nouveau pour elle, Hannah fut d'abord trop absorbée par tout ce qu'elle voyait pour s'occuper de Nell.

Même la rue s'était peuplée peu à peu : marchands parlant affaires, beaux messieurs en culottes courtes, bas fins et souliers à boucles, portant perruque pou- drée, conversant tranquillement; la racaille ordinaire, enfin, qui allait et venait. Hannah comprit que les taver- nes étaient le centre d'une activité intense, surtout le soir. Mais c'était l'intérieur de la taverne qui la fascinait particulièrement.

La salle du comptoir était relativement exiguë. Une grande cheminée était encastrée dans l'un des murs, flanquée de deux fauteuils. Comme c'était l'été, il n'y avait pas de feu. En outre, plusieurs petites tables entourées de chaises et quelques bancs étaient disposés au centre et le long des deux autres murs. Il y avait un jeu d'échecs posé sur une table et, bientôt, deux hommes entamèrent une partie. Elle leur servit une chope de bière. A une autre table, un trio turbulent jetait des dés d'un gobelet. La salle s'emplissait, la plupart des clients bavardaient calmement, mais une voix s'élevait parfois dans le feu de la discussion. Beaucoup fumaient un tabac odorant dans des pipes en terre à longues tiges.

Le comptoir était dans un coin; c'était un meuble en acajou de petites dimensions complété par une barricade massive faite de lattes en bois. Cette dernière pouvait être abaissée depuis le plafond pour isoler le comptoir du reste de la salle. Hannah apprit plus tard l'existence d'une trappe derrière le comptoir et d'une échelle qui aboutissait dans la cave à vins où étaient stockés les alcools.

Bess lui avait dit que Stritch se tenait d'ordinaire au comptoir, étant plutôt méfiant envers tout le monde. Mais comme il n'était pas en état de descendre ce soir-là, l'un des serveurs noirs normalement de service à la salle à manger avait pris sa place. Hannah se rendit bien vite compte de sa chance car elle était totalement inexpérimentée. L'homme fut très patient avec elle, lui expliquant son travail d'une voix douce et lui apprenant le nom des boissons. Hannah soupçonna Bess de lui avoir glissé un mot en sa faveur.

Hannah trouva une chose bizarre sur le comptoir. C'était un petit objet contenant du tabac à pipe. Sur le couvercle était inscrit le mot « honneur ». Le client devait glisser une pièce de deux pences dans une fente percée sur le côté, il soulevait ensuite le couvercle et prenait une dose de tabac. Son honneur l'obligeait à ne pas en prendre davantage.

Bess avait raconté à Hannah :

— Ça écorche le vieux Stritch tout vif d'avoir cette boîte-là. Il a confiance en personne. Mais c'est comme ça dans toutes les tavernes. Dans beaucoup d'endroits, il n'y a pas de serveuses dans les salles publiques, mais seulement à la table d'hôte. Le vieux Stritch se figure qu'une serveuse agréable attire les clients. Dans certaines tavernes, il y a des garçons en placement, comme Dickie, pour servir les boissons, ils ont confiance que les hommes paieront en s'en allant, ou bien ils se font marquer sur leur compte. Bien sûr, le vieux Stritch fait crédit, il est bien obligé. C'est l'usage. Mais il a l'œil sur tout.

Hannah se demanda si Silas Quint mettait vraiment sa pièce dans la tabatière. Vaine question. Silas Quint ne fumait pas, gardant tout son argent pour boire et jouer. Heureusement, Quint ne parut pas ce soir-là.

Le choix de boissons n'était pas grand. La plupart des clients demandaient de la bière ou du vin, quelques-uns commandaient de l'eau-de-vie française, du rhum ou du punch.

A la suite de leur premier affrontement, Nell n'adressa plus la parole à Hannah de toute la soirée; mais Hannah surprit de temps en temps le regard de la fille posé sur elle. Elle nota le comportement provocant de Nell : elle ne laissait pas échapper une occasion de se pencher largement en avant et d'exposer sans vergogne ses seins opulents, n'hésitant pas non plus à frotter sa hanche ronde contre les hommes. Cette manœuvre était régulièrement accueillie par des rires gras et des commentaires grivois.

Les clients semblaient demeurer sur la réserve tandis que Hannah circulait parmi les tables avec sa grâce souveraine. On lui adressait fort peu de remarques légères, peut-être parce qu'elle était nouvelle. On lui pinça deux fois la jambe et une large main claqua une seule fois sur ses fesses. Elle ignora tout, comme si rien n'était arrivé.

Repassant ensuite près de cette table où était installé l'homme qui lui avait tapé les fesses, celui-ci lui prit la main. Avant qu'elle eût le temps de s'éloigner, elle sentit qu'il y pressait quelque chose. Ouvrant la main un moment plus tard, elle vit... un shilling! Les joueurs d'échecs donnèrent aussi quelques sous avant de sortir.

La salle du comptoir était à présent clairsemée, elle serait bientôt vide. La salle à manger était fermée depuis longtemps. Hannah et Nell se mirent à nettoyer les tables et à laver les chopes et les verres. Dickie vint balayer tandis que l'homme du comptoir allait replacer les alcools dans la cave.

Hannah était lasse, mais elle était presque heureuse, elle avait réussi à faire quelque chose. De plus, elle avait quelques sous dans sa poche, le premier argent qu'elle ait jamais possédé.

Cette impression agréable ne dura pas. Comme les deux jeunes filles quittaient la taverne pour se diriger vers la cuisine, où Bess tenait leur repas au chaud, Nell saisit subitement la main de Hannah et lui fit faire demi-tour :

— Parfait, ma belle dame! Je vous ai observée comme un oiseau. Je les ai vus tous les trois donner quelque chose. C'est à partager! Par ici!

Nell tendait la main, paume en l'air. Hannah, en colère, se libéra :

— Je ne veux pas. C'est à moi qu'ils ont donné les pièces.

— Peu importe. Tout ce qu'on reçoit ici, on le partage. Si Stritch nous prend à recevoir quelque chose, il réclame tout pour lui. Si vous me donnez pas ma part, j'irai lui raconter et il prendra tout pour lui!

— Non. C'est à moi.

— Vous avez peut-être promis de les rencontrer sous un arbre, tout à l'heure?

Sans réfléchir, Hannah leva la main dans un grand geste et administra une gifle retentissante à la fille, qui recula en chancelant. Ahurie de ce qu'elle venait de faire, Hannah fit un pas en arrière. Elle enfonça sa main dans la poche qui contenait les pièces, les serrant pour les protéger.

Une expression sauvage sur le visage, Nell s'approcha en criant :

— Sale fille de ferme! Tu veux frapper encore? Je vais te marquer pour de bon!

De ses doigts crochus, elle frappa Hannah à toute volée. Hannah se courba, évitant de justesse d'être griffée. Nell s'arrêta et, d'un mouvement vif, s'empara de la main de Hannah dans la poche de sa robe. L'étoffe céda et les pièces s'éparpillèrent sur le sol.

Tout ce que Hannah avait accumulé de rage et de contrariétés ce jour-là se mit à bouillonner d'un coup. Elle vola littéralement sur l'autre fille et en un instant elles roulèrent à terre dans la poussière, rossant et griffant. Hannah enfonça ses doigts dans les longs cheveux noirs de Nell et se mit à lui taper la tête contre le sol. Nell hurlait.

Une voix dit au-dessus d'elles :

— Ça va maintenant! Ça suffit.

Des mains puissantes saisirent Hannah sous les bras et la soulevèrent. Nell, pâle de terreur, rampa sur quelques mètres comme une écrevisse, puis se releva et partit en courant, ses jupes volant autour d'elle.

Bess gloussait de rire :

— Je crois pas qu'elle vous embêtera encore, ma douce. Vous lui avez donné ce qu'il fallait. Croyez pas qu'elle ira se plaindre au vieux Stritch. Si elle le faisait, il faudrait qu'elle admette qu'elle avait caché aussi ce que les hommes lui donnaient. S'il l'apprenait, elle aurait de la canne!

Dickie s'approcha timidement, la main tendue :

— C'est pas perdu, miss Hannah. Je les ai trouvées, toutes.

Hannah prit les pièces puis, spontanément, en tendit une au garçon :

— Tiens, Dickie, c'est pour toi.

Dickie la considéra avec étonnement. Il prit la pièce avec circonspection, comme s'il craignait que Hannah ne refermât la main dessus. Puis il dit tout ému :

— Merci, lady.

Il prit les jambes à son cou, martelant la terre de ses pieds nus. Hannah le suivit des yeux, l'air pensif :

— Sais-tu que personne avant lui ne m'avait appelée « lady »?

— Pauvre gamin. Il n'a pas l'habitude qu'on soit bon avec lui.

Une fenêtre s'ouvrit à grand bruit au second étage et une voix brailla :

— Qu'est-ce qui se passe en bas? On dirait deux chattes qui miaulent!

La tête de Stritch passait par la fenêtre, son crâne chauve était couvert d'un bonnet de nuit en flanelle.

— Histoire de s'amuser un peu, missé Stritch.

— C'est pas l'heure de s'amuser. Restez tranquilles maintenant, ou je vous ferai sentir ma canne.

— Oui, missé Stritch.

— Même pas moyen d'être malade en paix...

La tête se retira et la fenêtre claqua.

Secouée d'un rire silencieux, Bess mit son bras autour des épaules de Hannah.

— Venez, enfant. J'ai fait chauffer une assiette pour vous.

Bess redevint sérieuse avant de pénétrer dans la cuisine; elle lança un coup d'œil vers le second étage et dit d'une voix étrange :

— Le vieux Stritch a l'air d'être redevenu comme avant. Il va bientôt être debout. Le Seigneur nous aide!

Hannah comprit ce que Bess avait voulut dire deux jours plus tard. Stritch n'avait pas paru le lendemain soir et tout s'était bien passé. Nell avait soigneusement évité Hannah, et Hannah savait ce qu'elle avait à faire. Les clients ne lui avaient rien laissé, mais elle savait fort bien qu'elle ne pouvait pas recevoir quelque chose tous les soirs. Il n'y eut qu'une fausse note : Silas Quint vint à la taverne. Hannah ne lui parla pas, évitant même le banc où il était assis : il alla se servir au comptoir. En retournant à sa place, il avait saisi violemment le bras de sa belle-fille :

— T'auras pas une bonne parole pour ton vieux père, la demoiselle?

Hannah dégagea son bras d'une secousse :

— Vous n'êtes pas mon père. Et puis, pourquoi me parler? Vous m'avez vendue.

Quint prit un air menaçant et sombre :

— On m'a dit que M. Stritch était resté au lit ces jours-ci. Attends qu'il soit debout... tu finiras de jouer les ladies, la demoiselle!

L'atmosphère de la taverne changea radicalement quand Amos Stritch parut derrière son comptoir le troisième jour. Il surveillait tout d'un œil vif. Lorsqu'un client laissa une pièce à Hannah en s'en allant, Stritch la réclama quand elle passa au comptoir.

— Tout ce qu'on laisse sur les tables m'appartient, ma fille. Ne l'oublie pas. J'ai l'œil. Rien ne m'échappe. Si je te prends à escamoter ce qui m'appartient, c'est la canne sur ton dos!

La taverne ferma et les filles allaient partir quand Stritch appela derrière son comptoir :

— Eh, Hannah, viens·ici.

Elle approcha avec appréhension. Mais Stritch était à présent tout sourire, sa face rouge se plissa en un ricanement de gargouille :

— Cours à la cuisine et dis à la Noire de me préparer mon dîner. Tu me l'apporteras dans ma chambre.

— Moi, sir?

— Oui, toi. Et fais gaffe. J'aime pas attendre.

Le cœur battant d'angoisse, Hannah se rendit à la cuisine.

— M. Stritch veut que je lui apporte son dîner dans sa chambre.

Bess se redressa, les yeux rétrécis.

— Ah, il est prêt? Sale vicieux qu'il est. (Elle se détourna en murmurant:) Je voudrais avoir un poison, pour lui régler son compte.

— Que dis-tu, Bess?

— Rien, ma douce, rien.

Tandis que Bess préparait le plateau de Stritch, Hannah prit un morceau ou deux pour elle. Bess n'en finissait pas. Hannah souhaitait qu'elle se dépêchât. Elle était brisée de fatigue et avait hâte de retrouver sa paillasse.

Le plateau enfin prêt, Bess le donna à Hannah sans un mot, sans même la regarder. Surprise et légèrement blessée, Hannah quitta la cuisine. Si elle avait tourné la tête, elle aurait vu deux grosses larmes rouler sur les joues de Bess. Elle l'aurait vu lever ses regards vers le ciel tout en murmurant une prière :

— Seigneur, je t'en prie, aide cette pauvre enfant encore innocente comme un nouveau-né.

Le second étage se composait de quatre chambres contiguës qui communiquaient entre elles, sans portes; seule la chambre que s'était réservée Stritch, à droite de l'escalier, fermait à clef. Dans les dortoirs, tout l'espace disponible était occupé par les lits; une cheminée centrale dispensait le chauffage. Pendant les sessions de la Chambre ou en toute autre période d'activité, tous les lits étaient loués; il arrivait même que trois personnes couchassent dans un même lit, étrangères l'une à l'autre ou non. Bien sûr, il n'y avait rien de prévu pour les femmes. Un homme voyageait rarement avec son épouse. S'il avait à se rendre à Williamsburg en sa compagnie, il s'entendait au préalable avec des amis pour qu'elle logeât chez eux. Il n'était pas dans les usages que les tavernes ou les auberges accueillent des femmes.

Hannah frappa timidement à la porte de Stritch. Il ouvrit aussitôt, en bonnet de flanelle, sa longue chemise de nuit tombant jusqu'au sol. Il avait un air tellement comique que Hannah eut envie de rire. Mais elle savait qu'elle n'en avait pas le droit.

— Eh bien, ma fille, il t'en a fallu du temps! grogna-t-il. Entre! (Hannah entra, le regard de côté.) Pose ça sur la table, près du lit.

C'était un immense lit à colonnes surélevé. Hannah l'examina du coin de l'œil tout en posant le plateau sur la table. Elle se retourna brusquement quand elle entendit la clef dans la serrure. Stritch ricanait, balançant dans sa main la longue clef en laiton.

— Qu'est-ce que cela veut dire, sir?

Il s'approcha, l'œil égrillard, sa face rouge comme une betterave cuite :

— Je vais te posséder, ma fille. J'ai des droits sur toi.

— Quels droits, sir? J'ai été placée chez vous pour travailler à la taverne.

— Quint t'a pas expliqué? Bah, ça fait rien. Des filles pour travailler en bas, j'en trouve autant que j'en veux. Il m'en faut une pour réchauffer mon lit. Et une qui soit vierge. Es-tu vierge, au moins? Quint m'a juré que...

— Oui, monsieur Stritch, je suis vierge et je veux le rester, répondit Hannah d'une voix tremblante.

La physionomie de Stritch s'éclaira comme il arrivait

42

sur elle. Hannah regardait autour d'elle avec inquiétude, cherchant par où s'enfuir. La lourde porte en bois
était la seule issue, mais elle était bien fermée. La jeune
fille réfléchissait intensément sur le moyen de sortir de
là. Elle aurait pu crier, mais elle savait bien qu'aucun
des domestiques n'oserait venir à son secours, pas
même la bonne Bess.

Stritch était tout près d'elle à présent, si près qu'elle
sentait son haleine fétide. Ses yeux luisants d'envie semblaient lui sortir de la tête.

Il tendit la main pour la saisir, mais Hannah se
baissa lestement et, passant sous son bras, elle courut
vers la porte, en proie à la panique. Elle secoua la poignée qui ne tourna pas. Elle se mit alors à frapper
aveuglément la grosse porte de ses poings; elle ne sentait même pas le bois brut contre sa peau. Stritch arriva
derrière elle et enfonça ses doigts dans sa chevelure. Il
la fit basculer brutalement et elle alla culbuter contre le
mur opposé; le choc fut si violent qu'elle en perdit le
souffle, restant complètement hébétée pour un temps.
Il traînait encore son pied droit, mais se déplaçait assez
bien cependant.

— Quint avait raison sur un point. T'as du tempérament, c'est vrai. Et maintenant, au lit, ma fille! Ote-moi
ces vêtements, que je voie de quoi tu as l'air. J'aime pas
acheter chat en poche.

Il la poussa rudement vers le lit. Elle trébucha à travers la chambre pour s'affaler à moitié sur le matelas
de plumes. Son esprit s'étant quelque peu éclairci, elle
avait déjà quitté le lit avant même qu'il ait pu la rejoindre.

Stritch la poursuivait, l'haleine courte. Sa silhouette
était parfaitement ridicule avec ce bonnet et cette longue chemise, mais Hannah était trop terrifiée pour songer à rire.

Elle parvint à louvoyer pendant quelques minutes,

courant d'un bout à l'autre de la pièce. Il la poursuivait sans relâche, sa face répugnante de plus en plus rouge. « Il va peut-être faire une attaque d'apoplexie », espéra Hannah qui sentait venir l'épuisement.

— Sacrebleu, ma fille! tonna Stritch. J'en ai assez de ce jeu!

Et soudain, il la coinça. Plus d'échappée possible. Il la saisit par le bras et la plaqua au mur. Son autre bras prit de l'élan et son poing s'écrasa sur le visage de Hannah. L'obscurité s'abattit alors sur elle comme une grâce du ciel.

Stritch recula tandis que la jeune fille s'affaissait sur le sol. Il attendit un moment, le temps de reprendre son souffle. Puis il prit Hannah sous les bras et la traîna à travers la chambre jusqu'au lit. Il n'y réussit pas sans efforts. « Diable, c'est qu'elle est grande! » pensa-t-il. Quand ce fut fait, il lui ôta méthodiquement tous ses vêtements.

Puis, s'écartant un peu, il la regarda de la tête aux pieds. Quelle belle fille! Jamais il n'en avait vu d'aussi bien faite. Son regard s'attarda longuement sur la mousse cuivrée du triangle, là où les cuisses prenaient naissance. Ses reins lourds le pressaient et ce fut tout juste s'il se retint de sauter sur elle.

Elle pouvait revenir à elle pendant qu'il était à son affaire et, forte comme elle l'était, elle pouvait le rejeter à terre. Cela ne se produirait pas. Se tournant de côté, il se hâta de prendre dans le tiroir du bas de sa commode ce qu'il y gardait soigneusement pour de telles occasions.

Hannah revint à elle en sentant des mains qui caressaient son corps. Sa tête vibrait horriblement et elle crut un instant qu'elle avait la fièvre, le corps brûlant et la tête douloureuse, et que sa mère, penchée sur elle, était en train de l'humecter avec une serviette froide.

Puis la mémoire lui revint dans une bouffée d'horreur et elle ouvrit les yeux. La serviette froide, c'était les mains gluantes d'Amos Stritch et le son qui résonnait dans sa tête venait de ses lèvres baveuses. Les mains de l'homme étaient partout à la fois sur son corps et elle était entièrement nue!

Hannah tenta de se jeter en bas du lit; elle découvrit alors qu'elle ne pouvait bouger ni bras ni jambes. Levant la tête, elle vit avec consternation que des liens en cuir attachaient fermement ses mains et ses pieds aux colonnes du lit. Elle était écartelée, comme sur des gravures qu'elle avait vues représentant des gens attachés sur la roue.

— Alors, ma fille! Te voilà enfin réveillée. Je veux que tu sois...

Stritch se mit sur les genoux et retroussa sa chemise sur son énorme ventre. Hannah détourna son visage de l'odieuse chose rouge érigée sous le ventre pendant. Tout le poids de l'homme descendit sur elle. Elle fit encore un effort pour échapper à l'inévitable, mais c'était inutile. Elle était clouée; elle était là pour qu'il usât d'elle selon son bon plaisir.

— Et maintenant, ma beauté, je vais t'avoir! cria-t-il.

Hannah éprouva une douleur brève et cuisante. Mais le pire fut lorsqu'elle sentit la chair de l'homme dans la sienne. Elle s'enfonça autant qu'elle put dans le lit de plumes. La douleur, émoussée à présent, était lancinante. Stritch ronflait et bavait comme il plongeait en elle. Cela ne dura heureusement pas longtemps. Il lança un cri aigu et sifflant tandis qu'il s'effondrait en elle.

Hannah demeurait toute raide sous cette masse de chair malodorante. De toute évidence, il ne se lavait pas souvent. Hannah était tout humide de la sueur de l'homme et ce poids inerte sur sa poitrine l'empêchait de respirer. Elle commanda à son corps de rester tranquille et d'endurer patiemment son supplice mais, dès ce moment, la haine était née en elle, et le dégoût de cet homme et de tous ceux de son espèce. Une haine qui ne s'apaiserait que le jour où elle se serait vengée d'Amos Stritch.

L'homme émit un soupir, se remit sur ses genoux et fit retomber sa chemise, recouvrant son gros ventre obscène et poilu. Il se pencha pour examiner le drap. Satisfait, il aboya méchamment son triomphe.

— Pour une fois, Quint a été honnête. J'en ai la preuve. Tu étais vierge, ma fille! J'ai fait une bonne affaire!

4

Bess n'avait pas besoin de voir les taches de sang sur les draps du vieux Stritch pour savoir que Hannah était vierge. Quand la fille chargée du nettoyage des étages vint la voir en riant sous cape, les draps sur le bras, Bess lança :

— T'occupe pas de ça, ma fille. C'est pas ton affaire. Et va pas caqueter à la taverne!

Bess savait bien que son avis ne servirait pas à grand-chose. Cela n'empêcherait pas la jeune écervelée de répandre la rumeur autour d'elle.

A la vérité, Bess comprenait mal pourquoi les Blancs faisaient tant de cas de la virginité. Elle avait perdu la sienne à douze ans dans des circonstances semblables, sous les brutalités d'un Blanc.

Le jour suivant, Bess s'appliqua à éviter Stritch, craignant de ne pouvoir tenir sa langue; mais elle se l'imaginait fort bien, se pavanant parmi ses clients, fier comme un coq au milieu de ses poules.

Et Hannah? La pauvre fille ne souffla mot. Elle avait une bosse de la taille d'un œuf sur une joue; elle se traînait, les yeux baissés, totalement démoralisée.

Bess désirait ardemment dire quelque chose pour consoler la pauvre enfant, mais elle sentait que c'était la dernière chose à faire. Elle trouva finalement un moyen détourné pour faire comprendre à la jeune fille qu'elle était au courant de ce qui s'était passé.

L'après-midi, comme Hannah et Dickie déjeunaient, Hannah se contentant de grignoter, Bess se mit à raconter une histoire incohérente, apparemment insignifiante :

— Vous savez, ce vieux démon de Stritch est un homme méprisable et avare au plus haut point. Il m'a achetée il y a une dizaine d'années pour faire le marmiton. Il avait pas de tournebroche mécanique à l'époque. Il utilisait des chiens. Vous savez ce que c'est, un chien tournebroche, ma douce?

Bess regarda Hannah dans les yeux. La jeune fille répondit d'un air morne :

— Non, Bess.

Hannah n'avait pas envie de parler ni d'écouter, elle voulait demeurer dans son apathie, au fond de la misère abjecte où elle était tombée depuis la nuit précédente.

— Eh bien, si vous en aviez vu un, un qui a tourné une broche pendant longtemps, vous le reconnaîtriez tout de suite. Ils sont longs, avec des pattes tordues comme celles d'un lapin. Vous allez comprendre. On mettait le chien dans une roue attachée à la broche, et le chien tournait avec la roue, et ça entraînait la broche. Pour être sûr que le chien ne s'arrêterait pas, on mettait aussi un charbon ardent dans la roue, avec l'animal. S'il s'arrêtait, ses pattes grillaient...

Hannah s'écria :

— C'est horrible!

Bess sourit doucement :

— Le vieux Stritch recule devant rien. Mais ce vieux chien qui était chez Stritch n'a pas mis longtemps pour apprendre sa leçon. Le travail était dur, surtout quand le rôti pesait deux fois le poids du chien; il fallait alors trois heures pour rôtir un quartier de gibier. Bien sûr, le vieux chien se sauvait quelquefois et allait se cacher au moment de tourner la broche, absolument introuvable. C'était alors à moi de le remplacer pendant les trois heures. J'ai finalement talonné le vieux Stritch pour qu'il achète un mécanisme. Vous devinez comment j'ai fait?

Ce fut Dickie qui interrogea :

— Comment, bonne Bess?

— En lui parlant de sa bourse, la seule chose à quoi il est sensible. Je lui ai dit que la nourriture du chien lui coûtait plus qu'un tournebroche mécanique, à la longue. J'ai exagéré un peu, bien sûr. Ces chiens-là sont nourris avec les restes. Mais le vieux Stritch est stupide quelquefois, presque aussi stupide qu'ignoble.

Subitement, Hannah se mit à pleurer. Étouffant ses sanglots, elle se leva et s'élança hors de la cuisine. Bess la suivit des yeux avec tristesse. Dickie était tout étonné :

— Qu'est-ce qui chagrine miss Hannah?

— T'occupe pas, garçon. Tu ne comprendrais pas, étant donné que tu es un homme. Ou sur le point d'en être un.

Traversant la taverne vide, Hannah se précipita dans sa soupente. Pleurer devant quelqu'un lui répugnait. Son réduit manquait d'air et était presque aussi sale que la première fois qu'elle y avait mis les pieds. Elle avait fait peu d'efforts pour y faire le ménage. Que lui importait de vivre dans la crasse? Rien ne serait jamais aussi écœurant que ce qu'elle avait vécu la nuit dernière; et qu'elle vivrait encore cette nuit, et les nuits suivantes.

Elle ne voyait que deux possibilités : fuir, mais elle savait bien qu'elle serait rattrapée et ramenée, et que ce serait alors encore pire pour elle. Si elle retournait se cacher chez elle, Quint la battrait et la traînerait de nouveau chez le vieux Stritch. Ainsi donc, elle n'avait pas le choix. Il lui fallait rester et endurer. Elle essuya ses larmes d'un revers de main.

En tout cas, elle était fermement décidée sur un point. Elle ne se soumettrait pas facilement. Ce vieux démon aimait la fougue; eh bien, elle lui montrerait qu'elle n'en manquait pas!

Ce même soir, à la fermeture de la taverne, Stritch lui ordonna de lui apporter son dîner dans sa chambre. Hannah rougit car Nell était tout près, ricanant d'un air entendu tout en l'observant.

Comme elle montait l'escalier avec le plateau, Hannah se remémora ce qui s'était passé la nuit dernière après que Stritch en eut fini avec elle.

Ignorant absolument Hannah, il s'était extrait de son lit pour se jeter sur son repas froid avec un appétit d'ogre. Quant à elle, elle avait remis ses vêtements déchirés et s'était glissée péniblement hors de la chambre sans qu'il fît le moindre geste ou dît un seul mot, comme si elle n'avait été qu'un chiffon que l'on utilise pour quelque besogne sale et que l'on met ensuite au rebut.

Ce soir-là, il lui ouvrit la porte dans la même chemise de nuit et le même bonnet. Il tourna la clef derrière elle. Hannah le força de nouveau à la poursuivre dans toute la pièce, non pour lui faire plaisir ou le tourmenter, mais plus simplement pour lui faire faire des efforts, espérant contre tout espoir qu'il se fatiguerait et la laisserait tranquille, ou même qu'il succomberait enfin à une attaque d'apoplexie.

Il avait pourtant fini par l'écarteler sur le lit, son corps bafoué offert au regard vicieux de l'homme, pantelant.

— Ma parole, ma fille! Je vais te mater, je te jure que j'y arriverai!

Hannah lutta encore contre lui. Même attachée comme elle l'était, elle fit tout ce qu'elle put pour l'empêcher de pénétrer dans son corps. Quand, au paroxysme de son désir, il y réussit enfin, elle souleva la tête et lui cracha en plein visage.

Il s'écroula et glissa du corps de Hannah en roulant.

— Bon Dieu! Jamais vu une femelle pareille. T'es de l'engeance du diable! Fiche-moi le camp d'ici!

— Je ne peux pas tant que je suis attachée, répondit Hannah avec calme.

Stritch délia l'une des mains puis se rallongea sur le lit :

— Défais le reste toi-même. Si j'étais pas aussi faible, je te battrais jusqu'à ce que tu puisses plus marcher, sois-en sûre!

Hannah se libéra rapidement, s'enveloppa dans ses vêtements et s'en alla. Stritch ronflait déjà.

Avait-elle gagné? Un espoir se fit jour le lendemain soir quand, l'heure de la fermeture passée, Stritch ne lui dit pas un mot. Hannah dormit d'un sommeil sans rêves cette nuit-là. Au matin, Bess leva le sourcil à l'humeur revivifiée de Hannah qui vaquait à ses occupations en fredonnant. La jeune fille fut tentée de tout raconter à Bess, mais elle était encore trop honteuse et humiliée. Plus tard, peut-être.

Le soir même, son espoir fut anéanti. Stritch lui fit signe au moment de la fermeture. Un sourire abject s'étalait sur sa face repoussante :

— Je veux mon souper dans ma chambre, ma fille. Et fais vite. On va voir ce qu'on va voir, ce soir!

Hannah ne pouvait empêcher ses mains de trembler en posant le plateau dans la chambre de Stritch. Tandis que Stritch fermait la porte à clef et s'apprêtait à venir vers elle, elle courut autour du lit. Il ne bougea plus, un ricanement sauvage barrant ses grosses lèvres :

50

— Ah, non. Pas ce soir, ma beauté. T'as une leçon à prendre!

Il trottina jusqu'à sa commode sous le regard craintif d'Hannah. Elle savait à présent que c'était là qu'il rangeait les courroies dont il se servait pour l'attacher aux colonnes. Cette fois-ci, il prit dans le tiroir du milieu un long bâton épais et noueux. Il l'empoignait fermement tandis que s'accentuait son espèce de rire démoniaque et sauvage.

— Et maintenant, ma fille, on va voir qui est le maître et qui la servante. Quand j'en aurai fini avec toi, c'est toi qui me supplieras à quatre pattes de coucher avec toi!

Hannah le regarda s'approcher, atterrée et tremblante. Il y eut un moment où son énergie chancela et où tout en elle lui cria de se plier à la volonté du tavernier. Quelle importance après tout s'il la possédait de nouveau? Le mal était fait. Son corps se dérobait par avance aux coups de ce bâton effrayant.

Puis elle se ressaisit. Plutôt mourir et aller brûler dans l'enfer éternel que céder à ses désirs malsains!

Comme il avançait, Hannah prit son élan et bondit. Mais pas assez vite. Le bâton siffla dans l'air et s'abattit sur son épaule avec une violence inouïe. Elle cria de terreur et chancela; Stritch fut alors sur elle, le bâton s'abattit sur son dos, ses épaules et ses fesses. Elle s'affaissa sur ses genoux, à demi évanouie de douleur. Il lui assena encore deux coups sur le dos après lui avoir plaqué le visage au sol.

Stritch recula alors, la regardant de ses yeux globuleux. Sa robe était lacérée et déchirée, son dos ruisselait de sang. « Maintenant, t'es à moi, toute à moi. Plus envie de me repousser et de cracher comme une chatte! » pensa-t-il. La flagellation l'avait excité; il était prêt.

— Au lit, femme! Allons! Sur le dos!

Hannah entendit sa voix à travers un voile rouge. Elle obéit instinctivement, comme un animal à ce point roué de coups qu'il ne lui reste plus aucune volonté pour résister; il n'est plus avide que d'obéissance.

Elle se traîna sur le lit avec mille peines. Stritch ne fit pas un geste pour l'aider. Il attendit qu'elle fût sur le dos. Il grimpa alors sur le lit à son tour, retroussant sa chemise. Il ne s'inquiéta même pas de la déshabiller, son désir était trop urgent. Il remonta la robe de Hannah par-dessus son ventre, écarta brutalement les sous-vêtements et se tendit vers elle.

Hannah était à peine consciente de lui. Elle sentait le poids de son corps qui la broyait lourdement; chaque fois qu'il retombait sur elle, c'était une vague de douleurs brûlantes dans son dos. Pourtant, au moment où il émettait son sifflement de soulagement, elle se ranima suffisamment pour pouvoir soulever la tête. Bien que sa bouche fût sèche, elle réussit tout de même à sécréter une boule de salive qu'elle lui cracha au visage. Puis, se souvenant que ses mains étaient libres, elle le frappa d'une main, ses ongles ratissant sa joue dont la chair se rassemblait comme de la bouillie. Elle y laissa quatre sillons parallèles qui se mirent à saigner.

— Doux Jésus! Oh, Seigneur! murmurait Bess, folle de colère tandis qu'elle passait une pommade âcre sur le dos lacéré et sanguinolent de Hannah. Un cochon, une vipère, un démon venu tout droit de l'enfer, ce vieux Stritch! Si je tuais cet homme, je crois que le Seigneur me bénirait!

— Non, Bess, dit Hannah faiblement. Si tu faisais cela, on te pendrait.

— En tout cas, je lui dirai ce que j'ai sur le cœur!

— Ne fais pas cela non plus. Tu sais ce qui arriverait après. Il te battrait aussi. Je te remercie de t'occuper de moi. Tu es la seule qui l'ait fait, excepté ma mère... et mon père, dit Hannah en caressant la main de la femme. C'est mon sort, et je survivrai quoi qu'il arrive. Mais Stritch ne m'a pas encore domptée! conclut-elle avec un sourire farouche.

Elle avait raconté à Bess comment elle avait été battue. Il avait bien fallu. Son dos à vif ne lui avait permis aucun repos cette nuit-là. De plus, elle savait que l'infection pouvait s'y mettre si les blessures n'étaient pas soignées, ce qui lui était impossible de faire seule. Elle était donc allée voir Bess.

Bess s'écria :

— Mais, ma douce, vous pouvez pas continuer comme ça! Je parle pas des coucheries; ça, c'est rien; une femme peut tenir le coup jusqu'à ce que le bazar ne tienne plus debout. Mais lutter, griffer, cracher... il pourrait vous battre à mort, ce démon abject. Oh, Seigneur! J'aurais bien voulu voir ça, c'est vrai. Ça aurait réchauffé la vieille Bess pour le reste de sa vie naturelle!

Dickie pénétra en coup de vent dans la cuisine, s'arrêtant net en voyant Hannah presque nue. Bess la couvrit en hâte.

— Qu'est-ce qui te prend à te précipiter comme ça, gamin? Je t'ai déjà dit de pas faire ça! Tâche de te faire connaître avant d'entrer la prochaine fois!

— Qu'est-ce qu'elle a, miss Hannah?

— T'occupe pas. Mais pourquoi cette galopade?

Dickie réfléchit un moment. Puis son visage s'éclaira :

— Les hommes de Barbe-Noire sont au village où ils font tout ce qu'ils veulent!

— Seigneur! haleta Bess.

— Qui est Barbe-Noire? demanda Hannah.

— Tiche, le pirate, enfant. On l'appelle Barbe-Noire. Il pille et assassine sur toute la côte, avec ses gens. Le diable en personne paraît-il.

— Et ils osent venir jusqu'ici?

— Ils devraient pas pouvoir, mais qui est là pour les arrêter? Il faudrait que le gouverneur appelle la milice. Mais le temps qu'elle arrive, ils sont loin. Faites attention à la taverne ce soir, ma douce. Les pirates ne craignent ni Dieu ni diable. Une fois pleins de l'alcool du vieux Stritch, ils sont capables de tout! C'est contre la loi de vendre des choses ou de servir à boire aux marins qui ont quitté leurs bateaux parce qu'ils s'en vont souvent sans payer. La plupart des tavernes n'ouvriront pas ce soir. Mais le vieux Stritch, il fait tout pour engraisser sa bourse. Il servirait le diable lui-même du moment qu'il a l'argent pour payer!

Amos Stritch était bien embarrassé. Il s'affairait à préparer la salle. Il affecta tous ses employés au service, excepté Bess. Les hommes de Barbe-Noire lui rapporteraient gros ce soir. Sa taverne serait la seule à être ouverte. Il n'avait pas peur; ils s'enivreraient et feraient du tapage, mais ils ne causeraient aucun dommage, il en était certain, ne serait-ce que parce qu'ils ne demandaient qu'à revenir une autre fois!

Il regarda Hannah pénétrer dans la salle, le dos raide. Il ricana de plaisir en se remémorant la bastonnade. Puis il passa ses doigts sur les éraflures séchées de sa joue et son ricanement s'évanouit.

C'était elle, la cause de son embarras, la garce! Il n'en avait encore jamais rencontré une qui soit aussi entêtée. Il croyait bien en être venu à bout grâce à ses coups de bâton, et voilà qu'elle lui crache à la figure à l'instant même où il se déchargeait, allant même jusqu'à le griffer pour faire bonne mesure!

Il avait été en butte à des questions insidieuses toute la journée. Il avait parlé d'un chat qui lui avait sauté dessus dans l'obscurité.

Il devait pourtant bien y avoir un moyen pour dompter sa volonté. Jamais il n'avait été tourmenté à ce

point. Il eut même la tentation de la renvoyer à Quint.
Ce serait un comble de s'avouer vaincu par une gamine!

Il redressa soudain la tête en entendant deux voix qui
chantaient dehors :

Voici l'arbre qui jamais ne grandit,
Voici l'oiseau qui jamais ne fuit,
Voici le bateau qui jamais ne navigue,
Voici la cruche qui jamais ne se brise.

A la fin de la rengaine, une voix rude cria :

— C'est ici. *La Tasse et la Corne.* Le vieux Stritch va
nous souhaiter la bienvenue!

Les hommes de Barbe-Noire! Un large sourire s'étala
sur sa face tandis qu'une idée surgissait dans le cerveau
tortueux de Stritch : il savait à présent comment briser
Hannah! A la fin de cette soirée, elle sera bien contente
de bondir comme une puce dans son lit quand il vou-
dra... Oh, oui! Elle ne regimbera plus!

Il s'approcha d'elle en toute hâte. Il lui prit le bras et
dit d'une voix basse et doucereuse :

— Suis-moi, ma fille.

Il la poussa dans l'escalier sans lui laisser le temps
d'hésiter. Elle se retourna à mi-chemin :

— Pas maintenant, monsieur, je vous en prie. J'ai
affreusement mal au dos...

— S'agit pas de ça, nigaude. C'est pour ton bien,
poursuivit-il sur un ton compatissant. C'est pas bon
pour toi de travailler dans la salle ce soir. Les pirates de
Barbe-Noire ont navigué pendant des mois, sans femmes. Quand ils seront pleins de bière et qu'ils verront
une belle fille comme toi, ils seront capables de te traîner dehors pour te sauter. Tu vois, je suis en train de
veiller sur toi.

Hannah lui lança un regard sceptique. Cette sollici-
tude soudaine sonnait faux, mais elle monta. En haut, il
la poussa dans sa chambre et ferma la porte.

— Et maintenant, ôte tes vêtements! ordonna-t-il.

Elle s'écarta :

— Non! Vous avez dit...

— Pas ce que tu crois, idiote! assura-t-il d'un ton paternel et onctueux. Moi, il faut que je sois en bas. C'est seulement qu'avec le tempérament que tu as, tu serais bien capable de sortir de ma chambre. Donne-moi tes vêtements, je te les rendrai quand les hommes de Barbe-Noire seront partis! Je te le jure!

Hannah lui lança encore un coup d'œil sceptique. Elle finit pourtant par se retourner pour se déshabiller. Stritch prit le tout et s'en alla rapidement, non sans fermer la porte à clef, ignorant ses cris. Il jeta les vêtements sur le siège dans l'embrasure de la fenêtre du petit palier. Il souriait tout seul de l'habileté de son plan.

Il redescendit derrière son comptoir en se frottant les mains joyeusement. La salle était fort animée à présent, pleine de marins en paletot de cuir et culottes à fond large taillées dans de la toile et enduites d'une couche de poix suffisamment épaisse pour résister à l'impact des poignards et même au tranchant d'un sabre. Ces boucaniers étaient une race étrange; beaucoup étaient barbus et arboraient de longs cheveux hirsutes. Ils portaient des bonnets ou des tricornes; des boucles d'oreilles en or se balançaient aux lobes de certains d'entre eux. Beaucoup étaient balafrés et défigurés. Leurs voix puissantes retentissaient de jurons salaces. Venant du monde entier, ils parlaient différentes langues; mais tous avaient de l'argent, et en usaient largement. Les monnaies de tous les pays passaient dans la caisse de Stritch. Il acceptait tout avec joie.

Stritch remarqua l'absence de ses clients habituels ce soir-là. C'était bien ainsi. Ils reviendraient quand Barbe-Noire aurait repris la mer avec son équipage.

Stritch cherchait son homme. Lorsque la salle fut

56

copieusement enfumée et remplie du bruit des voix il l'aperçut enfin. Grand, large d'épaules et mince de hanches, paré comme un gentilhomme, l'homme s'encadrait dans le chambranle de la porte et jetait dans la salle un regard impérieux, les narines frémissantes comme s'il flairait une odeur de cour de ferme. Sa barbe était noire, d'un noir profond comme la nuit; un anneau d'or où s'enchâssait quelque pierre précieuse étincelante dansait au bout de l'une de ses oreilles. Ses vêtements étaient en drap fin. Il portait une culotte courte et des chaussures à boucle. Ni épée ni aucune arme visible, mais Stritch était certain qu'une dague était dissimulée quelque part sur lui.

Stritch savait que ce n'était pas Barbe-Noire, même si la barbe ressemblait fort à celle de Tiche.

L'homme se fraya un chemin vers le comptoir. A en juger d'après les regards respectueux des autres pirates, Stritch comprit que celui-ci était quelqu'un d'important, de toute évidence l'un des lieutenants de Barbe-Noire. Il marchait avec une grâce singulièrement féline pour un homme de cette taille. Il y avait en lui de l'arrogance et du dédain, comme si les autres n'existaient pas.

— Aubergiste! Vous avez de l'eau-de-vie française?

La voix était grave et pleine; les manières étaient celles d'un homme qui avait de l'éducation.

Stritch savait que de nombreux fils de bonne famille se tournaient vers la piraterie. Le bruit courait même que le gouverneur Spotswood avait gagné la plus grande partie de sa fortune en s'associant à un pirate...

— Êtes-vous sourd, aubergiste?

Stritch se ressaisit :

— Mes excuses, sir, répondit-il servilement. De l'eau-de-vie française? Oui, certainement, sir!

— De la meilleure, pas de la lavasse.

— Oh! C'est de la meilleure, venue directement de France par bateau, ces jours-ci.

Stritch versa l'eau-de-vie. L'homme à la barbe noire prit le verre, huma profondément le liquide, hocha la tête et but. Il ne bougeait pas; un coude négligemment appuyé sur le comptoir, son regard dédaigneux balayait la salle.

Stritch attendit un moment avant de lui murmurer :

— Monsieur voudrait-il une femme?

Les yeux noirs et luisants se déplacèrent :

— Une femme? Une souillon de ruelle qui a le mal français?

— Oh, non, sir. La femme est jeune et saine, je le jure. Pulpeuse, avec du tempérament, et fraîche comme une rose.

L'homme à la barbe ne dit rien pendant un long moment, soupesant soigneusement la proposition. Il dit enfin :

— Je n'ai pas l'habitude d'acheter mon plaisir, mais voilà tellement longtemps que je suis en mer.

— Je jure que vous aurez le plus grand plaisir, sir.

— Eh bien, d'accord. J'achète les faveurs de votre femme.

Stritch avança sournoisement :

— Étant donné sa jeunesse et sa beauté, ce n'est pas bon marché.

L'homme porta la main à sa poche, en sortit une grosse pièce et la jeta sur le comptoir d'un geste méprisant.

— Est-ce assez pour votre femme, aubergiste?

Stritch saisit la pièce d'une main légèrement tremblante. Une pièce d'or espagnole! Il eut fortement envie de la tester avec ses dents, mais il se retint. Il dit seulement :

— Monsieur est des plus généreux.

— Et l'eau-de-vie? C'est assez pour la femme et l'eau-de-vie?

Stritch hésita, se demandant s'il pouvait oser réclamer davantage. Le regard noir de l'homme l'en dissuada.

— Oh, oui, sir. C'est assez!

— Où est cette femme dont vous vantez tant les charmes?

Stritch tira de sa poche la clef en laiton et la tendit à l'homme :

— Tout en haut des marches, la première porte à droite, sir. Voici la clef.

L'homme le considéra d'un coup d'œil oblique :

— Quel genre de femme est-ce donc pour qu'elle soit tenue enfermée comme une bête en cage?

— C'est comme je vous le dis, sir, elle a l'humeur vive. Mais je suis sûr qu'un homme tel que vous n'aura pas de mal à la dompter.

— J'aime les femmes qui ont du tempérament et je peux dire que j'en ai dompté d'autres bien plus difficiles que celle-là.

Il prit la clef et se dirigea vers l'escalier.

De la chambre de Stritch, Hannah entendait le bruit des réjouissances. En un sens, elle aurait bien voulu être en bas; elle n'avait jamais vu de pirates et elle aurait aimé les servir. Stritch disait pourtant qu'ils pouvaient être dangereux.

L'inquiétude de Stritch lui était incompréhensible. Cela ne lui ressemblait guère de se soucier de sa sauvegarde...

La clef tourna dans la serrure et Hannah virevolta. Un homme de haute stature, la barbe noire, un étranger sans doute, pénétra dans la chambre. Il s'arrêta net à la vue de son corps dénudé. Son regard noir s'éclaira tandis que les yeux insolents la parcouraient de la tête aux pieds. Hannah se sentit rougir.

— Qui êtes-vous, sir?

— On m'appelle Dancer, madame, répondit-il en faisant une courbette gracieuse, un sourire railleur sur ses lèvres charnues.

— Comment avez-vous eu la clef?

— Votre maître me l'a vendue pour de l'or espagnol. Il m'a vendu une heure de badinage avec vous.

— Oh, mon Dieu, ce n'est pas vrai!

Hannah se couvrit le visage de ses mains et lui tourna le dos en se recroquevillant. Elle perçut un halètement contenu.

— Ciel! Qu'est-il arrivé à votre dos?

Hannah demeura muette.

— C'est l'aubergiste qui a fait cela? (Hannah hocha la tête affirmativement.) Je l'ai tout de suite pris pour une canaille. Une canaille de la pire espèce en vérité!

Comme l'homme s'approchait d'elle, Hannah se tendit pour bondir de côté.

— Ne craignez rien, madame, assura l'homme de sa voix grave et compatissante. Je ne veux pas vous faire de mal. Je ne veux pas vous toucher. Je serais vraiment un misérable si je m'imposais à vous dans l'état où vous êtes. Je vous souhaite le bonsoir, madame.

Les pas s'éloignèrent et Hannah entendit la porte se refermer avec soulagement. Elle ne s'étonna même pas qu'un pirate pût faire preuve d'une telle délicatesse. Son esprit était aux prises avec la dernière en date des perfidies de Stritch. Elle croyait avoir atteint le degré ultime de l'humiliation et de l'esclavage; elle savait maintenant qu'il y avait encore pire : Stritch la vendait comme une chope de bière!

L'homme qui se nommait Dancer hésita un moment de l'autre côté de la porte. Devait-il fermer à clef ou la laisser ouverte, afin qu'elle pût s'échapper si elle le souhaitait?

Sa colère était grande. Qu'un homme exploite une femme, coureuse ou non, c'était monstrueux! Il inclinait volontiers à descendre à toutes jambes pour transpercer l'homme de son épée. Mais il se souvint qu'il était venu sans armes; il n'avait qu'une dague cachée dans sa ceinture. Cependant, même s'il avait eu son fourreau, il savait qu'il n'aurait rien fait. En effet, il ne pouvait se permettre d'attirer inutilement l'attention sur lui ce soir. Il avait un rendez-vous important et, s'il se trouvait impliqué dans quelque affaire tapageuse, non seulement il mettait son rendez-vous en jeu, mais sans doute se placerait-il alors lui-même dans une situation périlleuse.

Il tourna la clef dans la serrure en soupirant. Il murmura :

— Mes excuses, madame. Quelle que soit la misère de votre situation, vous en êtes certainement au moins en partie responsable.

Il s'attarda encore quelques minutes sur le palier, comme pour ne pas éveiller la suspicion de l'aubergiste, puis il descendit. Il alla au comptoir et lança la clef à l'homme. Il ne put résister au plaisir de faire une remarque avant de quitter la salle :

— Vous aviez tort, aubergiste. J'ai déjà vu des chattes bien plus excitées que celle-là.

Stritch était pétrifié d'étonnement. Se pouvait-il qu'il en ait terminé aussi vite avec la fille? Elle n'avait pas lutté? Stritch sentit la colère monter. S'était-elle soumise à celui-ci parce qu'il avait l'allure d'un beau gentleman?

Bon sang! Il finirait bien par la clouer! La clef serrée dans sa main, il examina la salle de ses yeux clignotants, à la recherche de l'homme à l'air le plus fruste...

Hannah se retourna quand la porte s'ouvrit violemment. Elle crut d'abord que l'homme du nom de Dancer s'était ravisé. Mais elle comprit bientôt l'étendue de son erreur et son cœur s'arrêta presque de battre.

L'homme le plus corpulent que Hannah ait jamais vu

se tenait dans l'encadrement de la porte, l'occupant tout entier; et son visage était horrible. Pas de barbe, mais une cicatrice laissée par un sabre d'abordage lui barrait la face comme une étincelle. Le sabre avait enlevé une partie du nez et entaillé la lèvre supérieure, laissant dépasser des chicots noircis.

Il était complètement ivre. Il regardait son corps nu avec des yeux injectés de sang. Il s'écria :

— C'est vous la femme que le vieux Stritch m'a vendue? C'est pas mal!

Il parlait en sifflant légèrement en raison de l'entaille de sa lèvre supérieure. Pourtant, la présence de l'homme était tellement fantastique que ce détail ne sembla pas étonner Hannah, mais rendait l'homme plus terrifiant encore.

Elle l'observait, proche de la panique, tandis qu'il titubait vers elle après avoir claqué la porte si fort que la chambre en fut ébranlée.

Hannah recula devant lui.

— Stritch m'avait parlé d'ardeur! T'as plutôt l'air d'une souris effrayée! Mais ça fait rien, t'es assez avenante. J'vais me faire plaisir, par la barbe de Tiche, oh oui!

Il était si près que Hannah pouvait le sentir. Il devait y avoir des mois qu'il ne s'était pas lavé. L'odeur rance de son corps se mêlait à celle de l'alcool.

Elle essaya d'esquiver les mains tâtonnantes mais, bien qu'il fût ivre, il était rapide. Il accrocha son épaule d'une main puissante et lança Hannah vers le lit tout en vacillant derrière elle, rugissant de rire, la bouche ouverte sur ses dents cassées et pourries.

Hannah buta contre le lit, perdit l'équilibre et tomba. Il fut sur elle en un instant, s'abattant comme un grand arbre, l'étouffant sous son poids et son odeur.

Son combat était vain. Il plaça un bras en travers de sa gorge, comme une barre d'acier, lui coupant la respiration; il farfouillait dans sa culotte de l'autre main. Hannah se sentit défaillir.

Puis il la posséda; ses mains rudes lui meurtrissaient les seins, son énorme corps se soulevait et retombait. Chaque mouvement qu'il faisait éveillait la douleur. Quand elle essaya de s'écarter de lui en gigotant, le bras de l'homme se fit plus lourd sur sa gorge. L'obscurité enveloppa alors Hannah.

Lorsqu'elle reprit ses sens, le bras n'était plus sur son cou, mais le poids de l'homme l'enfonçait toujours dans le lit de plumes. Il était endormi; ses ronflements ressemblaient au braiment d'un âne.

Hannah repoussa de toutes ses forces cette masse inerte. Elle crut d'abord qu'elle ne réussirait jamais à bouger l'homme; elle finit pourtant par se libérer. Il roula sur le dos de l'autre côté du lit, sans cesser de ronfler.

Épuisée et malade de l'odeur qui était maintenant sur son propre corps, Hannah resta étendue un moment, le temps de retrouver ses forces.

Puis elle se souvint. La porte... Il n'avait pas fermé la porte à clef! Elle fut debout en un éclair. La poignée tourna dans sa main. Elle entrouvrit la porte et regarda dehors. Personne en vue sur le palier. Elle hésita. Elle était nue. Elle se glissa tout de même sur le palier et referma la porte doucement.

Et là, ce fut un miracle! Ses vêtements étaient jetés en tas sur un siège. Elle s'habilla en hâte, toute tremblante. La salle du comptoir retentissait encore du tapage de la beuverie. Combien de temps Stritch attendrait-il avant de monter surveiller le pirate?

Hannah descendit sur la pointe des pieds, ses chaussures à la main. Arrivée en bas, elle tourna à droite, pour ne pas passer devant la porte ouverte de la salle. Elle traversa la salle à manger qui était vide. Elle se glissa avec précaution par la porte de derrière; puis elle hésita en regardant vers la cuisine. Devait-elle parler à Bess?

Non. Bess essaierait de la dissuader alors que sa décision était prise.

Elle fuyait. L'horreur de cette dernière demi-heure était plus qu'elle pouvait endurer. Il faudrait l'enchaîner pour la faire revenir ici! Et, si on la ramenait, elle trouverait bien le moyen de se tuer.

La nuit embaumait mais le corps de Hannah était baigné de sueur froide. Hannah prit inconsciemment le chemin du sud, celui qui l'avait amenée à Williamsburg avec sa mère. Elle portait toujours ses chaussures à la main. Elle était habituée à marcher pieds nus et la plante de ses pieds était endurcie. Elle était plus agile et plus rapide sans chaussures. Aussi longtemps qu'elle restait à l'écart de la Gloucester Street, encore grouillante des hommes de Barbe-Noire, elle ne risquait pas trop d'être remarquée. Toutes les maisons des autres rues étaient sombres et hermétiquement closes. De toute évidence, les habitants étaient couchés ou tapis dans l'obscurité par crainte des pirates.

Hannah sortit rapidement de la ville, elle courait à présent le long de la voie carrossable. La nuit étant sans lune, elle resta sur la chaussée, car les arbres de plus en plus serrés qui bordaient la route l'épouvantaient.

Elle se jeta une fois sur le bas-côté et se blottit dans l'herbe pour laisser passer un carrosse à quatre chevaux. Puis à nouveau une heure plus tard, elle perçut un tonnerre de sabots et se cacha dans les herbes hautes jusqu'à ce qu'un cavalier l'eût dépassée.

Elle était presque épuisée. Elle n'avait aucune idée du chemin qu'elle avait parcouru, sans doute plusieurs milles. Elle se traînait à présent, pas à pas, les membres lourds; sa seule volonté la soutenait encore. Elle tombait parfois, mais se relevait toujours, poursuivant sa marche incertaine.

Puis elle trébucha sur une racine et tomba de tout son long sur la route, à demi hébétée. Cette fois-ci, elle abandonna; elle se recroquevilla et s'endormit.

Hannah n'entendit pas arriver une élégante calèche, tirée par deux fringants chevaux noirs. La voiture était tapissée d'étoffe, joliment sculptée et peinte, vitrée sur la partie frontale. A l'intérieur, la banquette, où deux personnes pouvaient prendre place aisément, était brodée d'argent et agrémentée d'une frange en soie qui courait tout autour. Un homme occupait la voiture, les mains croisées sur le pommeau de sa canne fermement appuyée sur le sol.

Le cocher était un nègre, assis sur un siège surélevé et séparé de l'habitacle. Deux énormes chandelles aux flammes vacillantes étaient plantées dans des globes, à l'intérieur du véhicule.

Le cocher grogna soudain et se mit à tirer sur les rênes pour stopper les chevaux renâclants.

A l'intérieur de la calèche, l'homme se pencha et demanda d'une voix forte :

— Que se passe-t-il donc, John?

— Un corps sur la route, maître. On dirait une femme.

L'occupant de la calèche s'anima à cette diversion inattendue.

— Eh bien, descends et va voir si elle est vivante. Si oui, amène-la ici.

Hannah s'éveilla au bercement rythmé de la calèche. Elle ouvrit les yeux avec précaution. Avait-elle été rattrapée?

Elle vit un homme à sa gauche, magnifiquement vêtu d'un habit ajusté aux épaules et que raidissaient bougran et baleines, d'un gilet de satin sur une chemise en batiste ornée de manchettes en dentelle, et d'une culotte courte. Ses bas étaient bleus, finement brodés. Les jarretières de velours étaient fixées par de petits boutons d'argent, juste au-dessous des genoux; les boucles des chaussures semblaient également en argent. Il portait une perruque poudrée faite de longues boucles épaisses gonflantes sur les côtés et d'une longue queue derrière.

Le visage se tourna au bruit que fit Hannah, et elle vit que l'homme était vieux, le visage était ridé et mélancolique. Elle remarqua aussi qu'il était très mince, presque émacié. Les lèvres esquissèrent un léger sourire.

— Eh bien, chère jeune lady, je suis heureux de vous voir revenue parmi nous.

— Qui êtes-vous, sir?

— Malcolm Verner, madame. Pour vous servir.

Hannah examina l'habitacle d'un regard apeuré.

— Où m'emmenez-vous?

— A Malvern bien sûr. A ma plantation.

5

Peu après, la calèche s'arrêta bruyamment devant la maison principale du domaine de Malcolm Verner, mais Hannah était trop épuisée, physiquement et moralement, pour remarquer la beauté de Malvern.

Elle entendit vaguement Verner appeler ses domestiques d'une voix forte; puis on l'aida à monter une large volée d'escalier pour la conduire, la porter presque, dans une chambre. Des mains douces la déshabillèrent et lavèrent son corps meurtri et las avec de l'eau chaude et des serviettes légères. Des visages noirs se groupèrent autour d'elle, gloussant devant les balafres et les lacérations récentes de son dos. On l'enduisit d'un onguent légèrement parfumé, et Hannah pensa alors à Bess pendant quelques instants. Presque endormie, on la guida ensuite vers un grand lit à colonnes; on l'allongea délicatement sur un matelas de plumes qui accueillit en douceur son corps fatigué. La dernière chose dont elle eut conscience, avant de sombrer dans le sommeil, fut la bonne odeur des draps propres fleurant la lavande.

Le soleil ruisselait dans la chambre lorsque Hannah s'éveilla. Devant la fenêtre ouverte pourvue d'une moustiquaire, les rideaux de dentelle ondulaient sous la brise légère. Encore somnolente, elle percevait l'activité de l'extérieur. Un enfant riait quelque part. Hannah se sentait désorientée, incertaine de l'endroit où elle se trouvait. Elle n'avait plus qu'un vague souvenir des événements de la veille. Elle se rendormit avant d'avoir pu rassembler ses idées.

Quand elle s'éveilla pour la seconde fois, deux visages noirs l'observaient avec curiosité de chaque côté du lit. Les moustiquaires avaient été enlevées. Hannah ouvrit les yeux lentement, se dressant à demi pour voir plus nettement ses infirmières qui commencèrent à s'agiter doucement. Hannah s'assit au moment où quelqu'un frappait un coup sec à la porte, laquelle s'ouvrit immédiatement pour livrer passage à Malcolm Verner. Les souvenirs affluèrent alors avec clarté dans la tête de Hannah, entraînant avec eux un flot d'appréhension et de craintes.

Elle se souvint alors qu'elle était nue sous ses couvertures et tira la courtepointe sur ses seins.

Le visage de Verner était sévère et l'appréhension de Hannah s'en trouva augmentée. Elle s'attendait au pire.

— Madame, les servantes m'ont dit que votre dos porte des marques de fouet. Est-ce vrai?

Hannah hocha la tête en silence.

— Qui a fait cette chose monstrueuse?

La voix était froide et contrôlée, mais la jeune fille y décela une réelle colère. Elle resta un moment sans répondre, clignant des yeux, faisant semblant d'être encore engourdie de sommeil. Mais, en réalité, son esprit était actif. S'il apprenait qu'elle était une servante sous contrat, ne la renverrait-il pas chez Amos Stritch? Pour la première fois de sa vie, Hannah avait un choix à faire concernant son propre destin.

Tout en réfléchissant, Hannah observait Malcolm Verner par-dessous ses paupières baissées. La veille au soir, même dans sa propre détresse, elle avait eu l'intuition d'un chagrin inexplicable chez cet homme. A présent, elle y décelait aussi de la douceur, de la gentillesse et une grande capacité de compréhension. Elle décida de risquer la vérité.

— Je suis une servante sous contrat, sir. Quand vous m'avez trouvée sur la route, je m'enfuyais.

Verner sembla embarrassé. Il dit au bout d'un moment :

— Je ne suis pas pour ce genre de servitude. Mais un contrat doit être honoré. Je ne suis pas non plus partisan de l'esclavage, je possède pourtant de nombreux esclaves... Jenny, Philomène, vous pouvez aller, laissez-nous. Qui vous a vendue sous contrat, mon enfant?

— Mon beau-père, sir.

— Votre beau-père? Puis-je vous demander pourquoi?

— Il est pauvre, sir. Il a beaucoup de dettes et aime boire. C'est un homme cruel aussi, qui se serait bien servi de moi si ma pauvre mère n'avait pas été là pour me protéger...

Puis tout le reste se déversa, depuis le mariage de sa mère avec Silas Quint jusqu'à son placement chez Amos Stritch et les mauvais traitements qu'elle avait subis.

Malcolm Verner écoutait avec consternation, de plus en plus furieux. Il s'était assis sur un tabouret, à côté du lit. Bientôt, presque inconsciemment, il prit la main de Hannah dans la sienne, la caressant de temps en temps, comme un père consolant son enfant qui pleure.

En fait. Hannah pleurait lorsqu'elle eut terminé son histoire; des larmes de faiblesse suscitées par l'émotion à l'évocation de son calvaire.

Tandis qu'il l'écoutait attentivement tout en l'observant, Verner éprouvait une inquiétude toute paternelle; cependant, il ne pouvait s'empêcher d'admirer en même temps la beauté de la jeune fille. Malgré ses cheveux emmêlés et ses yeux rougis par les larmes, elle était fort séduisante. Dans le feu de sa narration, il arriva que Hannah laissât la courtepointe glisser sous ses seins; Verner ressentit alors un tiraillement dans les reins, pour la première fois depuis des années. « L'amour, après tout ce temps et mon âge? » pensa-t-il. « Ce n'est pas parce que j'ai trois fois vingt ans que tout est forcément mort! » se répondit-il à lui-même. Confus, il s'efforça de faire dévier le cours de ses pensées.

L'histoire de Hannah le remplit d'horreur.

— Cet Amos Stritch est un voyou, un vrai bandit. Il doit payer pour ce qu'il vous a fait. Il devrait être rossé proprement et j'y veillerais volontiers moi-même si ma santé n'était pas aussi chancelante. Je sais que le sort d'un domestique sous contrat est triste, mais il y a des lois pour empêcher les mauvais traitements, et les châtiments sont sévères. Beaucoup de domestiques sous contrat l'ignorent. Je ne suis pas sans influence à Williamsburg et je vais faire ce qu'il faut pour que cet Amos Stritch paie très cher!

Hannah inclina tout d'abord à se montrer d'accord avec lui de tout cœur. Elle aurait bien aimé voir Amos Stritch puni; l'idée de le voir souffrir la remplissait d'une joie féroce. Pourtant...

Elle n'avait pas manqué de noter l'intérêt de Verner, le scintillement de ses yeux bruns, ses paupières s'abaissant languissamment et la courbe sensuelle de ses lèvres charnues. Bien que son expérience des hommes fût mince, elle avait déjà appris qu'un beau corps de femme avait tôt fait d'éveiller leur passion. Elle calcula rapidement ce qu'elle pourrait gagner d'après les réactions de Verner face à sa beauté. Elle avança prudemment :

— Quelles sont les peines, sir?

— Eh bien... les amendes habituelles. Les tribunaux imposent parfois de lourdes amendes à un contrevenant. Ils en ont le pouvoir et je veillerai à ce qu'ils l'appliquent

Hannah se souvenait à quel point Amos Stritch tenait à sa bourse. Les amendes lui feraient du mal, mais...

— Et à moi, que va-t-il m'arriver, monsieur Verner? Me renverra-t-on chez lui pour faire mon temps d'apprentissage?

Verner eut l'air surpris.

— Eh bien... oui... Je suppose que le tribunal en décidera ainsi. Mais je crois que vous pouvez avoir confiance : il n'abusera plus de vous

— Pas cela! Tout mais pas cela! Vous ne connaissez pas cet homme. Si l'on me renvoie chez lui, je m'enfuirai encore. Ou je me tuerai! (Elle s'assit toute droite dans son lit; sans trop savoir pourquoi, elle laissa la courtepointe découvrir ses seins; les larmes lui vinrent aux yeux malgré elle tandis qu'elle suppliait :) Monsieur Verner, je vous en prie, n'y a-t-il pas un autre moyen?

— Allons, chère petite, ne vous agitez pas inutilement.

Verner effleura son épaule et retira sa main aussitôt, comme s'il l'avait posée sur un charbon ardent. Le visage enflammé, il détourna les yeux.

— Je vais voir si je peux faire quelque chose, promit-il.

— Monsieur Verner, ne pourriez-vous pas vous arranger pour que je sois placée chez vous? Je suis travailleuse, on peut compter sur moi. J'ai cru comprendre que vous n'aviez que des esclaves dans votre maison. Peut-être pourrais-je servir comme gouvernante, les surveiller? Si vous pensez que j'en serais capable, je veux bien travailler à la cuisine. N'importe quoi plutôt que retourner chez Amos Stritch, conclut-elle en saisissant la main de Verner.

De plus en plus cramoisi, Verner retira sa main :

— Je vais réfléchir, chère petite. Je vous le promets. Euh... peut-être... devriez-vous vous couvrir.

— Oh, excusez-moi, sir. Je ne voulais pas vous mettre dans l'embarras. C'est seulement à l'idée de retourner dans cet endroit horrible, chez cet homme terrible...

Elle remonta la courtepointe, lentement, afin qu'il puisse bien voir. Elle commençait à se complaire à ce petit jeu qui lui donnait une impression de puissance. Le souffle de Verner se fit plus rauque. Cette fois-ci, il ne détourna pas le regard; la sueur perlait dans ses sourcils.

— Monsieur Verner?

— Oui, chère petite?

— Je crois que je connais un moyen. Vous dites qu'il pourrait avoir une amende très lourde si vous le traîniez devant le tribunal. Amos Stritch est d'une avarice sordide. Si vous alliez lui dire que vous êtes au courant du mauvais traitement que j'ai subi, vous pourriez le menacer de le conduire devant un magistrat qui lui ferait payer une lourde amende. Cela l'effraierait bien plus que la menace d'être rossé, j'en suis certaine. Et après, si vous... lui offriez de rester tranquille, en échange, vous lui feriez signer le transfert de mon contrat à votre nom.

Verner eut l'air très choqué :

— Mais, madame, ce serait du chantage! Un gentilhomme ne recourt pas à de telles méthodes!

Hannah sourit franchement :

— Ma mère m'a dit un jour que le seul moyen de traiter avec un vaurien ou un bandit était de se mettre sur son propre terrain.

— Madame, ce que vous suggérez est hors de question! Je préférerais ne pas poursuivre cette discussion. Peut-être serez-vous plus raisonnable quand votre... fièvre sera tombée. Laissez-moi me retirer, madame. Vous avez peut-être faim. Je vais vous faire porter un repas.

Il quitta la chambre rapidement. Mais Hannah n'était pas inquiète. Dans sa sagacité nouvellement acquise, elle perçut bien que Malcolm Verner n'était pas aussi choqué qu'il le prétendait. Elle s'adossa aux oreillers moelleux, contente d'elle.

Par la porte ouverte, elle entendit Verner donner ses instructions aux deux servantes. Le ton n'était pas rude ni aussi autoritaire que celui de nombreux autres propriétaires d'esclaves. Les deux jeunes Noires revinrent dans la chambre, nullement apeurées mais plutôt agitées, échangeant des regards espiègles. Hannah supposa qu'elles anticipaient sur le moment où elle partagerait le lit du maître.

Une idée se forma dans l'esprit de Hannah, ou plus exactement un prolongement à la proposition qu'elle venait de faire à Verner. Tandis qu'elles la soignaient, Hannah demanda :

— Malcolm Verner est-il rude? Etes-vous malheureuses?

— Oh, missy, le maître, il est bon, dit la plus âgée, Jenny. Il nous bat jamais, sauf quand on le vole ou quand on lui ment.

— Lui, bien mieux que la plupart des autres maîtres, dit Philomène qui n'avait guère plus de seize ans. Il essaie jamais de coucher avec nous. Il...

— Petite sotte! Bien sûr que non! dit Jenny en tendant la main pour frapper l'autre qui s'esquiva lestement. Mais lui, un bon maître. Il a jamais vendu aucun de nous une fois qu'il nous avait achetés. Les autres nègres disent qu'ils ont jamais vu ça. Il bat jamais les hommes ni les femmes, il loue jamais les meilleurs mâles pour la reproduction.

La fille continuait, mais Hannah avait cessé d'écouter. Elle savait ce qu'elle voulait savoir. Elle réfléchit sur les moyens de mettre son projet à exécution...

Malcolm Verner était dans la plus grande confusion comme il déverrouillait la porte de la pièce du bas qu'il appelait son bureau; une petite pièce sans air où il avait un fauteuil, un bureau, une bouteille de brandy toujours à portée de la main, une boîte de cigares et des rayonnages de livres. C'était là qu'il tenait les livres de comptes de Malvern.

Il prit un cigare et un verre de brandy puis se laissa tomber dans le fauteuil aux coussins épais prolongé d'un tabouret, seul luxe de cette pièce. Le fauteuil était tourné vers la grande fenêtre, de sorte que Verner pouvait profiter de la lumière extérieure. La plantation marchait pour ainsi dire d'elle-même, il disposait donc de beaucoup de loisirs. La seule époque où une surveillance s'imposait vraiment était celle de la récolte et du fumage. Il s'occupait aussi personnellement de la vente du tabac. Il y avait plus d'un mois que la récolte était faite...

Il était bon pour les esclaves de Malvern, il était certain qu'ils accomplissaient leur journée de travail même s'ils n'étaient pas surveillés. De plus Henry, son contremaître, en savait autant que lui sur la culture du tabac, sinon davantage. Malcom Verner était le seul planteur de tabac de Virginie à avoir un contremaître noir; les autres planteurs pensaient qu'il était fou. Henry ne lui avait jamais fourni aucun motif de regretter la confiance qu'il avait mise en lui.

Le seul résultat néfaste de tout ceci était qu'il avait trop de loisirs. Trop de temps pour penser, pour lire, pour boire. Au début, Verner, qui possédait une instruction relativement poussée, avait eu l'intention de vouer son temps libre à la lecture des nombreux livres qu'il avait accumulés. Mais les livres attirent la poussière à force de rester fermés, de sorte qu'il passait son temps à ressasser et à boire verre sur verre, jusqu'à ce qu'il faille l'aider à se mettre au lit.

Bien sûr, il n'en avait pas toujours été ainsi. Il y avait vingt-trois ans que Verner avait acquis ses premiers arpents de terre. Il y avait construit une petite cabane grossière et s'y était installé avec Martha. La même année, Michael était né dans cette cabane. Verner était alors dans la force de l'âge, juste la quarantaine, robuste, énergique, capable de travailler douze heures d'affilée s'il le fallait.

En Angleterre, il avait appartenu à la petite noblesse; quoique pauvre (du moins selon les normes en vigueur parmi la noblesse terrienne), il n'avait pas eu besoin de travailler dur et il ne savait absolument rien de la vie d'un planteur. Ayant reçu un petit héritage, Verner était arrivé dans ce pays neuf et en friche, persuadé qu'un homme travaillant dur et avec persévérance pouvait devenir riche. Il avait cette persévérance qu'il employa avec profit.

Il fut l'un des premiers à se rendre compte de l'importance du tabac, et il en avait planté, à l'exclusion de toute autre chose. Il avait été l'un des premiers à constater que le tabac planté toujours au même endroit épuisait la terre. La méthode de l'assolement avait été la pierre angulaire de l'agriculture anglaise depuis le Moyen Age. Or, cette théorie semblait être fort peu connue dans ce pays neuf.

Verner comprit bientôt que la terre pouvait fournir environ sept années de bonnes moissons, avant de s'épuiser, et qu'il fallait ensuite la laisser reposer pendant une quinzaine d'années. Ce qui signifiait la constante acquisition de nouvelles terres. Les cinquante arpents qu'il possédait à l'origine devinrent cent, puis plusieurs centaines, constituant à présent l'une des plus vastes plantations de Virginie. Prévoyance et justesse de vue avaient rapporté des dividendes. Au bout de dix-sept ans, on avait construit Malvern, un manoir destiné à devenir le point de mire de la région de Williamsburg.

Verner voulait donner un grand bal pour célébrer l'achèvement de Malvern, un bal dont on parlerait pendant de nombreuses années. Mais à peine s'était-il installé dans la maison toute neuve avec Martha que celle-ci tomba malade et mourut de la fièvre paludéenne...

Cette mort tragique et totalement inattendue jeta Verner dans un abîme de désespoir dont il ne sortit jamais complètement. Bien qu'il fût fier de Malvern, ses espoirs de bonheur avait été ruinés.

Michael avait à peine dix-sept ans quand sa mère mourut. C'était un grand jeune homme, beau et bien bâti. Il restait au moins une raison de vivre à Verner; plus tard, il en vint à penser que ce fut son fils qui l'empêcha de se désagréger complètement, voire de devenir fou.

Cependant, il y avait du rebelle en Michael, ce qui surprenait Verner et le mettait en colère en même temps. Ce garçon était audacieux et impulsif; il montrait peu d'intérêt pour la vie de la plantation. Il était naturel pour un père d'attendre de son fils unique adoré qu'il prît les rênes du domaine familial. En Angleterre, la chose allait de soi.

Michael ne cessait de contrarier son père. Lorsque Verner forçait le garçon à l'accompagner dans la plantation, il suivait, boudeur et silencieux.

Il passait plus volontiers son temps à jouer à Williamsburg et, sans doute, à s'occuper des femmes, pensait Verner. Quand il eut vingt ans, il lui arrivait de s'absenter plusieurs jours. Verner comprenait qu'un jeune homme puisse avoir le sang chaud et il s'efforçait d'être tolérant, certain que le jour viendrait où Michael s'assagirait.

Mais il n'en fut rien. Michael dépensait l'argent avec une prodigalité folle; à Williamsburg et à l'entour, il s'était fait une réputation de panier percé. Verner ne se désolait pas à cause de l'argent : il était fortuné et sans avarice aucune. Ce qui le contrariait bien davantage, c'était le sombre destin qui poursuivait le nom de Verner.

Le drame éclata le jour où Michael eut vingt et un ans. Verner organisa un bal somptueux auquel furent invités les planteurs du voisinage. Ce devait être la plus grande fête que Malvern eût jamais vue, la première en date ayant été annulée du fait de la mort prématurée de Martha. Les esclaves travaillant dans la maison et la main-d'œuvre employée aux champs étaient de joyeuse humeur. Verner leur donna l'autorisation de célébrer l'événement entre eux.

Le vin coula à flots au souper et même après, pendant le bal. Malgré sa réputation, toutes les mères ayant des filles à marier considéraient Michael comme un excellent parti et il dansa beaucoup ce soir-là. Malheureusement, de plus en plus ivre à mesure que les heures s'écoulaient, son humeur s'en ressentit et il devint arrogant et grossier envers les hôtes.

Comme il s'agissait de l'anniversaire de son fils, Verner voulut bien fermer les yeux sur ces manières de rustre... jusqu'à un certain point cependant. Lorsque quelques invités s'en allèrent très fâchés et qu'une femme indignée, son énorme poitrine la précédant comme la proue d'un navire, vint se plaindre que Michael avait pris des libertés avec sa fille dans l'obscurité de la véranda, Verner comprit qu'il était temps d'intervenir.

Il trouva Michael dans la salle de bal, en train de boire à même la bouteille d'eau-de-vie près de la table des rafraîchissements. Il était décidé à réprimander son fils pour ses excès. Il contint les paroles dures qui lui montaient aux lèvres et passa simplement son bras autour des épaules de son fils, en disant :

— Michael, je crois que le moment est venu de te donner ton cadeau d'anniversaire.

Michael marmonna quelques paroles inaudibles.

— Qu'y a-t-il, mon fils?

— Rien... père. Tu as parlé de cadeau, je crois?

— Oui. Il faut sortir.

Quand ils furent à l'écurie, Verner savait bien que ce ne serait qu'une demi-surprise. Michael aimait les chevaux; en fait, c'était à peu près le seul aspect de l'existence qu'il aimait à la plantation. C'était d'ailleurs un excellent cavalier.

Quelques semaines plus tôt, ils avaient été invités à dîner, un dimanche, chez un planteur voisin, qui s'occupait de la reproduction et de l'élevage des chevaux de race. Michael avait immédiatement repéré un étalon noir plein de fougue qui venait d'atteindre sa maturité. Cette bête magnifique était d'un noir profond, sauf une petite étoile blanche entre les yeux. Elle répondait au nom d'Etoile-Noire.

Les traits de Michael s'étaient éclairés à la vue de ce grand cheval et, l'espace d'un instant, Verner s'était souvenu du garçon adorable qu'avait été Michael autrefois.

Michael s'était approché du box en flattant l'étalon de la voix :

— Oh, beauté noire! Mon idole!

— Attention, mon garçon, avait dit Bart Myers, leur hôte. C'est un animal qui a de l'humeur et j'ai peur qu'il y ait quelque chose de vicieux en lui. Il m'a mordu il y a une quinzaine de jours, il m'a enfoncé ses dents dans le bras presque jusqu'à l'os.

Insouciant, Michael avait continué à avancer vers le box, parlant toujours doucement, la main tendue. Le cheval avait henni, soufflant par ses naseaux dilatés, puis il s'était mis à ruer, ses grands sabots battant l'air.

Et voici que, quelques secondes après que Michael fut arrivé à la porte du box, le cheval avait fourré son museau dans la main tendue.

— Que je sois damné! s'était écrié Bart Myers avec respect. L'animal aurait regimbé ou aurait piétiné n'importe qui d'autre. Verner, votre fils est un sorcier!

— Il sait y faire avec les chevaux, avait rétorqué Verner non sans quelque fierté. « L'un de mes rares moments de fierté », pensa-t-il, regrettant aussitôt cette réflexion déloyale.

Plus tard, il avait négocié l'achat d'Etoile-Noire avec Myers. Il avait bien compris que Myers avait hâte de se débarrasser de l'animal, pourtant, il avait payé un bon prix pour éviter tout marchandage.

Et maintenant, en ce jour anniversaire, il poussait les portes de l'écurie de Malvern, à la lumière vacillante des lanternes. John et un autre esclave attendaient.

Au fond, un cheval se mit à hennir, une longue tête noire s'agita, faisant voler une crinière fière.

— Etoile-Noire! s'exclama Michael en s'élançant.

Verner suivit plus lentement, souriant avec indulgence. Il eut une vision : son fils traversant la plantation monté sur ce grand étalon! Peut-être ce présent d'anniversaire serait-il le lien nécessaire entre Michael et le domaine?

Michael caressait l'encolure de l'animal en murmurant quand Verner atteignit le box. Michael se retourna :

— Merci, père, dit-il simplement. (Son regard étincelait dans la lumière pâle, comme s'il y avait eu des larmes au coin de ses yeux. Puis il fit un mouvement brusque, l'instant privilégié était passé et ne reviendrait plus. Il cria :) John, une bride et une selle! Il faut que je le monte! Tout de suite!

— Allons, mon fils! Maintenant, à cette heure de la nuit? Nous avons encore des hôtes!

Les yeux de Michael lancèrent des éclairs. Il secoua la tête avec dédain :

— Des invités! Une troupe de femmes gigotantes qui ne pensent à rien d'autre qu'à marier leur fille au fils du maître de Malvern! Quant aux hommes... ils ne savent parler que récoltes et prix du tabac. Père, cela ne me suffit pas. Ne le comprends-tu pas? Il y a un autre monde hors d'ici. Il faut que je le voie. Il le faut!

Verner était silencieux. Il pensa interdire à Michael de s'en aller ainsi. Mais il hésitait. John, prenant son silence pour une permission, avait déjà mis la bride au cheval et le conduisait dehors. Avec l'autre esclave, ils jetèrent une selle sur le dos d'Etoile-Noire et la sanglèrent sous son ventre. Le cheval était étonnamment docile, ses yeux limpides fixés sur Michael, comme impatient de foncer dans la nuit obscure avec le jeune homme sur son dos.

Michael prit en souriant les rênes de la main de John. D'un seul bond puissant il fut sur le cheval. Excepté la chemise blanche à manchettes en dentelle, le jeune homme était vêtu de noir; il ne faisait qu'un avec l'animal. Il tira sur les rênes et le cheval piaffa. Verner songea à un centaure, repoussant aussitôt cette idée par trop fantaisiste.

Le sol trembla sous les sabots du cheval. Michael tapota légèrement de ses talons les flancs noirs et luisants. Verner fit un pas :

— Un instant, mon fils. Où vas...

Trop tard. Etoile-Noire filait déjà. Cheval et cavalier disparurent bientôt dans la nuit. Verner écouta le bruit des sabots jusqu'à ce qu'il n'existât plus que dans sa tête. D'un pas lourd, il se dirigea alors vers la maison, imaginant quelque excuse pour le départ soudain de son fils.

Il était déjà arrivé que Michael ne rentrât pas une nuit ou deux. Mais cette fois-ci, après une semaine sans aucune nouvelle de lui, Verner s'inquiéta. Il se rendit à Williamsburg en calèche. La plupart des gens détournaient la tête quand il s'enquérait de son fils. Il le localisa enfin dans l'une des tavernes les plus minables de la ville, au fin fond de la Gloucester Street. Il jouait aux cartes avec des hommes vulgaires, des canailles pour la plupart; le visage de Michael était ravagé par le vin. Il n'était pas rasé, ses vêtements étaient froissés et tachés.

Verner remarqua en passant que son fils avait un gain confortable devant lui. Il s'arrêta un moment; les joueurs ne le voyaient pas. Michael avait été un enfant gâté. N'était-ce pas naturel pour un homme de gâter son unique enfant, surtout un fils? Verner s'était toujours dit que le garçon ne s'en ressentirait pas. Ce en quoi il avait eu tort.

Une rage folle envahit Verner. Il s'approcha de la table. Michael l'aperçut alors et s'adossa à sa chaise, un sourire sarcastique et quelque peu cruel sur les lèvres.

— Eh bien, père?

— Michael, je voudrais te parler.

— Parle, père, lança Michael sur un ton léger.

— Seul à seul, s'il te plaît.

Leurs regards s'accrochèrent brièvement. Puis Michael repoussa sa chaise.

— Excusez-moi, messieurs. Je reviens dans un moment.

Dehors, Verner se retourna :

— Quand comptes-tu rentrer, mon garçon?

— Mon garçon? J'ai vingt et un ans, père. Souviens-toi. L'idée m'est venue de rentrer. Je n'ai pas encore pris ma décision, répondit Michael avec une insolence calculée.

— As-tu l'intention de rester ici à faire ce tapage?

— L'endroit a ses charmes. Après tout, père, je suis un homme à présent. C'est ma vie que je fais.

— De quoi vivras-tu? Tu ne recevras pas un sou de moi!

— J'aurai de quoi survivre facilement en jouant. Il se trouve que je suis doué.

— Mon fils un joueur! Je ne souffrirai pas cela! Quelle honte!

— Es-tu sûr que ce n'est pas le nom de Verner que tu crains de voir bafoué, père?

— Ta place est à Malvern!

— Tu veux dire que je devrais y besogner comme l'un de tes esclaves... m'épuiser à mort, comme mère?

Verner suffoqua sous l'accusation.

— Ta mère est morte de la fièvre! Si elle a travaillé dur, c'est qu'elle l'avait choisi.

— Père, tu es le maître de Malvern. Tout ce qu'on y fait, c'est toi qui l'ordonnes!

— C'est faux! (Malcolm Verner était à présent au delà de la colère; il était ébranlé et profondément blessé. Etait-ce le vin qui faisait parler Michael ainsi, ou bien nourrissait-il ces sentiments dans son cœur depuis longtemps? Verner tendit la main en un geste suppliant). Tu ne peux pas croire cela, mon fils! Je t'en prie, dis-moi que c'est une plaisanterie!

Michael se tourna à demi avec un geste d'indifférence. Il prit un cigare mince qu'il fit rouler entre ses doigts.

— Ce n'est pas une plaisanterie, père. Je parle selon ce que j'ai dans mon cœur.

Verner était peine conscient des hommes qui traînaient à proximité, épiant probablement leurs paroles avec avidité. Il eut un sursaut de fierté; il se redressa.

— Si tu persistes dans cette voie, je n'ai pas d'autre choix : je te renie...

— Trop tard, père. Je désavoue dès maintenant le nom de Verner.

Sans réfléchir, Verner frappa son fils en plein visage du plat de la main, faisant sauter le cigare de sa bouche.

Le coup suffit à faire basculer Michael qui recula de quelques pas en chancelant. Son œil noir lançait des flammes, ses poings étaient serrés. Il fit un pas en avant et Verner crut un moment que son fils allait lever le bras. Michael ne fit qu'un geste dédaigneux et retourna à la taverne sans dire un mot.

Malcolm Verner demeura un moment les épaules voûtées. Le désespoir monta en lui. Ce fut comme s'il avait vieilli de dix ans pendant ces quelques minutes. Il leva finalement la tête et regarda autour de lui. Des hommes l'observaient. Il fit front et ils détournèrent leur regard. Il savait qu'avant la tombée du jour, tout Williamsburg serait au courant de la querelle entre le père et le fils Verner.

Pris de lassitude, Verner retourna à sa calèche et rentra à Malvern. Etoile-Noire rentra trois jours plus tard. L'homme payé pour ramener le cheval était porteur d'une lettre pour Verner. Elle disait :

Sir, n'étant plus considéré comme votre fils, je me dois de vous retourner votre cadeau d'anniversaire. Je quitte Williamsburg d'ici peu. Michael.

La rumeur parvint bientôt aux oreilles de Malcolm Verner que Michael avait bien quitté Williamsburg. L'année suivante, le bruit courut que son fils unique était mort en mer.

Aujourd'hui, il n'y avait plus de fils pour perpétuer le nom de Verner. Il avait bien pensé à un remariage qui lui aurait peut-être permis d'engendrer un autre fils, mais il ne s'était jamais décidé. Au lieu de cela, il restait assis à boire jusqu'à en perdre la raison.

Un coup timide frappé à la porte interrompit sa rêverie amère. Il dressa la tête :

— Oui? Qui... qui est-ce?

— Monsieur Verner, dit une voix féminine un peu hésitante, puis-je vous parler?

C'était la fille... comment s'appelait-elle donc? Ah oui, Hannah, Hannah McCambridge.

— Non! s'écria-t-il. Allez-vous-en. Je veux être seul!

Au bout d'un moment, il entendit des pas s'éloigner. Il respira. Qu'allait-il en faire? En la gardant chez lui sans informer les tribunaux ni cet Amos Stritch, il allait à l'encontre de la loi. Verner savait pourtant bien qu'il n'informerait personne. L'image de ces marques sur le dos de la jeune fille le fit frissonner. Faire chanter Amos Stritch lui répugnait. Mais en même temps cette idée n'était pas exempte d'une certaine ironie qui piquait son sens de l'humour.

Puis il se souvint des seins d'Hannah et de l'effet qu'ils avaient eu sur lui; il se sentit honteux. Pourquoi avait-elle fait irruption dans sa vie, bouleversant un rythme bien établi, aussi stérile fût-il?

Il ferma les yeux un court instant. Des images érotiques dansèrent dans sa tête : lui et elle dans une étreinte charnelle. Quel fils elle lui donnerait.

Non! Au diable la fille!

Tout en marmonnant une obscénité, il lança son verre contre le mur.

Verner se leva aussitôt et alla chercher un autre verre qu'il remplit d'eau-de-vie.

6

Hannah fut subjuguée par Malvern.

En ce jour lointain où elle était passée devant la plantation avec sa mère, elle avait rêvé d'y pénétrer un jour. Maintenant qu'elle y était, son attente n'était pas déçue, bien au contraire.

Hannah se sentit coupable en pensant à sa mère. Elle savait qu'elle serait inquiète et brisée en apprenant la disparition soudaine de Hannah. Mais, si elle tentait de contacter sa mère, Silas Quint le saurait et le répéterait immédiatement à Amos Stritch. Hannah ne pouvait qu'espérer que sa mère, qui avait déjà tant supporté, supporterait aussi ce coup, au moins pour quelque temps encore.

De telles réflexions étaient source de chagrin pour Hannah; aussi décida-t-elle de se tourner plutôt vers l'exploration du vaste manoir.

Elle était déjà entrée avec sa mère dans les maisons élégantes de la haute bourgeoisie de Williamsburg; mais ces demeures, qu'elle avait jugées magnifiques à l'époque, n'étaient rien en comparaison de ce quelle découvrait ici.

Malvern avait été construit plus récemment que la plupart des autres maisons des plantations. Beaucoup avaient été bâties petit à petit, une pièce s'ajoutant à l'autre selon les besoins. Malvern avait été dessiné par un architecte et édifié selon un plan précis. Les hautes colonnes blanches qui encadraient les portes d'entrée étaient inhabituelles en ce temps-là et le large escalier courbe qui menait au deuxième étage était très différent des escaliers étroits en colimaçon que de nombreux vieux manoirs possédaient encore. La maison bénéficiait d'un hall central qui se divisait de chaque côté de l'escalier comme une rivière autour d'un roc; ainsi, lorsque les portes de devant et de derrière étaient ouvertes, une brise bienfaisante pénétrait dans la demeure, même en plein été. De plus, les chênes géants qui entouraient le bâtiment sur trois côtés fournissaient une ombre rafraîchissante.

Hannah ne se lassait pas d'explorer les nombreuses pièces dont l'ameublement l'étonnait. Elle aimait sa propre chambre, avec son grand lit à colonnes drapé de velours, garni de draps de lin et d'un couvre-lit en soie; elle en savourait le luxe flatteur. Un beau tapis de Turquie fait entièrement à la main recouvrait le sol, un peu en retrait de la grande cheminée ouverte. Elle disposait aussi d'un superbe coffre sculpté pour ses vêtements; pour le moment, elle n'avait rien à y mettre.

Mais elle aimait par-dessus tout le salon de musique. C'etait une pièce plutôt solennelle où se trouvaient un virginal, deux violons, une lyre, un flageolet et une flûte. Bien que Hannah ne fût pas familiarisée avec tous ces instruments, sauf les violons, elle aimait les manier et, quand elle était seule, elle cherchait une mélodie sur les touches du virginal.

Elle explora également les terres de Malvern. En plus des jardins d'agrément que Hannah appréciait énormément, il y avait des dépendances ou des adjonctions qui abritaient la cuisine, le fumoir, et les communs. La plupart des annexes étaient reliées au bâtiment principal par un passage couvert, de sorte que l'on pouvait aller et venir sans inconfort par mauvais temps. Tout cela indiquait un mode de vie que Hannah n'avait jamais pu même imaginer.

Les vastes pelouses et les jardins qui descendaient jusqu'à la James River sur une longueur d'environ trois cents mètres satisfaisaient certes le sens inné de la beauté que possédait Hannah; cependant, c'était surtout l'intérieur de la maison qui la fascinait. Hannah se posait de nombreuses questions : malgré son luxe et son élégance, elle avait l'intuition que cette demeure n'était pas heureuse, et qu'elle attendait quelqu'un ou quelque chose qui lui redonnerait vie.

Au rez-de-chaussée, à côté du petit salon, se trouvait une bibliothèque tapissée de livres, très austère et masculine; le petit bureau dans lequel s'enfermait quotidiennement Malcolm Verner, et une vaste salle à manger. Ces trois pièces s'alignaient sur un même côté du hall. De l'autre côté, Hannah découvrit une superbe salle de bal.

La première fois qu'elle la vit, la porte semblait être coincée; elle réussit tout de même à l'ouvrir à force d'acharnement et, alors, quelle surprise et quelle joie! Une grande salle de bal!

Hannah en avait entendu parler mais n'en avait jamais vu. Bien que l'atmosphère fût poussiéreuse, la beauté intrinsèque de la salle était manifeste. Des rangées de chaises étaient alignées le long des murs, enveloppées de mousseline. A une extrémité de la salle se trouvaient un virginal artistement décoré, une grande harpe et plusieurs pupitres. Hannah n'eut aucun mal à imaginer les musiciens jouant sur leurs instruments tandis que les danseurs glissaient gracieusement sur le parquet ciré. Au centre de la salle, un immense chandelier en cristal terni par la poussière était suspendu au bout d'une chaîne d'acier.

Quel dommage que cette salle si belle reste inutilisée alors qu'elle pourrait donner tant de bonheur! pensa Hannah.

Dès que l'occasion se présenta, elle demanda à Jenny quand la salle de bal avait été utilisée pour la dernière fois. Jenny eut un regard effrayé en direction de la porte close du bureau de Verner.

— Quand M. Michael est parti, missy.

— Le fils de M. Verner?

— C'est la seule fois où la salle a été ouverte. J'ai entendu dire que le maître allait donner un grand bal masqué et inviter tous les voisins quand cette maison a été construite. Mais la maîtresse est morte, et il ne s'est rien passé. Alors, quand M. Michael a eu vingt et un ans, le maître a ouvert la salle et il y a eu une grande fête. J'ai entendu dire que c'était formidable. Et puis, M. Michael est parti et le maître a fermé la salle et il a dit qu'elle ne serait plus jamais utilisée.

Jenny se sauva en dodelinant de la tête.

Hannah la regarda s'éloigner. Puis, traversant le hall, elle alla ouvrir la porte de la salle.

Dans sa courte vie, Hannah n'avait encore jamais dansé avec un homme, mais sa mère lui avait appris quelques pas. Son oreille musicale innée et sa grâce naturelle l'aidèrent à se mouvoir agilement sur le parquet.

Les yeux clos, la main dans celle d'un partenaire imaginaire, la taille maintenue par un bras vigoureux, elle glissait et tournait à travers la salle vide. Ses pieds faisaient virevolter la poussière et, bientôt, Hannah sembla évoluer dans un voile doré et vaporeux aussi éthéré que son propre rêve.

Une voix rauque mit brutalement fin à son rêve éveillé.

— Enfer et damnation, jeune fille! Que faites-vous?

Hannah ouvrit les yeux. Malcolm Verner se dressait dans l'encadrement de la porte, légèrement chancelant. Ses chaussures à boucle étaient poussiéreuses, sa chemise et sa culotte maculées et froissées. Il n'était pas coiffé, son visage était couvert d'une barbe grise hérissée, ses yeux étaient troubles et injectés de sang. C'était la première fois qu'elle le voyait depuis le soir où il l'avait trouvée, il y avait maintenant une semaine.

— Je... (Hannah voulut bafouiller une explication mais elle se ressaisit. Elle s'était juré de ne plus se laisser intimider par un homme.) Je danse, sir. C'est une salle de bal, n'est-ce pas?

— C'est un sacrilège! gronda Verner. J'ai donné des instructions pour que cette salle ne soit plus utilisée. Et puis... qu'est-ce que cette robe que vous portez là?

Hannah rentra la tête. Jenny l'avait lavée, repassée et raccommodée, mais ce n'était guère plus qu'une couverture.

— C'est la seule robe que je possède, sir.

— Vous avez l'air minable là-dedans. Martha... ma

femme, avait à peu près votre taille. Je vais dire à Jenny de voir ce que l'on peut faire. Je n'ai jamais donné ses vêtements... Les vêtements de ma femme sont rangés dans un coffre. Et maintenant, sortez d'ici. Cette salle doit rester fermée.

Hannah passa devant lui, la tête haute. Il ferma la porte soigneusement derrière elle et retourna dans son bureau sans ajouter un mot.

Un peu plus tard, Hannah se glissa sur la pointe des pieds jusqu'à la porte condamnée. Il ne l'avait pas fermée à clef et Hannah comprit qu'il ne le serait pas. Dans la mesure où elle refermerait la porte derrière elle, elle pourrait pénétrer dans la salle aussi souvent qu'elle le souhaiterait, avec son consentement tacite.

Les vêtements de Martha Verner sentaient le moisi et durent être aérés pendant un jour et une nuit. Les robes étaient un peu étroites pour Hannah, mais il y avait suffisamment de tissu pour les ajuster. La plupart étaient élégantes et Hannah se sentit comme une reine quand elle put enfin les porter. Jenny était bonne couturière mais, n'ayant jamais servi de maîtresse auparavant, elle ne connaissait rien au maquillage ni à la coiffure. Hannah demeura donc la même mais pour le moment, les nouveaux vêtements suffisaient.

Hannah n'avait toujours aucune idée sur ce que Verner comptait faire d'elle. Il n'avait pas soufflé mot quant à son avenir et, tant qu'elle pourrait rester ici, elle serait heureuse.

Cependant, les jours passant, elle s'inquiéta. Elle s'était familiarisée avec la maison et ses annexes, elle n'avait plus rien à découvrir. Elle se sentait inutile et éprouvait le besoin de dépenser son énergie; elle n'était pas habituée à musarder. Elle s'efforçait d'aider Jenny et les autres domestiques de la maison, mais elle comprit bientôt qu'elle les embarrassait plutôt.

Elle se décida enfin à affronter Malcolm Verner. Il avait eu le temps de réfléchir.

Elle prit un bain, se lava les cheveux et les brossa jusqu'à ce qu'ils brillent. Elle enfila ce qu'elle pensa être la meilleure robe de Mme Verner, d'une teinte cuivrée, assortie à ses cheveux. Le décolleté plongeait hardiment, découvrant la naissance des seins. Elle trouva un sachet de lavande dans le coffre de Mme Verner. Il était tellement ancien que le parfum en était presque éventé, mais elle en poudra généreusement le creux de ses seins.

Ainsi parée, Hannah descendit l'escalier. A la porte de la pièce privée de Verner, elle respira profondément avant de frapper doucement. C'était le seul endroit de la maison où elle n'était jamais allée. Elle n'avait aucune idée de l'état de Verner, elle ne savait même pas s'il la laisserait entrer.

Hannah avait suspecté dès le premier jour ce que Malcolm Verner faisait dans ce bureau. Elle en avait parlé à Jenny.

L'œil craintif, Jenny avait chuchoté :

— Le maître a le mauvais vice. Il boit terriblement depuis que M. Michael est mort. Il a des crises. Cette fois-ci... c'est pire que les autres.

Hannah frappa de nouveau, mais plus fort.

— Entrez! dit Verner. Ce n'est pas fermé à clef.

Hannah ouvrit la porte et entra. La pièce étouffante était remplie de fumée de cigare, et la fenêtre était fermée.

Elle suffoqua et les larmes lui vinrent aux yeux. Sans demander la permission, elle passa à côté de lui et ouvrit la fenêtre toute grande pour laisser pénétrer la brise. Puis elle se retourna et le dévisagea franchement pour la première fois. A sa surprise, il avait l'air d'être maître de lui. Ses vêtements étaient propres et fraîchement repassés, ses chaussures cirées, son œil clair et ses traits fermes bien que visiblement fatigués après ces jours de beuverie.

— Il me semble que vous prenez bien des libertés, jeune fille. Entrer ainsi dans mon bureau et ouvrir la fenêtre. Que voulez-vous de moi?

La voix était sans rancœur.

— Peu de chose, répondit Hannah avec fermeté. Que va-t-il m'arriver?

— J'ai beaucoup réfléchi à votre situation. J'étais justement en train d'y penser.

— Et qu'avez-vous décidé?

— Il me semble que je n'ai guère le choix : suivre votre idée. En différant ma décision pendant ces deux semaines, je me suis mis en danger moi-même. Il y a des lois qui interdisent de recueillir les domestiques sous contrat en fuite. C'est la même chose que d'héberger des esclaves évadés. Aussi désagréable que soit votre suggestion, je n'ai pas le choix. Je vais aller à Williamsburg aujourd'hui même pour affronter Amos Stritch.

— Je vais vous demander davantage encore. (Hannah se tut un instant pour prendre son souffle avant de se lancer :) Il y a deux personnes à la taverne, l'une est une esclave, l'autre est un garçon sous contrat d'apprentissage, comme moi. Je vous demande de les ramener ici aussi. Si Amos Stritch a peur, je suis sûre qu'il se séparera d'eux pour très peu.

Malcolm Verner se redressa, son regard devint coléreux :

— Décidément, vous vous permettez bien des choses, madame! N'oubliez pas votre situation. Vous êtes toujours une servante sous contrat!

Hannah ne faiblit pas.

— Vous avez besoin d'une bonne cuisinière. La nourriture que l'on sert à votre table n'est guère meilleure que la pâtée des chiens. Peut-être votre état ne vous permet-il pas de remarquer... (Elle s'interrompit sou-

90

dain, réalisant qu'elle allait trop loin. Verner se dressa, ses yeux se firent durs. Mais il se contint et la laissa poursuivre.) L'esclave, c'est Bess. une Noire, une cuisinière formidable. Ses plats sont une merveille. Elle vaudrait très cher. Le garçon, Dickie, est gentil, travailleur et plein de bonne volonté. Amos Stritch le frappe avec sa canne quand il est de mauvaise humeur, sans raison. Le garçon sera complètement brisé avant la fin de son contrat. Ce sera une loque.

Verner l'étudia pendant un long moment.

— Ce sera tout? Etes-vous certaine de n'avoir plus rien à demander?

Le ton était nettement sarcastique.

— Ils vous rendront le double de ce qu'ils vous auront coûté, sir. Je vous le jure! Pris comme il faut, le vieux Stritch les laissera partir pour une bouchée de pain.

— Ça suffit, jeune fille! lança Verner en battant l'air de sa main. (Il l'examina de nouveau; un joli corps épanoui qui tendait la robe trop étroite. Il se souvint de la scène de la chambre et du désir qu'il avait ressenti. Il y avait du feu et de l'esprit dans cette fille et, subitement, il se rendit compte qu'il voulait la posséder. Il ajouta:) Et moi, quels services puis-je attendre de vous, madame, si je fais comme vous m'en priez?

Sa manière avait changé à présent. Ses yeux étaient lourds et comme ouverts. Elle fut indécise pendant quelques instants, ne sachant que répondre, un peu effrayée de ce qu'elle avait décelé dans ses paroles. Elle aspira profondément, faisant gonfler sa poitrine au-dessus du corsage de sa robe. Voyant le regard de Verner rivé sur ses seins, elle dit :

— Vous avez besoin d'une gouvernante, pour veiller à la bonne marche de votre maison. Jenny et les autres esclaves ont de la bonne volonté et travaillent beaucoup, mais ils ont besoin d'une main ferme pour les diriger.

— Et vous, une fille de taverne de seize ans, vous pouvez fournir cette main ferme?

— J'apprends très vite, sir. Je réussirai, vous verrez.

— Et c'est tout?

— Que voulez-vous d'autre? dit-elle innocemment. Je ne suis qu'une pauvre servante sous contrat, comme vous dites, et sans instruction.

— Vous moquez-vous de moi, madame?

— Que voulez-vous dire? demanda Hannah les yeux écarquillés.

Verner la regarda rudement.

— Sortez, jeune fille, laissez-moi seul.

— Vous ne m'avez pas dit ce que vous comptiez faire.

— J'y réfléchis. Et maintenant, dehors!

Hannah fit une légère révérence et s'envola. Derrière elle, Malcolm Verner demeura immobile jusqu'à ce que la porte fût close. Ensuite il se leva et ferma le verrou. Il prit la bouteille d'eau-de-vie et commença à remplir un verre. Puis il changea d'idée en proférant un juron. Allumant un cigare à la chandelle qui brûlait perpétuellement dans ce but, il resta près de la fenêtre qu'elle avait ouverte. Il passa un long moment ainsi, à fumer, le regard perdu au loin. Il était incertain. Il savait ce qu'il *devrait* faire : renvoyez Hannah McCambridge chez son patron. Sa présence dans cette maison était bouleversante.

Amos Stritch devint presque fou de rage lorsqu'il découvrit que Hannah s'était sauvée. Il ne le sut qu'à la fermeture de la taverne; il avait alors clopiné vers sa chambre, content de lui, certain de la trouver blottie dans son lit, honteuse et brisée, prête à se soumettre à ses volontés...

Le premier soupçon lui vint quand il trouva sa porte simplement poussée. Il l'ouvrit toute grande et, au lieu de Hannah, il vit dans son lit cette grande carcasse de pirate ivre qui ronflait vigoureusement.

Stritch se jeta sur le pirate, lui assenant des coups de canne jusqu'à ce que le pauvre homme se réveille. Il sauta du lit en hurlant, rafla ses vêtements et s'enfuit de la chambre.

Stritch ouvrit la fenêtre et hurla dans la cour. Bess fut la première à paraître :

— Oui, missé?

— Cette femelle, Hannah, elle n'est pas dans ma chambre! Monte ton cul noir au grenier et va la chercher! Et en vitesse!

Un moment plus tard, Bess frappait à sa porte. Stritch ouvrit :

— Eh bien?

— Miss Hannah est pas là, missé.

Bess atttendit placidement, les mains croisées sur son gros ventre. Stritch fut certain de voir errer un sourire satisfait sur le visage de la Noire.

— Qu'est-ce que tu veux dire?

— Ce que je dis, missé. Elle y est pas.

Stritch leva sa canne dans l'intention de la frapper. Mais il la baissa. Il avait compris depuis longtemps que c'était peine perdue : Bess était capable d'endurer les coups stoïquement, sans sourciller, et n'en continuait pas moins à n'en faire qu'à sa tête. Stritch avait toujours l'impression d'être le perdant à l'issue de ces scènes.

— Eh bien, fais sortir tout le monde. Fouille la taverne, fouille les environs. Si elle est partie, je mettrai les chiens derrière elle!

— Bien sûr, missé Stritch.

Il ne fit bientôt aucun doute que Hannah resterait introuvable. Stritch abattit sa canne sur l'épaule de Dickie :

— Cours chercher Silas Quint. Il est sans doute au lit; dis-lui que j'irais le chercher moi-même s'il n'arrive pas immédiatement.

Stritch était assis à une table de la taverne, une seule chandelle vacillante près de son coude, quand Silas Quint fit irruption. Avec ses vêtements chiffonnés, sa face barbue et ses yeux rougis, puant l'alcool, Stritch crut voir un rat chassé de son tas d'ordures.

Il frappa le sol de sa canne et mugit :

— Votre fille... elle est partie! Elle est retournée chez vous?

— Je l'ai pas vue, monsieur Stritch. (Silas Quint s'affala sur une chaise, hors d'haleine :) Je jure qu'elle est pas rentrée. Autrement, je l'aurais renvoyée, vous pouvez être sûr. Elle est peut-être cachée pas loin?

— Sacrebleu non! Croyez-vous que je sois stupide? J'ai cherché partout!

— Je prendrais bien une goutte de quelque chose, monsieur Stritch. Me tirer de mon sommeil comme ça, ma tête est brouillée...

— Votre tête est toujours brouillée, abruti! Plus une goutte dans ma taverne tant que la fille ne sera pas retrouvée! acheva Stritch en martelant le sol de sa canne.

Silas Quint regimba :

— C'est pas ma faute si elle est partie. Je jure...

— Elle est votre fille, non? gronda Stritch.

— Ma belle-fille. Elle est pas un rejeton de moi. Pas une goutte de mon sang en elle.

— Faudrait être aveugle pour ne pas s'en apercevoir. Si elle avait été de votre sang, je ne vous l'aurais jamais achetée!

— Monsieur Stritch, juste un petit verre...

— Non! Sa mère, votre femme, serait-elle au courant?

— Mary? Je suis sûr que non, mais je vais courir chez moi pour lui demander. Et si on ne la trouve pas, quoi faire? Lancer les chasseurs d'esclaves et les chiens?

Stritch grommela sans répondre. Il y avait déjà songé, mais cela représentait une dépense, qu'on la rattrapât

94

ou non. Et puis, il se souvenait de la manière dont elle s'était défendue, le blessant gravement. Il se demanda pendant un instant s'il désirait vraiment la voir revenir.

— Au diable! Elle est ma propriété, elle m'appartient! cria-t-il en frappant un grand coup sur la table.

Epouvanté, Quint sauta sur ses pieds.

— Monsieur Stritch, qu'est-ce?...

— Je croyais que vous alliez demander à votre femme.

— J'y vais, monsieur Stritch, je vais savoir. Je la battrai s'il le faut, assura-t-il en montrant le poing.

Silas Quint quitta la salle en hâte. Stritch resta assis un long moment, l'air sombre. Il ne pensait pas que Hannah était retournée chez elle. Quint l'aurait su et l'aurait certainement prévenu. Il était trop heureux de pouvoir boire tout son soûl, comme un porc devant son auge pleine. Stritch émit un bruit, mi-grognement, misoupir. Quint allait à présent traîner autour de lui en pleurnichant pour obtenir à boire. Stritch était fermement résolu : si la fille ne revenait pas, Silas Quint pourrait quémander ailleurs.

Il se décida enfin à se traîner jusqu'à son lit. Cette nuit fiévreuse avait aggravé son mal. Son pied était terriblement douloureux.

Il n'envoya ni les chasseurs ni les chiens. Il se contenta de poser un avis sur la place de la ville annonçant une petite récompense contre tout renseignement concernant sa servante sous contrat d'apprentissage, Hannah McCambridge, qui s'était enfuie. Il questionna tous ceux qui vinrent dans sa taverne. Personne ne savait quoi que ce fût.

Au bout de deux semaines, il avait presque abandonné. Il était tout de même ébahi. Comment une fille comme Hannah, sans un sou, avait-elle réussi à s'enfuir dans la campagne sans se faire remarquer? Il soupçonnait fortement que quelqu'un la cachât. Si jamais il trouvait le coupable, il le traînerait devant le tribunal et il le ferait payer cher...

Un jour, tôt dans l'après-midi, il était dans la salle du comptoir. Il faisait chaud, tout était calme. Il n'y avait que deux hommes attablés devant une chope de bière. Stritch était accoudé à son comptoir; il somnolait. Soudain, Dickie fit irruption dans la salle, faisant sursauter Stritch. Le garçon annonça, hors d'haleine :

— Une calèche dehors, monsieur Stritch. L'occupant veut vous voir. Malcolm Verner, il a dit.

— Verner? Malcolm Verner de Malvern?

— C'est ce qu'il a dit.

— Il veut me parler? dit Stritch en se frappant la poitrine. (Il fut parfaitement réveillé tout à coup. Il rugit à l'adresse des deux buveurs de bière :) Dehors les rustres! J'ai à parler affaire avec Malcolm Verner en personne; un gentilhomme comme lui ne traite pas ses affaires devant des gens comme vous!

Les deux hommes burent en hâte et s'en allèrent. Stritch plongea au-dessus du comptoir et saisit Dickie par le devant de sa chemise; il le projeta contre le comptoir avec une telle force que le garçon en perdit le souffle.

— Amène M. Verner comme le gentilhomme qu'il est, et tu resteras près de la porte ensuite. Ne laisse entrer personne, sinon, gare à toi. Compris?

— Oui... Je vais garder la porte au péril de ma vie, sir.

Stritch le lâcha et Dickie sortit en courant. Stritch posa une bouteille de sa meilleure eau-de-vie française sur le comptoir. Il s'aperçut soudain de l'état dans lequel il se trouvait. Sa perruque était en haut, sa chemise et sa culotte étaient tachées de vin, et il ne s'était pas fait la barbe le matin. Etait-ce une tenue pour recevoir le maître de Malvern? Pris de panique, il clopina vers l'escalier puis il s'arrêta, sachant qu'il était trop tard. Ce fut alors qu'il se demanda ce que Malcolm pouvait bien lui vouloir, à lui. Il avait entendu parler de l'homme, bien sûr; chacun à Williamsburg savait que Malcolm Verner était le plus grand planteur de Virginie. Mais Stritch n'avait jamais eu l'occasion de parler avec lui.

Avant d'avoir pu pousser plus loin sa réflexion, Malcolm Verner s'encadrait dans la porte. Il était superbe dans son habit ajusté aux épaules, son gilet de satin sur la chemise à manchettes de dentelle et sa culotte qui s'arrêtait aux genoux. Ses bas gris étaient brodés et ses chaussures s'ornaient de boucles en cuivre jaune. Il portait une perruque poudrée. Stritch ne se souvenait pas d'avoir déjà vu un homme aussi élégant dans sa taverne.

Il se précipita à la rencontre de Verner, un sourire servile sur sa face.

— Bienvenue à *La Tasse et la Corne,* monsieur Verner. Je suis honoré.

Verner jeta un coup d'œil circulaire dans la salle, l'air dédaigneux. Il ne fréquentait pas les tavernes; il préférait boire à Malvern. Mais les rares établissements où il était entré étaient au moins propres, dans l'ensemble. Celle-ci sentait le vin et la bière mélangés, il fut même certain d'y détecter une odeur de vomissure. Il fronça le nez et réprima l'envie de porter un mouchoir à ses narines.

Puis ce spécimen d'humanité qui était devant lui! Ventripotent, les vêtements sales et maculés, cette face rouge et son sourire obséquieux. La seule idée de cet homme couché avec Hannah, s'accouplant avec elle, la battant, la forçant à travailler dans cet endroit pourri, faisait monter en Verner des vagues de colère. Il fit ce qu'il put pour réfréner son envie de lacérer l'homme du bout de sa canne.

— J'ai une affaire importante à discuter avec vous, aubergiste, dit-il sur un ton glacial.

— Mais certainement, sir, à votre service. Peut-être une goute d'eau-de-vie pendant que nous parlons? J'en ai de la meilleure qui vient de France...

— Il vaut mieux que nous parlions sans nous aider de votre eau-de-vie. Je dois vous avertir tout de suite qu'il ne s'agit pas d'une visite amicale. (Son regard balaya le local :) N'avez-vous pas un bureau, un endroit où nous ne serions pas dérangés?

Stritch n'avait pas de bureau. Un bureau ne rapportait rien.

Le moindre espace devait rapporter de l'argent.

— On est en train de... repeindre mon bureau, monsieur Verner. Mais nous ne serons pas dérangés ici. Je vous le jure. Le garçon a ordre de ne laisser entrer personne.

— Le garçon, oui. Il a l'air gentil!. Comment s'appelle-t-il?

— Dickie, sir, répondit Stritch avec étonnement.

— Dickie? Pas de nom de famille?

— Pas que je sache. Lui n'en sait rien non plus. Un bâtard ne connaît pas le nom de son père. Il a été envoyé d'Angleterre. Placé sous contrat par la femme qui était avec lui.

— J'ai compris que vous aviez aussi une jeune fille sous contrat, une certaine Hannah McCambridge.

— Hannah? Que savez-vous de Hannah? Si vous savez où elle est, j'ai offert une récompense. Elle s'est sauvée, ingrate!

— Ingrate? De quoi devrait-elle vous être reconnaissante, je vous prie? Pour les coups de bâton, jusqu'à ce que son dos ne soit plus qu'une plaie? Reconnaissante parce que vous l'avez prise de force, vous avez abusé d'elle bassement? Reconnaissante pour l'avoir vendue comme prostituée à des pirates, malgré elle?

La bouche ouverte, Stritch recula et se laissa tomber sur le banc près de la cheminée.

— Je ne sais pas où vous avez entendu raconter tout

cela, sir. En tout cas, ce ne sont que des mensonges, de purs mensonges!

— Vraiment? Aubergiste, que direz-vous si j'avance les preuves?

Un soupçon se fit jour dans l'esprit de Stritch. Il s'écria avec colère :

— Vous! Vous cachez cette McCambridge!

— Voilà qui ne vous regarde pas.

— Ça ne me regarde pas! Elle m'appartient. J'ai son contrat! C'est un crime d'héberger une servante sous contrat!

— Amos Stritch, ne me prenez pas pour un imbécile. Il existe aussi des lois qui protègent les servantes ainsi placées. Croyez-vous que je ne le sache pas? Si je vous citais devant les juges, et si j'exposais les méfaits que vous avez commis sur cette pauvre fille, vous pourriez être passible de lourdes amendes. Tellement lourdes que vous seriez peut-être obligé de vendre votre auberge pour les payer.

« Hannah, ma chère, en voilà du chantage! » pensa Verner tortueusement. Curieusement, cette l'affaire l'excitait. C'était le premier acte positif qu'il accomplissait après une longue période d'apathie. Peu importait qu'il ne fût guère digne d'un gentilhomme.

Quant à Stritch, ses idées se bousculaient dans sa tête. Il considérait ce gentilhomme bien mis qui le menaçait de lui faire perdre son gagne-pain, cet homme pâle qui avait l'air de relever de maladie. Dans un moment de folie, il pensa le chasser de sa salle à coups de canne. Il se souvint cependant qu'il était Malcolm Verner : il ne pouvait pas faire cela.

Comme s'il avait lu dans les pensées du tavernier, Verner dit :

— Si vous vous demandez lequel de nous deux les juges croiront, n'oubliez pas qui je suis. J'ai bonne réputation à Williamsburg, j'ai de l'influence.

Stritch savait cela aussi. Qui balancerait entre la parole d'un aubergiste et celle de cet élégant gentilhomme?

— Que voulez-vous de moi?

— Tout d'abord, vous allez me remettre le contrat d'apprentissage de la fille. En échange, et bien que cela me fâche, je tairai le mauvais traitement que vous lui avez fait subir.

Stritch fit mine de réfléchir profondément et dit au bout d'un moment :

— D'accord.

Après tout, il serait débarrassé de la fille. Si elle revenait, elle serait capable de se glisser dans sa chambre pendant son sommeil pour l'émasculer.

— Par ailleurs, vous avez deux autres personnes ici. Le garçon sous contrat, Dickie, et une esclave nommée Bess.

Stritch bondit d'indignation :

— Vous exigez trop, sir! Ces deux-là m'ont coûté cher!

— Laissez-moi finir, je vous prie. Je ne vous demande pas de me les donner. Je suis prêt à payer un bon prix. Leur vente est le supplément que vous devez payer pour mon silence.

— Un bon prix? Qu'est-ce que vous appelez un bon prix?

Stritch se dressa, prêt à barguigner, pas de très bon cœur d'ailleurs. Bess était un sujet perpétuel de troubles; autant s'en débarrasser. Quant à Dickie... ce n'était qu'un garçon qui lui coûtait une certaine somme d'argent. S'il pouvait obtenir un bon prix pour les deux...

— La femme n'est plus jeune et le garçon est trop jeune pour des travaux durs. Je vous offre cependant le prix en vigueur sur le marché. N'essayez pas de me posséder, aubergiste. Je connais les prix en pratique!

Stritch marchanda un peu pour tenter de tirer au moins quelque chose de plus de l'affrontement. Mais finalement, quand ils se mirent d'accord sur un prix, Stritch savait fort bien qu'il était plus que raisonnable.

— Je vais chercher les papiers.

Il clopina en grimaçant vers le comptoir. Il gardait tous ses papiers importants et son magot dans sa cave à vins, derrière une pierre amovible.

— Stritch... autre chose!

— Oui, monsieur Verner, dit Stritch en se retournant.

— Je n'ai pas l'intention de vous couvrir de honte en ébruitant les détails de notre arrangement. J'attends la même chose de vous. Si l'on vous pose des questions, vous pourrez vous vanter de me les avoir vendus tous les trois avec un bon profit, je n'y vois pas d'inconvénient.

N'ayant pas envie de raconter à tout un chacun ce qui s'était passé chez lui, Stritch fut trop heureux d'approuver.

Verner alluma un cigare tandis que le corpulent tavernier se dirigeait vers la trappe, soufflant et grognant. Verner était las. La manière dont il venait d'agir le dégoûtait, ce qui ajoutait encore à sa lassitude. Même en d'autres circonstances, il se serait méprisé. Acheter ou vendre des humains comme du bétail le plongeait toujours dans le désarroi. Il savait que sans l'esclavage et sans la main-d'œuvre sous contrat, l'économie de la Virginie serait en piteux état; cette certitude n'en diminuait pas son dégoût pour autant.

Fatigué et découragé, il s'appuya lourdement sur sa canne, et attendit. Une voix timide s'éleva derrière lui :

— Sir? Monsieur Verner?

— Oui, mon garçon?

— Pardon, sir. Je ne voulais pas, mais j'ai entendu ce qui a été dit de moi. C'est vrai? Vous m'avez acheté, et Bess aussi? Nous allons vivre avec vous et miss Hannah?

— Oui, c'est vrai, garçon, dit Verner, toujours souriant. Surtout, pas un mot à Hannah de ce que tu as entendu ici. Tu me donnes ta parole?

— Oh! oui, sir. Je n'en soufflerai pas un mot!

Tout à coup, le garçon lui saisit la main, pencha la tête et la baisa. Verner en fut tout déconcerté.

Dickie lâcha la main, recula d'un pas et leva la tête, les yeux mouillés de larmes. Il murmura :

— Merci, sir. Je prierai tous les soirs notre Dieu pour qu'il vous bénisse.

— C'est bon, c'est bon, garçon. (Verner ébouriffa la tignasse du gamin dans un geste impulsif puis, il se redressa et dit brusquement :) Dis-moi, pourquoi ne cours-tu pas annoncer la nouvelle à Bess? Rassemblez vos affaires tous les deux. Nous allons partir tout de suite pour Malvern dans ma calèche.

Dickie secoua la tête et sortit en courant; il faillit même tomber dans sa hâte.

Verner tira sur son cigare avec plus de vigueur, un large sourire sur son visage. Il se sentait heureux à présent. Les efforts qu'il avait dû fournir cet après-midi en valaient peut-être la peine. Après tout, au diable les méthodes!

7

Du jour au lendemain, il sembla à Hannah qu'un grand changement était intervenu à Malvern. C'était devenu une maison heureuse dès l'instant où les rires de Bess avaient retenti dans la demeure.

Malcolm Verner lui-même changea. Il ne restait plus enfermé dans son petit bureau à engourdir sa peine dans l'alcool. Levé tôt, il parcourait sa plantation à cheval, reprenant contact avec sa propriété et avec les gens qui y travaillaient.

Dorénavant, les dîners eurent lieu dans la salle à manger éclairée par les chandelles dont les flammes faisaient étinceler l'argenterie, les cristaux et la délicate porcelaine de Chine.

Au début, Hannah s'était souvent demandé s'il arrivait à Verner de manger. A présent, il mangeait de bon cœur les plats savoureux que Bess préparait avec amour et sa maigreur régressait peu à peu. Il semblait rajeunir d'un an avec chaque kilo gagné.

Hannah était ravie de la tournure qu'avaient prise les événements. Pour la première fois de sa jeune vie, elle connut un véritable bonheur.

Dickie et Bess lui étaient plus que reconnaissants de son intercession. Le soir où Bess était arrivée, Hannah avait descendu en courant les marches de Malvern et Bess l'avait prise maternellement dans ses bras dès qu'elle avait mis pied à terre.

— Doux Seigneur, enfant, j'ai cru que mes vieux yeux vous verraient jamais plus!

Hannah vit des larmes dans les yeux de Bess et comme elle ne l'avait encore jamais vue pleurer, elle en fut touchée.

— C'est une belle chose que vous avez faite, ma chérie, en nous libérant de ce vieux démon de Stritch!

Hannah fut étonnée de pleurer aussi. Elle prit la main de la Noire :

— Bienvenue à Malvern, Bess.

Bess roula alors de grands yeux et battit des mains :

— Que c'est beau ici! J'ai jamais cru que je travaillerais dans un endroit comme ça. J'ai l'impression d'être morte et d'être au ciel; et vous, vous êtes comme un ange.

Là-dessus, son rire malicieux et roulant retentit. Puis Hannah remarqua Dickie un peu à l'écart, la mine songeuse. Elle l'embrassa aussi et tous trois se mirent à rire comme des fous.

A côté de la calèche, Malcolm Verner les observait; un sourire adoucissait ses traits habituellement mélancoliques. Il était à présent certain d'avoir fait ce qu'il fallait.

Bess se rendit immédiatement à la cuisine. Ce soir-là, on eut de la selle de chevreuil, un grand plat de bœuf et de lard, des légumes du jardin, de la crème au sagou et une tourte aux pommes.

Verner dîna seul, Hannah mangeant comme d'habitude avec les autres à l'office.

Un peu plus tard, Verner était assis devant un verre d'eau-de-vie, fumant son cigare. Lorsque Hannah vint débarrasser la table il lui dit :

— Vous aviez raison, ma chère. Votre Bess est une excellente cuisinière. Je ne me souviens pas d'avoir jamais fait un aussi bon repas. J'avais oublié le goût des bonnes choses.

Toute rouge d'émotion, Hannah écarta une mèche de cheveux de ses yeux. Elle rétorqua d'un petit air suffisant :

— Je vous l'avais bien dit que vous ne le regretteriez pas.

— En effet, appuya-t-il en la considérant avec insistance.

Un peu déconcertée par son regard, Hannah emporta la vaisselle et se disposa à sortir.

— Mon Dieu, jeune fille! dit-il avec une pointe d'irritation dans la voix. Ne vous occupez pas de cela. C'est le travail des servantes. Asseyez-vous une minute. Je souhaite vous parler.

Hannah s'assit timidement au bord d'une chaise, craignant ce qui allait venir.

Il la regardait toujours, la fumée s'échappait de son cigare en faisant des cercles. Il annonça enfin :

— A partir de demain, j'entends que vous dîniez avec moi chaque soir. Ce n'est guère plaisant de dîner seul, quelle que soit l'excellence des mets. De plus... (ses lèvres charnues prirent une expression malicieuse) il est convenable que ma gouvernante dîne avec moi, n'est-ce pas?

— Si vous le souhaitez, sir, murmura Hannah.

— Je le souhaite.

Hannah allait se lever. Verner lui fit signe de rester assise. Il sortit de sa poche une liasse de papiers pliés qu'il lui tendit :

— Ceci vous appartient. Faites-en ce que vous voulez.

Hannah prit les papiers, complètement ébahie. Elle les déplia : son contrat d'apprentissage! Incapable de prononcer une parole pendant un long moment, elle considéra Verner de l'autre côté de la table. Elle balbutia finalement :

— M-merci, sir.

— Oui. Vous êtes maintenant une femme libre. Vous pouvez quitter Malvern. Ou bien rester. A vous de choisir.

Hannah n'eut pas besoin de réfléchir.

— Où irais-je? Que ferais-je? Je choisis de rester à Malvern. J'aime cet endroit.

— Comme vous voudrez. (Son regard la quitta alors, comme si cette décision lui importait peu :) Dans ce cas, si je puis faire une suggestion, madame, ne répandez pas partout que vous êtes une femme libre. Les gens trouveraient bizarre que vous restiez ici de votre propre chef, comme gouvernante. Je suis un homme seul... ils pourraient penser... Je ne m'inquiète pas pour moi, comprenez-le bien. Je me suis rarement soucié de l'opinion de mes voisins. Je pense surtout à votre réputation, Hannah.

— Moi non plus, je ne me soucie pas de ce que disent les gens, assura Hannah en dressant la tête.

— Pour le moment, peut-être, fit-il sèchement. Mais le temps viendra où vous le regretterez peut-être...

— Malcolm... Je veux vous remercier du fond du

cœur pour ce que vous avez fait. (Il ne répondit pas mais son regard s'adoucit, ses yeux bruns se voilèrent. Enhardie, Hannah poursuivit :) Ne pourriez-vous pas libérer aussi Dickie?

Il se redressa, les couleurs montèrent à ses joues pâles.

— Ne présumez pas de ma bonté, madame! Vous allez trop loin! Il vaut mieux que le garçon demeure sous contrat. Sinon, il pourrait lui prendre l'envie de partir. Les jeunes sont impétueux et ne pensent pas aux conséquences de leurs actes. En restant ici, il peut apprendre un métier qui lui sera utile plus tard, quand il sera au bout de sa servitude. Laissez-moi à présent. Je vais me retirer. La journée a été harassante, conclut Verner en faisant un geste brusque de la main.

Hannah quitta la salle à manger en toute hâte.

Les soirs suivants, Hannah dîna en compagnie de Verner. Elle avait l'impression d'être la dame de la maison. En y réfléchissant davantage cependant, elle comprit que c'était loin d'être vrai. Même libre, elle n'était guère plus qu'une servante qui jouait à la dame le soir.

De plus, elle n'était aucunement satisfaite de son équipement. On attendait d'elle qu'elle s'habillât pour le dîner; elle faisait donc de son mieux. Mais pour aussi élégantes que fussent les robes d'autrefois, c'étaient celles d'une morte, et elles ne lui convenaient pas vraiment. Elle se confia à Bess.

— Mon Dieu, ma douce. Je ne sais pas arranger les dames. J'ai jamais appris à coudre ni rien. J'ai toujours eu trop à faire à la cuisine. (Bess dodelina de la tête, les mains sur les hanches, considérant Hannah d'un œil critique.) Je sais pourtant une chose : toutes les belles dames portent des corsets. C'est pour ça qu'elles sont serrées à la taille. Toujours prêtes aussi à se trouver mal et à pâlir parce qu'elles peuvent pas respirer. Moi, je crois que M. Verner, il vous aime comme vous êtes.

— Je ne suis même pas certaine qu'il me voie, bougonna Hannah. Des corsets, dis-tu?

— Oui. Et des paniers, ajouta Bess en riant. Vous ne pensez pas que ces grandes jupes gonflent comme ça, d'elles-mêmes? Je me suis toujours demandé comment les femmes blanches pouvaient faire des enfants, j'en ai connu qui allaient au lit avec.

Hannah ne put s'empêcher de rire. Elle se remémorait les silhouettes à la taille fine et aux jupes amples qu'elle avait parfois vues entrer dans les magasins de Williamsburg. Elle les compara mentalement avec sa propre silhouette plus arrondie et redevint sérieuse. Elle porterait des corsets.

Elle se souvint du coffre à vêtements de Mme Verner. Sans doute y trouverait-elle ce qu'elle cherchait.

Peu après, Hannah, débarrassée de ses jupons, faisait face à la grande glace de sa chambre. Avec bien de la peine et force grognements, Bess avait enfin réussi à passer cette chose récalcitrante autour de la taille de Hannah et elle commençait à serrer les lacets. Hannah chassait l'air de ses poumons.

— Ça serre terriblement, Bess!

— Il faut bien, ma douce. C'est comme ça que je sais. Tenez-vous à la colonne du lit, ça m'aidera.

Gémissant sous l'effort, Bess tira les lacets tellement fort que Hannah se sentit faiblir, ayant perdu le souffle.

Bess recula et tourna autour de Hannah.

— C'est comme ça qu'il faut que ce soit. Vous avez la taille aussi mince que les belles dames. Je vais voir si je trouve les paniers maintenant.

Hannah attendit tranquillement, tenant toujours la colonne, essayant de respirer à petits coups. Pendant ce temps, Bess fouillait dans le coffre. Elle revint enfin en portant un objet bizarre formé de lamelles liées les unes aux autres avec des bandes d'étoffe blanche. Elle le fixa autour de la taille de la jeune fille.

Hannah se regarda. Elle pensa à un grand bol renversé suspendu à sa taille.

— Mettez votre robe maintenant, ma douce.

Presque incapable de bouger en raison de cet échafaudage inhabituel, Hannah eut bien de la peine à enfiler sa robe avec l'aide de Bess. Quand ce fut fait, elle se regarda dans la glace. La robe qu'elle avait récemment relâchée à la taille était à présent trop large. Ses seins ronds, remontés par le corset, menaçaient de déborder du décolleté de son corsage.

Hannah examina son image, essayant d'apprécier si cette chose démoniaque avait amélioré son allure. La taille mince faisait bel effet et la jupe gonflée par le panier avait de la grâce. Elle fit le tour de la chambre; la jupe se balançait et accrochait les meubles; de plus, elle était toujours mal à l'aise dans son corset.

Bess la suivait des yeux en secouant la tête :

— Vous êtes certainement plus forte de poitrine que Mme Verner. Votre partie supérieure est tout juste décente, enfant!

— Mon Dieu, Bess, je crois que ces trucs-là ont été inventés par quelqu'un qui haïssait les femmes. C'est une torture. J'ai l'impression d'être dans un four.

Bess éclata de rire :

— C'est le prix pour jouer à la belle dame, enfant. Nous, on a de la chance de ce côté-là

Hannah se regarda encore une fois dans le miroir :

— Au diable! Moi non plus, je n'en porterai pas. Ma taille me convient comme elle est et je ne veux pas me torturer là-dedans toute la journée. Ah, je crois que je ne serai jamais une dame! De toute façon, je doute que Malcolm remarque ce que je porte...

« C'est Malcolm », pensa Bess. Elle s'était déjà demandé si le maître de Malvern couchait avec Hannah.

Elle était certaine que ce n'était pas le cas, du moins pas encore. A présent, elle en était beaucoup moins sûre...

— Bess! s'écria Hannah en frappant du pied. Ne reste pas plantée là à ricaner comme une folle. Aide-moi plutôt à me tirer de ce machin infernal!

Malcolm Verner, en effet, se souciait assez peu de l'habillement des femmes. Si on lui avait demandé de décrire les robes que Hannah portait le soir au dîner, il aurait été embarrassé. Toutefois, il était tout à fait conscient de ce qui se trouvait *sous* les robes. Ses rêves étaient devenus fiévreux et voluptueux; il était de plus en plus gêné en présence de la jeune fille.

Peut-être était-ce pour cela qu'il parlait tant maintenant au dîner. Il racontait sa jeunesse en Angleterre, son mariage avec Martha, il parlait de ses luttes pour faire de sa plantation une affaire rentable. Il évoquait son chagrin à la mort prématurée de sa femme et disait combien elle lui manquait.

Jamais un mot cependant de son fils mort. En bavardant avec les domestiques de la maison, elle avait compris qu'il y avait eu des disputes entre le maître et son fils. Elle brûlait d'envie de questionner Malcolm sur ce sujet, mais elle n'osait pas. C'était un thème interdit.

Hannah fut très occupée pendant les deux semaines qui suivirent l'arrivée de Bess et de Dickie à Malvern et son installation officielle comme gouvernante. Elle demanda à Malcolm la permission d'employer deux autres filles dans la maison; elle les mit toutes quatre au travail. Toutes les fenêtres et les portes furent ouvertes, laissant pénétrer l'air frais. La maison fut nettoyée de fond en comble.

Hannah allait et venait, surveillant tout. Le rôle de maîtresse du manoir semblait lui venir naturellement.

Elle savait d'instinct comment procéder. Elle n'était pas rude avec les servantes, elle grondait rarement; au contraire, elle ne ménageait pas ses louanges ni son aide; elle accordait aux filles de fréquentes périodes de repos. Elles prirent bientôt plaisir à travailler sous ses ordres.

Un jour qu'elle s'occupait du nettoyage de la salle de bal, elle sentit une présence derrière elle. Craignant que ce fût Malcolm Verner, elle se raidit et se retourna. Bess était dans l'encadrement de la porte dans sa position habituelle, les mains sur ses larges hanches.

— Ma foi, ma douce, on dirait que vous étiez née pour faire ça!

Hannah rougit de plaisir. Elle savait pourtant dans son cœur que ce n'était pas vrai. Ce n'était pas un rôle qu'elle jouait, comme lorsqu'elle dînait avec Verner. Elle n'était ici que par charité. Une fois par jour au moins, elle montait dans sa chambre pour regarder son contrat d'apprentissage. Verner lui avait suggéré de le brûler, mais Hannah ne s'y résolvait pas. Pas encore. Il lui semblait que ces papiers contenaient l'essence de sa vie.

Chaque fois qu'elle regardait ce contrat, elle pensait à sa mère avec un sentiment de culpabilité. Sa mère devait savoir maintenant qu'elle était en vie et bien portante. Hannah songeait pourtant qu'elle devrait lui rendre visite pour la rassurer sur son sort.

Puis elle balayait cette pensée de son esprit et retournait travailler.

Cependant, lorsque la maison fut enfin étincelante de propreté, Hannah n'ayant plus grand-chose à faire, ses réflexions se tournèrent vers Mary Quint avec une fréquence accrue.

Malcolm Verner avait bien dû remarquer ce qui se passait au manoir, mais il ne fit aucun commentaire; il ne faisait qu'entrer et sortir, passant presque toute la journée dans ses champs.

Un soir, au dîner, il se contenta de dire :

— La maison a l'air agréable, Hannah. Il semble que j'ai fait une bonne affaire sur toute la ligne.

— Merci, sir, dit Hannah les yeux baissés. (Puis le regardant :) Malcolm, je voudrais aller voir ma mère. Elle doit se tourmenter.

Verner joua avec son verre, répondant simplement en hochant la tête :

— Bien sûr, vous devriez y aller. Je comprends qu'elle s'inquiète. Je vais dire à John de vous conduire à Williamsburg demain. (Hannah eut un frisson d'appréhension. Verner s'en aperçut :) Vous avez peur de votre beau-père?

— Oh, je n'ai pas peur de Silas Quint. Je sais comment le traiter, répondit-elle par bravade, mais sans conviction profonde.

— Il est sans doute en colère, et, d'après ce que vous m'avez dit, il est rusé... cependant... Je crois que ce serait imprudent de ma part de vous accompagner, mais n'ayez crainte, John veillera à ce qu'il ne vous arrive rien de fâcheux. (Hannah se leva. Verner ajouta doucement :) Hannah... Si votre mère souhaite venir à Malvern, elle sera la bienvenue.

Hannah sentit les larmes monter. Elle avala sa salive :

— Je le lui demanderai. Merci, Malcolm. Vous êtes un homme bon et bienveillant.

Verner eut un geste brusque pour prendre un cigare dans sa poche. Il lui porta toute son attention, en plongeant le bout dans l'eau-de-vie avant de l'allumer.

Hannah n'avait pas quitté la plantation depuis qu'elle y était arrivée ; à l'heure du départ, elle était pleine de doutes et de craintes. Elle s'était habillée soigneusement avec l'aide de Bess pour paraître sous son meilleur jour.

En outre, ce jour-là, une roue de la calèche était endommagée et il fallut prendre la voiture découverte. Hannah savait bien que les bavardages devaient aller bon train à Williamsburg et à l'entour au sujet de Malcolm Verner et de la jeune et jolie servante sous contrat qui vivait sous son toit.

Heureusement, les passants étaient rares sur la route; mais les occupants des quelques véhicules qu'ils rencontrèrent la dévisagèrent ouvertement. Hannah les ignora. Lorsque la voiture cahota dans les rues pavées de Williamsburg, elle garda la tête haute, ne regardant ni à droite ni à gauche.

Les rues du quartier où habitait Silas Quint n'étaient pas pavées. C'était un chemin de terre plein d'ornières sur lequel se balançait la voiture, les roues laissant derrière elles un nuage de poussière. Les gens sortaient de leurs masures pour voir, mais Hannah savait que ce n'était pas à cause d'elle. Dans ce quartier, les habitants n'avaient aucun rapport de voisinage. Hannah n'avait jamais connu aucun de ses voisins, sinon de vue; elle doutait même qu'on la reconnût comme la fille de Mary Quint. Ils regardaient parce que c'était sans doute la première fois qu'ils voyaient une voiture pareille dans les parages. Hannah toucha enfin l'épaule du cocher :

— C'est ici, John. La deuxième à droite.

Le cocher fit arrêter d'un moulinet l'attelage de chevaux gris. Il descendit de son siège pour offrir sa main à Hannah.

John n'était pas jeune, mais il était grand et massif, ses mains étaient larges; de plus, il était souple pour un homme de sa stature. Il avait belle allure dans sa livrée. Hannah savait pourquoi Malcolm l'avait envoyé avec elle : elle se sentirait en sécurité. Il possédait une assu-

112

rance tranquille et parlait comme un homme qui avait reçu une certaine éducation. Hannah avait un jour interrogé Verner à son sujet :

— J'employais un précepteur qui enseignait à Michael. John m'avait demandé la permission d'assister aux cours. Je n'y voyais aucun inconvénient.

Ce fut d'ailleurs la seule fois que Malcolm Verner parla de son fils à Hannah.

A présent, elle examinait la maison où elle avait passé tant d'années malheureuses. Contrairement à toutes les autres masures de l'allée, celle-ci ne montrait aucune trace de vie. Hannah trouva bizarre que sa mère ne se précipitât pas pour embrasser sa fille. Elle soupira :

— Je vais voir.

— Oui, madame, dit John doucement. Je suis ici si vous avez besoin de moi.

— Merci, John, fit Hannah en souriant.

Elle monta le petit passage encombré d'ordures jusqu'à la maison, la tête bien droite comme les dames de la bourgeoisie. La porte était entrebâillée. Hannah la poussa sans frapper et entra en appelant :

— Maman? C'est Hannah!

C'était très sale à l'intérieur. Hannah s'en étonna; même une masure comme celle-ci, sa mère avait l'habitude de la tenir propre et nette. La crainte lui serra le cœur. Elle avança encore de quelques pas et appela de nouveau :

— Maman, c'est Hannah! Où es-tu?

Elle entendit un bruit dans la chambre et attendit, l'œil rivé sur la porte. Elle s'ouvrit et Silas Quint en émergea, les vêtements chiffonnés, maculés de nourriture et de vin. Son odeur putride emplit la pièce.

A la vue de Hannah, les yeux de Quint s'écarquillèrent, des yeux veinés de rouge, comme s'ils saignaient. Le groin qui tenait lieu de nez à l'homme était encore plus rouge que d'habitude.

— On est venu faire un tour! C'est la belle dame qui vient rendre visite à son vieux père!

— Je ne suis pas venue pour vous voir. Où est ma mère?

— On m'a dit que tu avais une bonne situation à Malvern. Je voulais passer te voir. Les temps sont durs pour le vieux Quint. T'as peut-être mis une pièce ou deux de côté?

— Vous n'aurez rien de moi, compris? Rien du tout! Et si jamais vous vous faites voir à Malvern, M. Verner vous en fera chasser!

— Tu laisserais faire ça à ton pauvre vieux père?

— Vous n'êtes pas mon père! Où est ma mère?

— Mary Quint est morte et enterrée depuis quatre semaines, répondit Quint, le regard fuyant.

— Morte? Je n'y crois pas!

Hannah était pétrifiée. Elle chancela, se retint au mur. Elle entendit vaguement Silas Quint expliquer d'une voix onctueuse :

— C'est triste, mais c'est vrai. Ma pauvre Mary, morte et enterrée dans la fosse commune.

Hannah se ranima, l'œil rivé sur cette face détestable :

— Pourquoi ne m'a-ton pas prévenue?

— Tu t'es sauvée en abandonnant ta pauvre mère. Je pensais pas que tu voulais savoir.

Il ricanait à présent, il ne simulait plus le chagrin.

— Ce n'est pas elle que j'ai fuie... Comment est-elle morte? Elle n'était pas malade la dernière fois que je l'ai vue.

Silas Quint regarda de nouveau ailleurs.

— Un accident. En allant aux latrines, la nuit, elle a trébuché sur les marches et elle est tombée. Elle s'est cassé le cou. Elle était morte quand je suis arrivé près d'elle.

Quelque chose alerta Hannah. Elle se redressa :

— Je ne vous crois pas! Vous l'avez tuée. J'en suis

certaine! Vous avez toujours battu ma pauvre mère. Vous l'avez battue... C'est vous qui lui avez brisé le cou!

— Ne dis pas des choses comme ça, ma fille! On pourrait entendre! Je jure que c'est pas vrai! C'a été un accident. Ma parole, c'est vrai!

— Votre parole! Votre parole ne vaut rien. Vous avez toujours été un menteur. Vous avez tué ma mère, je le sais, assassin! Vous paierez. Je ferai ce qu'il faut pour cela.

— Ne crie pas comme ça, ma fille! Doucement, pour l'amour du ciel, doucement!

Il avança vers elle, lui faisant signe de se taire. Mais Hannah, déchaînée, hurlait :

— Assassin! assassin!

Le visage de Quint s'assombrit. Il s'approcha, les mains tendues à hauteur de la gorge de Hannah, marmonnant :

— Ferme-la, idiote, arrête tes conneries!

A mesure que la raison lui revenait, Hannah se rendait compte qu'elle était en danger. L'idée lui vint d'appeler John et, en même temps, elle aperçut un balai contre le mur. Elle s'en saisit et en assena un coup sec sur la tête de Silas Quint. Il hurla en levant les mains tandis que Hannah utilisait le balai comme une épée, poussant le bout du manche dans le ventre affaissé de Quint, une fois, deux fois, très vite. Quint haletait, essayant de se protéger son ventre. Il titubait en même temps dans la direction de la jeune fille. Un peu effrayée, Hannah tâtonna derrière elle, cherchant la porte. Elle la trouva et sortit alors à reculons. Quint la suivit jusque dehors où il s'arrêta net en regardant derrière elle.

Hannah tourna la tête et vit John tout près.

— Cette loque blanche vous ennuie, miss Hannah? demanda-t-il, le visage impassible, comme s'il avait été sculpté dans du basalte.

— C'est bien, John. Tout va bien. Rentrons à Malvern. (Elle fit quelques pas puis se retourna :) Vous regretterez le jour où vous avez tué ma mère, Silas Quint! Je vous promets que je vais m'en occuper!

Ce ne fut qu'à ce moment que Hannah se rendit compte qu'il y avait des spectateurs. Les gens des cabanes voisines s'étaient assemblés en silence. Hannah se hâta de monter dans la voiture avant que John ne vînt l'aider. Le cocher reprit alors sa place sur son siège, saisit les guides et la voiture s'ébranla.

Hannah ne laissa libre cours à ses larmes qu'après être sortie de Williamsburg. Sous le chagrin que lui causait le sort misérable de sa pauvre mère, il y avait de la colère, une aspiration à la vengeance. Un jour, Silas Quint souffrirait, et Amos Stritch aussi.

Hannah avait toujours été maltrairée par les hommes, excepté par Malcolm Verner; mais pourquoi serait-il différent des autres? Etant un gentilhomme, peut-être était-il simplement plus rusé?

Elle décida de ne rien donner. Tout ce qu'il réclamerait d'elle, il le paierait très cher.

Silas Quint regarda dans la direction de la voiture encore un bon moment après qu'elle eut disparu. La peur le saisit en voyant les gens attroupés. Il aboya :

— Qu'est-ce que vous essayez de lorgner là? Rentrez chez vous et ne fourrez pas votre nez dans les affaires des voisins!

Les gens se dispersèrent et Quint rentra chez lui. Il fouilla la maison dans l'espoir de trouver quelque chose à boire. Il dénicha finalement une cruche avec un fond de cidre qu'il avala avidement. C'était aigre comme du vinaigre, il crut qu'il allait vomir. Il tituba jusqu'à son lit où il s'écroula. Peu après, le cidre commençant à faire son effet, il se sentit un peu mieux. Il pouvait au moins penser.

Il n'avait pas voulu tuer cette femme stupide. Non!
C'était un accident. Il était retourné chez lui après que
Stritch lui eut appris que Hannah s'était enfuie. Il avait
tiré Mary du lit.

— Ton idiote de fille s'est enfuie!

Mary avait clignoté des yeux pour chasser le sommeil.

— Hannah? Hannah s'est enfuie?

— Hannah! Oui, c'est bien comme ça qu'elle s'appelle,
non? Elle m'a mis dans une sale situation, s'enfuir...

— Elle t'a mis dans une sale situation? Tu ne penses
donc pas à elle? Des sauvages peuvent l'attraper et la
tuer!

— Femme, t'es idiote. Y a pas eu de Peaux-Rouges ici
depuis des années. Stritch pense que tu dois savoir ce
qui s'est passé. Plus j'y pense, plus je crois qu'il a raison.
Où est cette garce ingrate?

Mary pleurait silencieusement.

— Je ne sais pas où elle est!

— Tu mens, femme! T'as été contre son placement
depuis le début. Où est-ce que tu l'as cachée?

Il gifla sa femme d'un revers de main. Le coup la fit
basculer. Elle courut dans l'autre pièce en pleurant,
Quint sur ses talons. Il la saisit par ses longs cheveux et
la redressa comme un cheval auquel on raccourcit la
bride. Quint tourna le visage en la menaçant du poing.

— Arrête de pleurnicher et dis-moi où est la garce,
autrement, t'auras de quoi pleurer! Je te battrai jusqu'à
ton dernier souffle.

— Je ne sais pas, Silas, je te jure que je ne sais pas.

Il se mit alors à la battre, sans penser à rien, lui
frappant le menton de son poing. Elle vola à travers la
pièce en tombant. Sa tête heurta le mur avec un son
mat, puis elle s'affaissa sur le sol.

Il n'y avait pas eu de problème avec les autorités. La
version de Quint fut acceptée, selon laquelle Mary avait
trébuché dans l'obscurité sur les marches qui menaient

aux latrines. Des gens mouraient tous les jours dans ce quartier, de maladie ou accidentellement. Personne ne s'en souciait suffisamment pour poser des questions...

Depuis la mort de Mary, Quint avait la vie dure. Amos Stritch lui refusait désormais tout crédit et ne lui permettait même pas de mettre le pied dans sa taverne. Plus grave, Stritch avait refusé d'expliquer pourquoi Hannah était toujours à Malvern. Quint était certain que le tavernier avait vendu la fille à Malcolm Verner. Si tel était le cas, Quint pensait qu'il devait recevoir quelque chose. Stritch refusa fermement d'en discuter et le mit à la porte.

Que faire à présent? Se trouverait-il quelqu'un pour croire aux accusations d'une fille placée? Quint secoua la tête et s'assit, subitement revivifié. Il venait de trouver la clef.

Etant à demeure à Malvern, elle devait avoir accès à l'argent. Quand sa colère et son chagrin se seront calmés, elle sera sans doute plus accessible à ses prières. Elle ne laissera pas son pauvre beau-père mourir de faim!

Il s'allongea sur le lit. Son esprit tortueux se mit à échafauder des plans pour soutirer de l'argent à sa belle-fille.

8

« Dans le Sud vivait une fois un homme appelé John le grand conquérant. C'était un homme véritable. Il était esclave dans une mauvaise plantation. Les Blancs disaient que ce n'étaient pas les serpents qui mordaient mais les nègres. Les Blancs, ils ont tué un nègre pour voir si le corps tomberait en avant ou en arrière; ils avaient parié que, s'il tombait du mauvais côté, ils iraient rosser la vieille mère du nègre... »

Tout en racontant son histoire, Bess observait Hannah du coin de l'œil. Tous les jeunes enfants de la plantation étaient rassemblés autour de Bess qui était assise sur les marches de la cuisine. Hannah était là aussi, un bras passé autour des épaules de Dickie, aussi captivée par le récit que les enfants.

Bess était satisfaite. Il y avait deux semaines que la jeune fille était allée à Williamsburg pour découvrir que sa mère était morte et enterrée; depuis, Hannah se traînait tristement, éclatant en sanglots subitement.

Bess pensait que la mort de sa mère était peut-être une bonne chose pour Hannah. Selon toute vraisemblance, la pauvre femme était partie en emportant le secret des origines de la jeune fille. Cette loque blanche de Silas Quint n'était sans doute pas au courant; sinon, il n'aurait pas épousé Mary!

Les visages ébahis des enfants ramenèrent Bess à la réalité : elle s'était tue sans y prendre garde. Elle s'éclaircit la gorge. L'un des enfants demanda :

— Pourquoi on l'appelait John le grand conquérant?

— Je l'ai dit. Parce que c'était un homme véritable. Il y en a qui disent que c'était l'homme le plus grand des environs. Des gens qui l'ont vu disent qu'il était pas plus grand qu'un homme ordinaire. En tout cas, il faisait grand. Le maître de la plantation où John le grand conquérant était esclave était un joueur; il pariait toujours sur son dos. Et John faisait toujours gagner son maître, à sa façon. Un jour, le maître de John le grand parlait avec un autre homme blanc; tous les deux ont commencé à vanter les mérites de leurs esclaves. L'autre Blanc dit : « J'ai un nègre chez moi qui peut battre tous les autres nègres! » Le maître de John dit : « Il peut pas battre mon John; je parie cinquante livres sur lui contre le vôtre. »

» L'autre Blanc est d'accord et ils décident que le combat aurait lieu en ville, un samedi après-midi, le mois suivant. Les gens sont venus de très, très loin, comme si c'était une fête. Même le gouverneur de l'État, sa femme et leur fille sont venus. Les paris ont été très hauts.

» Le maître de l'autre plantation avait amené son nègre très tôt, deux heures avant le combat. Mon histoire dit que c'était un nègre extraordinairement grand, si grand qu'il fallait qu'il se baisse pour pas se cogner dans les étoiles, la nuit. Une demi-douzaine de dames blanches se sont évanouies en le voyant. Quand le maître de John a vu ce nègre, il pensait bien qu'il avait perdu son pari. Personne ne pouvait battre ce nègre!

» John, lui, ne se montra que quelques minutes avant le combat. Alors que l'autre était tout déshabillé pour se battre, John était mis comme s'il était le roi de la Colonie. Il portait des bottes noires, un pantalon rouge brillant, une chemise blanche à manchettes en dentelle et un chapeau bizarre; il avait aussi une canne à pommeau d'or. Il souriait et sifflotait, il ôtait son chapeau devant chaque personne, il prenait son temps.

» Tout d'un coup, il a fait une chose qui a coupé le souffle à tout le monde : il est allé tout droit là ou le gouverneur était assis avec sa femme et sa fille; et là, il a giflé la fille en plein visage, deux fois. Tous les Blancs étaient horrifiés et auraient sans doute pendu John le grand à l'arbre le plus proche s'il y avait pas eu autre chose en même temps.

» L'autre nègre, celui qu'il devait battre, a vu ce que John avait fait et a pris la poudre d'escampette dans la campagne, et on l'a jamais revu. »

Bess se tut, attendant les questions.

— Bess, pourquoi l'autre nègre il s'est sauvé? demanda un enfant.

— C'est que quand il a vu ce qui s'était passé, il a

compris que si John le grand était assez méchant pour frapper une petite fille blanche, il serait capable de le battre, lui, n'importe quel jour de la semaine. Et après, quand les Blancs ont enfin réalisé que John le grand les avait tous roulés, et l'autre nègre aussi, ils ont repris leurs esprits. Ils ont éclaté de rire. Ceux qui avaient parié sur John le grand étaient très heureux. Et aussi le maître de John parce qu'il avait gagné cinquante livres; il a donné la moitié de son gain au gouverneur pour qu'il soit pas trop mauvais parce que John avait giflé sa fille. Le maître était très content de John le grand, tellement content qu'il l'a plus battu pendant plusieurs jours!

Les enfants se dispersèrent. Hannah s'approcha alors et lui murmura à l'oreille :

— Bess, tu as raconté les plus grands mensonges que j'aie jamais entendus!

— Oh, ma douce, je suis sincère comme le jour. C'est vexer la vieille Bess que de dire ça! rétorqua-t-elle gravement.

Hannah éclata de rire, en secouant la tête, et s'en alla. Elle se dirigea vers l'écurie. Son moral était meilleur ce jour-là pour la première fois depuis qu'elle avait appris la mort de sa mère. Le chagrin était toujours là, mais il avait régressé dans un compartiment secret de sa mémoire. Cependant, la colère à l'égard de Silas Quint demeurait. Elle était convaincue dans son cœur qu'il avait tué sa mère. Elle n'en disait rien, n'ayant aucune preuve et sachant bien que personne ne la croirait. Un jour pourtant, elle trouverait le moyen de venger l'assassinat de Mary Quint.

Hannah pénétra dans l'écurie plongée dans l'obscurité. Elle y avait passé une bonne partie de son temps libre durant les semaines précédentes, lorsque Verner était absent et qu'Etoile-Noire s'y trouvait au lieu d'être au pré. Elle était tombée amoureuse de l'animal. La première fois qu'elle s'était approchée de son box, le cheval avait fait un bond de côté, roulant des yeux sauvages. Il avait rué en hennissant. Effrayée, Hannah avait battu en retraite.

Une voix tranquille avait dit derrière elle :

— Ne pas s'approcher trop près de la bête, miss Hannah. Il est rebelle.

Hannah avait fait demi-tour pour faire face à John. En plus de la voiture et de la calèche, John était aussi chargé de l'écurie et des chevaux de selle.

— Un si bel animal! s'était-elle écriée.

John avait hoché la tête gravement.

— Oui. Mais personne n'ose le monter. Pas même le maître. Il a essayé quelques fois, mais même lui n'arrive pas à le manier.

— Pourquoi est-il ici alors? A qui appartient-il?

John l'avait examinée pensivement pendant un moment, semblant choisir ses mots.

— Le maître l'avait acheté pour l'anniversaire du jeune maître, il y a quelques années. Le jeune maître a été le seul à le monter. Il est tellement rétif que je n'ose même pas le laisser pâturer avec les autres chevaux. Il en a déjà tué un. Maître Verner a parlé de l'abattre, mais je doute qu'il le fasse jamais.

— J'espère bien qu'il ne le fera pas. Ce serait malheureux!

— Il vaut mieux ne pas l'approcher. Il vous fendrait la tête d'un seul coup de sabot.

Hannah ne pouvait cependant pas s'empêcher de venir voir Etoile-Noire quand personne n'était aux alentours. Peu à peu, l'animal s'était accoutumé à elle; Hannah pouvait maintenant entrer dans le box et caresser l'encolure luisante du cheval. Etoile-Noire encensait d'abord puis se calmait au bout d'un moment. Elle avait pris l'habitude de lui apporter du sucre. La bête hennissait doucement dès qu'elle la voyait arriver et se serrait contre la porte du box, le cou tendu pour flairer le sucre dans la main de la jeune fille. L'affection croissante de Hannah pour le cheval avait fortement contribué à adoucir son chagrin.

Hannah n'était jamais montée à cheval. A présent, elle désirait ardemment apprendre. Elle avait toutefois suffisamment de bon sens pour se rendre compte qu'elle ne pouvait apprendre avec Etoile-Noire. Verner ne le permettrait pas.

Elle annonça un soir :

— Malcolm, j'aimerais apprendre à monter à cheval. La maison tourne bien à présent. Je voudrais pouvoir faire le tour de la plantation à cheval.

Verner la considéra gentiment depuis l'autre bout de la table. Il se montrait très obligeant depuis qu'elle était rentrée avec la triste nouvelle concernant sa mère, et il lui laissait une liberté presque complète.

— Ce serait sans doute une bonne chose pour vous, Hannah. Avez-vous déjà monté? (Hannah secoua négativement la tête.) Il faudra commencer par un cheval doux, dans ce cas. Je vais dire à John d'en choisir un et de vous surveiller jusqu'à ce que vous sachiez vous y prendre. Il y a cependant un hic : il n'y a pas de selle de dame ici. Martha ne montait jamais. Elle ne supportait pas la proximité d'un cheval.

— Oh, je n'ai pas besoin de selle de dame, je peux apprendre avec une selle ordinaire, dit Hannah en haussant les épaules.

Une lueur d'amusement s'alluma dans le regard de Verner.

— La selle de dame offre des avantages pour la cavalière. Ça lui évite d'être choquante.

— Croyez-vous que toute la région ne soit pas choquée par ma seule présence ici? Vous m'avez dit un jour que vous ne vous inquiétiez pas de l'opinion de vos voisins.

— Ai-je vraiment dit cela? (Verner repoussa son assiette et prit un cigare qu'il roula entre ses doigts en la regardant sérieusement.) Ce sera comme vous souhaitez, ma chère. (La pointe d'amusement reparut :) Je suppose que vous n'en ferez qu'à votre tête de toute manière.

Hannah jugea cependant qu'il lui fallait consentir à un compromis. En effet, le lendemain, John sella une jument douce et docile. Hannah la considéra avec dégoût :

— Mon Dieu! On dirait qu'elle va se casser en deux dès que je serai sur son dos!

— Miss Hannah, ma mère disait : un enfant doit apprendre à ramper avant de se tenir debout.

John l'aida à monter. Dès que Hannah fut sur sa selle, il fut évident qu'il fallait faire quelque chose à sa jupe et ses jupons. Ils pendaient sur les flancs de la jument, tandis qu'ils se mettaient en tas sur le devant de la selle. La pauvre bête montrait le blanc de ses yeux sous le volume et le poids de l'étoffe, et ses oreilles couchées en arrière indiquaient clairement sa crainte et son déplaisir de porter cette créature spéciale sur son dos. De plus, chaque mouvement de l'animal repoussait l'étoffe en la gonflant, laissant apparaître les jambes de Hannah. Décidément non, elle ne pouvait pas parcourir la plantation dans cet état, même si la jument finissait par l'admettre.

Une cascade de rire se fit entendre du côté de l'écurie.

— Oh, Bess, ne reste pas là à me regarder! Fais quelque chose... Je sais, je vais enfiler une culotte d'homme!

— Oh alors, ce sera encore pire. Tout le monde va rouler de gros yeux. Descendez de là et laissez-moi réfléchir.

Hannah descendit avec l'aide de John. Il souriait légèrement, lui qui était plutôt grave d'ordinaire. Hannah fut sur le point de le réprimander, mais changea aussitôt d'avis. En vérité, c'était drôle, effectivement.

Bess eut enfin une idée. Elle plia la jupe par en dessous et glissa le repli entre les jambes de Hannah, l'épinglant au dos. Puis elle épingla le jupon autour de chaque jambe. Elle recula pour examiner son travail. Elle éclata de rire.

— Qu'y a-t-il de drôle à présent?

— Un jour, j'ai vu une image dans un livre; elle montrait une dame de harem, de l'autre côté de la mer. Vous lui ressemblez, attifée comme ça.

Toutefois, quand John l'aida à remonter sur la jument, il n'y eut pas de difficulté. Peu importait qu'elle eût l'air ridicule.

Tenant les rênes, John conduisit la jument sur le pré. La selle était fort incommode, très dure. De quelque manière qu'elle s'y prît, Hannah n'arrivait pas à s'adapter à l'allure inégale de l'animal; elle avait l'impression que la selle remontait chaque fois qu'elle-même retombait. Elle savait que cela finirait mal, mais elle persévérerait tout de même!

— Vous allez vous habituer à l'allure, miss Hannah. Il faut que vous appreniez à faire reposer votre poids sur les étriers et à vous soulever vous-même; vous éviterez ainsi de retomber trop durement sur votre selle. Si vous faites cela, ce sera aussi confortable qu'un fauteuil à bascule. Il n'y a pas grand-chose à faire pour la guider, ajouta John en lui donnant les rênes, elle ira toujours à son pas. Si vous voulez tourner à droite, tirez fort à droite; à gauche, si vous voulez aller à gauche.

John resta près de Hannah ce premier jour et le suivant. Elle apprenait rapidement et l'allure lente de la vieille jument l'impatienta bientôt.

John annonça le troisième jour :

— Je crois que je peux vous laisser aller toute seule

maintenant, miss Hannah. Au pas où elle va, vous ne vous feriez pas grand mal si vous tombiez.

Ce fut ainsi que Hannah commença à explorer la plantation. Elle aperçut à plusieurs reprises Malcolm Verner qui chevauchait à quelque distance, mais il était trop occupé pour la remarquer. C'était l'époque de la récolte et du fumage. Hannah trouvait cela passionnant et il lui arrivait souvent de descendre de sa monture pour regarder le travail aux champs.

Elle apprit à reconnaître les signes de maturité du tabac : la nuance jaunâtre des feuilles, celles du pied en premier lieu; l'épaississement des feuilles à mesure qu'elles mûrissent, accompagné d'une odeur de cuir. Verner et Henry, le contremaître, étaient partout à la fois. Ils passaient entre les rangs, retournant les feuilles, pliant l'envers entre leurs doigts. Si elle était mûre, la feuille éclatait ou craquait. Il arrivait que la maturation fût inégale selon les champs. Verner et Henry indiquaient alors aux ouvriers les feuilles à couper et celles qu'il y avait lieu de laisser sur pied pour quelques jours encore. On éliminait soigneusement les chenilles et les surgeons.

Henry, de même que les autres esclaves, était nu jusqu'à la taille; ses épaules puissantes luisaient au soleil comme de l'acajou huilé. Il portait un chapeau à large bord, symbole de son autorité.

Les travailleurs utilisaient des couteaux pour couper les feuilles de tabac de la tige principale. Quelques-uns chantaient en travaillant, leurs couteaux étincelaient dans la lumière.

Le tabac était ensuite suspendu sur des perches elles-mêmes alignées sur des échafaudages; il restait ainsi exposé au soleil pendant quelques jours, avant d'être transporté au fumoir.

C'était un hangar long et très haut fait de rondins solidement jointoyés. Les feuilles y étaient suspendues en rangs serrés et jaunissaient pendant encore quelques jours. C'était ensuite le fumage. On préparait un feu à même le sol, sous le tabac, qu'on maintenait très bas les deux ou trois premiers jours. On augmentait l'intensité du feu les jours suivants jusqu'à ce que le fumage soit complet, ce qui prenait d'ordinaire une semaine environ. On employait du noyer blanc et du chêne.

Le tabac devait ensuite « suer » pendant quelques jours, jusqu'à ce que les feuilles et les tiges soient flexibles, de sorte que l'on puisse les manipuler sans les briser. Le tabac était enfin empaqueté par barriques d'une centaine de livres chacune qui seraient roulées plus tard jusqu'à l'embarcadère. De là, des bateaux les emporteraient vers Williamsburg ou l'Angleterre.

Hannah apprit que Malcolm Verner, très en avance sur son temps, avait été le premier à mettre au point la méthode de fumage par le feu. Il avait commencé quelques années plus tôt. La plupart des autres planteurs dédaignèrent d'abord cette nouvelle technique, continuant à fumer leur tabac par séchage au soleil. Cependant, quelques-uns s'aperçurent un jour que Malcolm Verner produisait davantage de produit fini; ils envisagèrent alors d'adopter son procédé.

Car le tabac, c'était de l'argent. C'était avec le tabac que l'on payait les impôts et les traitements des administrateurs mais, avant tout, il permettait l'ouverture de crédits chez les négociants de Williamsburg où l'on s'approvisionnerait pour l'année à venir. Ce n'était que le surplus qui était embarqué pour l'Angleterre; le planteur recevait alors des lettres de crédit.

L'odeur du tabac fumé restait suspendue au-dessus de Malvern pendant des jours et des jours. Hannah la trouva répugnante au début. Elle imprégnait ses vêtements, flottait à l'intérieur de la maison. Elle s'y habitua pourtant, finissant même par la trouver agréable.

Ce jour-là, la récolte et le fumage étaient presque terminés. La veille, au dîner, Verner avait parlé d'une bonne moisson. Il avait pris la calèche pour se rendre à Williamsburg en vue de négocier la vente de son tabac avec différents marchands. Verner et John étaient donc partis sans dire quand ils rentreraient.

C'était l'occasion de monter Etoile-Noire. Hannah savait que personne sur la plantation ne tenterait de l'en empêcher. Elle en avait assez de cette vieille jument au pas lent.

Elle avait observé John les jours passés tandis qu'il sellait la jument et Hannah était sûre de pouvoir le faire seule à présent. Elle épingla sa robe comme Bess le lui avait montré, puis s'approcha du box. Etoile-Noire hennit et tendit le cou pour fourrer ses naseaux dans sa main.

— Pas de sucre aujourd'hui, beauté, murmura-t-elle. Nous sortons!

Elle n'eut aucune peine à mettre la bride. Elle sortit ensuite le cheval de son box; elle alla chercher une selle accrochée au râtelier. La selle était plus lourde qu'elle ne le pensait et, l'animal lui arrivant presque au sommet de la tête, Hannah dut faire un effort considérable pour la hisser sur son dos. Heureusement, Etoile-Noire était calme, comme s'il sentait ce qui allait suivre. Pendant qu'elle sanglait la selle sous son ventre, il martelait le sol d'un de ses sabots, s'ébrouant doucement.

Ce fut enfin terminé. Hannah transpirait abondamment. Elle repoussa ses cheveux humides de ses yeux et se reposa un instant. Un autre problème se présentait. Jusqu'ici, John l'avait toujours aidée à monter. Elle respira profondément, leva les bras pour saisir la selle et fit une première tentative. Elle échoua et retomba contre le cheval. Etoile-Noire s'écarta en hennissant.

— Là, doucement, c'est bien, murmura-t-elle en lui caressant l'encolure.

128

Il y avait un banc le long du mur de l'écurie, suffisamment léger pour que Hannah pût le bouger aisément. Elle le poussa à gauche d'Etoile-Noire. Une fois montée sur le banc, elle réussit à se hisser en selle. Elle émit un grognement de satisfaction et ajusta ses pieds dans les étriers, fit avancer son cheval d'une pression des genoux. Levant haut les sabots, presque en dansant, Etoile-Noire quitta l'écurie. Dehors, Hannah tira sur les rênes et regarda autour d'elle. Personne n'était en vue.

Hannah prit son souffle et, relâchant les rênes, elle tambourina légèrement contre les flancs de l'animal avec ses talons.

— Allons, beauté! Allons!

Etoile-Noire démarra au galop sur quelques mètres. Il allait comme le vent. Hannah exultait comme jamais auparavant. Les sabots faisaient un bruit de tonnerre. La chevelure de Hannah flottait dans le vent. Malgré la taille d'Etoile-Noire et sa rapidité, Hannah trouvait son allure plus confortable que celle de la jument.

Avant même qu'elle s'en soit rendu compte, Hannah et sa monture approchaient déjà de la barrière à claire-voie qui entourait le pré. Elle tira sur les rênes, mais il était trop tard. Etoile-Noire prenait son élan et sautait la barrière en un bond puissant, sans briser une seule latte.

Là, Hannah lâcha les rênes et Etoile-Noire poursuivit sa course. Puis il ralentit l'allure; des plaques d'écume volaient dans le visage de la jeune fille.

— C'est bien, beauté. C'est assez pour le moment, murmura-t-elle en tirant les rênes avec précaution.

Etoile-Noire s'arrêta en douceur. Ses flancs se gonflaient et s'aplatissaient comme un grand soufflet. Hannah savait bien qu'il n'était nullement fatigué; il ne faisait que reprendre son souffle pour un second départ.

Elle flatta l'encolure tout humide de sueur.

— Ah, tu es une vraie beauté! Comme une grande et belle mécanique.

Une chose cependant rendait Hannah malheureuse. Elle se sentait mal à l'aise et encombrée dans sa robe retroussée et épinglée. Elle voulait être libre. Le diable emporte ceux qui verraient ses jambes!

Elle pensa qu'il lui serait plus commode d'ôter les épingles qui retenaient sa robe si elle était par terre. Elle jaugea la hauteur avec circonspection, se souvenant de la peine qu'elle avait eue à se hisser en selle.

Hannah se dressa sur ses étriers. Il lui fut relativement facile de défaire la partie de la robe passée entre ses cuisses et épinglée dans le dos. Puis, se penchant en avant, elle voulut ôter les épingles de la partie qui s'enroulait autour de sa jambe droite. Ce qui était beaucoup plus compliqué. Agrippée à la selle d'une main, elle parvint à en retirer une. Elle essaya alors de se redresser mais, ce faisant, elle enfonça l'épingle dans la peau d'Etoile-Noire.

L'animal se cabra, s'ébroua puis décampa. Hannah tenta désespérément de rester en selle, mais elle continua à glisser. Jusqu'à la chute. Elle crut voir le sol voler au-dessous d'elle. Sa robe s'accrocha à quelque chose. Il y eut un bruit de déchirure, puis ce fut le sol. Elle y atterrit la tête la première. La douleur fut terrible avant l'obscurité bienfaisante de l'évanouissement.

A Williamsburg, Malcolm Verner régla ses affaires plus rapidement qu'il ne l'escomptait. Il fut donc bientôt de retour à Malvern. Il était fort satisfait de lui quand John amorça un tournant avant de s'arrêter dans l'allée. Les marchands de la ville avaient ouvert de larges crédits pour l'année suivante et un important surplus allait être embarqué pour l'Angleterre en échange de lettres de crédit. C'était l'année la plus profitable depuis qu'il était en Virginie. Il éprouva une tristesse profonde à la pensée de n'avoir personne avec qui partager la bonne nouvelle... pas de famille, plus de Michael.

Quittant sa calèche, il demeura face à sa maison pendant un moment tout en mâchonnant un cigare tandis que John poursuivait son chemin en direction de l'écurie. Verner le regarda dételer les chevaux et les conduire dans l'écurie. Puis il se souvint de Hannah avec plaisir. Ces derniers temps, elle était presque devenue sa famille. Elle l'écoutait avec intérêt, semblait-il, lorsqu'il discutait avec elle des affaires de la plantation. Elle serait certainement heureuse d'entendre la bonne nouvelle.

Il allait se détourner quand une exclamation venue de l'écurie l'arrêta net. Il se retourna de nouveau pour voir John qui courait vers lui.

— Etoile-Noire! Il est parti!

Verner fronça le sourcil.

— Parti? Que veux-tu dire? Il a rompu ses attaches?

— Non, sir. La porte de son box est ouverte.

— Tu veux dire que quelqu'un l'a volé?

— Non, sir. Je pense... Miss Hannah... Elle rôdait autour de l'animal.

— Tu l'as laissé faire? (Verner fut sur le point de secouer l'homme, mais il n'en fit rien.) Non. Je ne te blâme pas. J'aurais dû le savoir. Cette maudite entêtée! Quand elle s'est mis quelque chose en tête... Tu crois qu'elle est sortie avec lui? (John hocha la tête. Verner jura.) Il pourrait la tuer! Selle mon cheval, John, vite!

Verner ne prit pas le temps de se changer. Il suivit John à l'écurie tel qu'il était.

Quelques minutes plus tard, il sortait de l'écurie au grand galop. Maintenant que sa colère était quelque peu tombée, il était inquiet. Cette bête indomptée pouvait la tuer! Il comprenait tout à coup quel changement Hannah avait apporté à Malvern depuis les quelques semaines qu'elle y séjournait. Malvern était une maison heureuse, et il était prêt à porter ce fait à son crédit.

Il poussa sa monture en avant. C'était du pré qu'il aurait la meilleure vue sur les alentours. Le cœur battant, Verner scrutait dans toutes les directions. Il avait parcouru la moitié du pré quand il vit Etoile-Noire, sellé, les rênes pendantes, paissant tranquillement. Mais où était donc Hannah?

Il aperçut alors une tache de couleur sur le sol. Il y dirigea son cheval. Comme il s'approchait, il constata que c'était Hannah, recroquevillée et inerte.

Verner retint son cheval et glissa à terre. Il prit soudain conscience de l'importance qu'il donnait à cette jeune femme. C'était encore presque une fillette, pourtant... Si elle était morte, ce serait sa vie à lui qui serait alors finie. Car non seulement elle avait rendu à Malvern sa vie et ses rires, elle lui avait redonné vie, à lui.

Il courut vers elle en murmurant une prière silencieuse : « Mon Dieu, faites qu'elle ne soit pas morte! »

Il se laissa tomber sur un genou à côté de la forme recroquevillée. Elle offrait un spectacle quelque peu impudique : sa robe et ses jupons étaient retroussés jusqu'à la taille, découvrant ses jambes, longues et adorables à en perdre le souffle.

Il détourna son regard et tendit une main timide vers elle.

— Hannah? Chère Hannah!

Elle bougea au son de sa voix. Elle s'assit à demi en ouvrant les yeux. Elle regarda autour d'elle avec étonnement, reprenant lentement conscience.

— Malcolm? Etoile-Noire?

Elle vit alors le cheval paissant à proximité et son visage s'éclaira. Elle s'assit et ce fut alors le haut de sa robe qui retomba, révélant sa poitrine ronde. Cette friperie ridicule dans laquelle il l'avait vue monter pen-

dant les deux semaines passées avait été déchirée presque du haut en bas. Verner ne savait plus où poser son
regard. A sa grande honte, il sentit sa virilité s'éveiller.
Il lança :

— Hannah, tout va bien?

— Oh! je crois. Ma tête a heurté quelque chose,
répondit-elle lentement en tâtant son crâne.

Elle gémit. Subitement en colère, Verner s'écria :

— Vous auriez pu vous tuer! Bon sang, femme!
L'obstination est une chose; monter Etoile-Noire, c'est
tout simplement de la stupidité!

— Ce n'est pas la faute d'Etoile-Noire. J'ai essayé
d'ôter les épingles de cette maudite robe et j'en ai
planté une dans son flanc par mégarde.

— Quoi qu'il en soit, je vous interdis de le monter à
nouveau.

Verner se leva et aida Hannah à se remettre sur ses
jambes.

— Malcolm, j'avais pourtant réussi. Etoile-Noire et
moi, nous nous entendons très bien. Jamais il ne m'aurait fait tomber de lui-même.

— Vous n'avez pas encore compris. Vous auriez pu
vous tuer.

Elle sourit en le regardant dans les yeux.

— Ça vous aurait fait quelque chose, Malcolm?

— Bien sûr que ça m'aurait fait quelque chose!

— Vraiment? murmura-t-elle.

Elle chancela tout à coup comme si elle allait s'éva-
nouir; il la prit dans ses bras.

— Hannah?

— Ça va. Juste un peu étourdie.

Elle inclina la tête en arrière. Il affermit son étreinte
en gémissant doucement, puis il l'embrassa. Il déga-
geait une odeur de sueur, de tabac et d'homme qui
n'était pas désagréable. Son baiser, d'abord tendre, se
fit plus ardent, sa bouche mordant la sienne. Malgré

elle, Hannah éprouva une impression de chaleur dans son ventre.

Hannah sentit la dureté de sa virilité contre elle. Sans le vouloir, elle se fit douce et flexible dans ses bras. Verner était de plus en plus excité, des gémissements rauques au fond de la gorge. Il murmura :

— Je vous désire, Hannah.

Il regarda autour de lui; ils se trouvaient près d'un grand chêne. Enlaçant toujours Hannah, il l'entraîna à l'ombre de l'arbre.

— Personne ne nous verra. Je vous veux, Hannah chérie.

Il aurait été facile de se laisser conduire sous cet arbre. Facile de s'allonger à côté de lui. Malcolm était un homme gentil. Peut-être serait-ce différent avec lui; peut-être lui montrerait-il ce qu'était l'amour entre un homme et une femme. Mais l'image dégoûtante d'Amos Stritch se présenta à son esprit et elle se souvint de sa décision de rester maîtresse de son destin.

Elle se libéra alors des bras de Verner et recula en souriant avec douceur.

— Je crois volontiers que vous me voulez, sir. Et vous pouvez m'avoir. Mais pas avant de m'avoir épousée.

— Vous épouser! (Il la considéra, l'air incrédule.) Avez-vous perdu la tête? (Son visage devint rouge et la colère se peignit dans ses yeux). Une fille de taverne, une servante deviendrait la maîtresse de Malvern? Une enfant de seize ans?

— Dix-sept ans dans un mois à peine.

— Encore une enfant! Sans parler de ce que vous avez été! Une putain de taverne, c'est vous-même qui me l'avez raconté!

— Ce n'était pas par choix, vous le savez très bien. (Elle souriait toujours.) Attendez-vous une vierge à votre âge, Malcolm Verner? De plus... (Son sourire s'élargit.) Vous désirez un fils. Croyez-vous que je ne le sache pas? Voulez-vous que votre fils soit un bâtard?

— Je n'avais en tête que quelques instants de badinage et voilà que vous me parlez de nous marier et d'engendrer un fils!

— N'est-ce pas cela que vous voulez, Malcolm? Cherchez la réponse dans votre cœur. En tout cas... Vous ne me posséderez que dans le lit nuptial.

Il la dévisagea d'un air pensif. Le bombement était encore visible sur le devant de sa culotte.

— Je pourrais vous prendre de force et personne ne me le reprocherait. Je suis le maître de Malvern et de toutes les créatures vivant sur ma plantation!

— Vous le pourriez bien que ce ne serait peut-être pas facile. Mais ce n'est pas votre manière, Malcolm Verner. Je sais que vous êtes un vrai gentilhomme.

— Etes-vous certaine de me connaître aussi bien?

— Je commence.

— C'est peut-être ce que vous croyez, mais, si j'étais vous, je ne m'y fierais pas trop, ma chère.

Il devenait distant et formel. Hannah craignit un moment d'être allée trop loin, tout au moins d'avoir lancé sa proposition téméraire trop tôt. « Non. J'ai raison, je le sais! Autrement, je deviendrais sa maîtresse; il ne tarderait pas à se fatiguer de moi et ce serait alors que je finirais comme une putain de taverne! » raisonna-t-elle.

Verner fit un geste.

— Vous pouvez rentrer avec moi. Je vais envoyer John chercher Etoile-Noire.

— Non, lança-t-elle d'une voix forte. Je suis en sécurité sur Etoile-Noire. C'était ma faute, pas la sienne. Je rentre avec lui.

Les yeux de Verner devinrent froids et impassibles.

— Comme vous voudrez, madame. Mais... je décline toute responsabilité dans le cas où il vous ferait tomber de nouveau.

— Il ne le fera pas.

Il eut un mouvement de tête impatient et se mit en selle. Hannah n'était plus très sûre d'avoir bien agi. Elle haussa les épaules. De toute manière, c'était fait. Réépinglant au mieux ses vêtements déchirés, elle s'approcha de l'animal.

Etoile-Noire leva la tête. Elle lui caressa l'encolure avant de ramasser les rênes pendantes. Elle l'enfourcha en s'aidant d'une grosse pierre. Le cheval obéit dès que Hannah tira les rênes. Ils rentrèrent à Malvern d'un pas tranquille.

Malcolm Verner s'enferma dans son bureau pendant deux jours, refusant de parler à quiconque, touchant à peine à la nourriture qui lui était portée et demandant une bouteille d'eau-de-vie à chaque occasion. Quand l'une des servantes frappait timidement à la porte, il répondait par un grognement sauvage.

La maison était calme, presque funèbre; les servantes parlaient en chuchotant. Même Bess restait dans sa cuisine. Hannah lui raconta ce qui s'était passé. Bess secoua la tête et fronça le sourcil :

— J'espère que vous savez ce que vous faites, enfant. M. Verner est un gentilhomme, c'est vrai, mais c'est un violent à l'intérieur, presque autant que ce vieux démon de Stritch.

Hannah ne chercha pas à se rapprocher de Verner. Elle passait la majeure partie de son temps à chevaucher Etoile-Noire, s'aventurant jusqu'aux limites extrêmes de la plantation. Elle savait s'y prendre à présent et elle ne fit pas de nouvelle chute.

Le troisième jour, dans l'après-midi, alors qu'elle rentrait d'une promenade avec Etoile-Noire, la porte du bureau s'ouvrit violemment avant qu'elle ait eu le temps de monter l'escalier. Malcolm Verner sortit :

— Hannah?

Elle attendit. Il ne s'était pas rasé pendant ces deux jours, il avait la mine fatiguée et hagarde. Il était incertain sur ses jambes. Il s'arrêta devant elle, les yeux rivés au sol.

— Je vous ai vue à cheval. Vous devriez porter des bottes spéciales. Ces chaussures légères sont dangereuses.

— Je n'en ai pas.

— Dans ce cas, faites-vous-en faire une paire en ville, que diable! (Il leva la tête et, subitement, il eut l'air d'un homme en paix avec soi-même.) J'ai longtemps réfléchi, Hannah. Il en sera comme vous le souhaitez, ma chère. Je vous épouse.

Hannah exultait. Elle avait gagné! Soucieuse de ne pas laisser transparaître sa joie, elle toucha du doigt sa joue hérissée.

— Vous ne le regretterez pas, sir. Je vous le promets. Je serai une bonne épouse.

Sa bouche retrouva son expression ironique habituelle :

— Reste à savoir quel genre de mari je serai.

— Un bon. J'en suis sûre. Quand? Quand aura lieu le mariage? demanda-t-elle à haute voix.

9

Le mariage aurait lieu dans un mois, une semaine après le dix-septième anniversaire d'Hannah. Les ventes de tabac étaient réalisées à cette époque.

Hannah envisageait plus ou moins une cérémonie simple, presque privée, pensant que Malcolm avait probablement honte d'elle. Elle découvrit avec joie qu'elle se trompait.

Verner lui expliqua avec un sourire malin:

— Nous autres Virginiens, nous saisissons tous les prétextes pour nous réunir. Quel meilleur prétexte qu'un mariage? De plus... je veux que toute la région sache combien je suis fier de ma belle épouse, conclut-il en l'embrassant sur la joue.

Verner était un homme bienveillant, qu'elle respectait sans arrière-pensée. L'affection d'Hannah pour son futur époux grandissait de jour en jour. Elle éprouvait parfois un sentiment de culpabilité en songeant à la manière dont elle s'y était prise pour l'amener à lui faire sa proposition. Mais c'était un sentiment fugace. Elle était trop heureuse pour s'y arrêter. Et puis, elle était tellement occupée.

Elle apprit avec étonnement que les festivités dureraient deux, peut-être trois jours et que tous les planteurs établis le long de la James Rivers étaient invités de même que de nombreux personnages de Williamsburg.

— Nombre de nos hôtes vont venir de plantations lointaines, Hannah; certains vont voyager pendant plusieurs jours. Nous ne pouvons pas leur imposer un si long voyage pour festoyer seulement une demi-journée! Ce sera une grande occasion, ma chérie. Un gand bal, des musiciens, des danses, des jeux. Il y aura à faire la cuisine plusieurs jours à l'avance. Il faut que je fasse rentrer les alcools.

Hannah trouvait cela très excitant. Elle allait être la maîtresse d'un bal qui durerait trois jours! Malvern allait vivre et s'animer, retentissant de conversations, de musique et de danse.

Il y avait cependant quelque chose qui la tracassait. Elle s'en ouvrit à Verner:

— Malcolm, il me faut quelqu'un pour m'aider. Je ne sais pas m'habiller ni rien. J'ai besoin de vêtements qui m'aillent.

— Vous êtes belle ainsi, ma chérie.

— Ah, vous alors! Vous n'y connaissez rien en fait de parure féminine! Je pourrais me vêtir avec des sacs, vous ne remarqueriez rien!

— Ça, c'est vrai. Je ne connais presque rien de ces choses. Si je comprends bien, vous voulez des vêtements à vous, et non ceux de Martha. J'aurais dû y penser. Nous allons aller à Williamsburg aujourd'hui même pour commander de nouvelles robes.

— Il n'y a pas que cela, insista-t-elle. Je ne sais pas danser et il me faut quelqu'un pour m'apprendre les bonnes manières. Je préfère ne pas aller à Williamsburg pour le moment, Malcom. Pas avant que je... quelqu'un pourrait peut-être y aller pour moi? J'aurais peur d'entrer seule dans les magasins. On va me prendre pour une campagnarde ignorante!

— Ma chérie, vous voulez que j'aille vous chercher un régiment de femmes! Nous serons envahis. Je vais voir ce que je peux faire.

Hannah fut rongée d'impatience tout l'après-midi, se précipitant à la porte à tout propos pour surveiller l'allée aboutissant à la route. Quand elle vit enfin la calèche, elle n'eut plus le courage d'attendre encore; elle se réfugia en haut de l'escalier. Elle ne voyait rien, mais elle écoutait attentivement. Elle entendit s'ouvrir la porte de devant, elle essayait de capter des voix féminines, mais ce fut la voix de Malcom qui s'éleva.

— Hannah? Où êtes-vous?

Elle approcha timidement au bord de l'escalier.

— Je suis en haut, Malcom.

— Descendez, ma chère. Je veux vous présenter quelqu'un.

Hannah était médusée. Au lieu d'un groupe de femmes il n'y avait qu'une seule personne avec Verner : un homme. Et quel homme!

Elle n'avait jamais vu un gentilhomme aussi splendidement vêtu. Elle l'examina franchement tout en descendant lentement les marches. C'était un homme plutôt petit et mince. Il portait une veste en camelot dont les manches se terminaient en manchettes de dentelle agrémentées de passements, et un gilet bleu orné de dessins compliqués au point de Turquie. Sa culotte était en très belle peluche vert olive. Ses bas étaient en soie bleue. Ses chaussures rouges étincelaient de même que les boucles d'argent très travaillées qu'elles comportaient. Il portait autour du cou un foulard en fine toile de Hollande et tenait dans sa main droite un mouchoir en dentelle.

Un chapeau de castor à trois pointes couvrait sa tête. Il l'ôta en pliant un genou lorsque Hannah fut en bas de l'escalier, arborant alors une perruque ocre dont la queue était attachée par un ruban d'un bleu lumineux.

Un véritable paon! Hannah avait entendu parler des dandies et de gandins affectés. Celui-ci était le premier qu'elle voyait.

— Hannah, ma chère, dit Verner. Je voudrais vous présenter André Leclaire. Monsieur Leclaire, ma future épouse, Hannah McCambrige.

— Très heureux, milady, dit-il. La main tenant le mouchoir prit la sienne et la porta à ses lèvres.

« Mon Dieu, il est parfumé! » pensa Hannah.

Elle écarquillait les yeux, incapable de prononcer un mot tandis qu'il reculait après avoir lâché sa main. Le visage était triangulaire avec un nez plutôt grand et une bouche sensuelle tellement rouge que Hannah se demanda si elle était peinte. Les yeux étaient bleu clair, à la fois cyniques, blasés et joyeux! Son âge était indéterminé. C'était un homme qui devait avoir le sens de l'humour. La voix était traînante et peu naturelle, pensa Hannah.

— M. Leclaire est un homme qui sait tout faire, ma chère. C'est un maître de danse, un professeur de langues et récemment encore, il était le propriétaire de la boutique du perruquier à Williamsburg.

André Leclaire écarta ses mains :

— Je ne suis malheureusement pas un homme d'affaires, milady.

— M. Leclaire était couturier dans son pays natal, la France.

Hannah fronça les sourcils :

— Un quoi?

— Je dessinais des vêtements pour les dames, milady, expliqua André Leclaire en traçant dans le vide une silhouette féminine de ses mains gracieuses.

— Je pensais que c'était les femmes qui faisaient les robes.

— Ici, dans votre colonie, oui. On considère avec horreur un homme qui fait ce travail. Dans mon pays, c'est différent.

— Hannah, je crois que M. Leclaire sera tout à fait capable d'accomplir les tâches que vous attendez de lui. Et maintenant, peut-être aimeriez-vous que l'on vous montrât votre chambre pour vous rafraîchir un peu?

— Avec votre permission, sir. On ramasse beaucoup de poussière en voyageant dans votre Virginie, conclut André en examinant ses mains d'un air de regret.

Verner appela Jenny. Il lui ordonna de montrer sa chambre à André et d'aller chercher de l'eau chaude pour le bain. André plia le genou, baisa de nouveau la main d'Hannah et suivit Jenny dans l'escalier.

Hannah s'amusait, mais se garda bien de le montrer en présence d'André. Quand il fut hors de portée, elle éclata de rire.

— Il s'est sali rien qu'en venant de Williamsburg?

— J'ai l'impression que notre M. Leclaire va être quelque peu exigeant, ma chérie, dit Verner sèchement.

— Êtes-vous certain qu'il sache faire tout ce que vous dites?

— Oh, oui. André a des talents variés, mais il n'est pas doué pour les affaires, comme il l'avoue lui-même. Vous savez que les commerçants inscrivent leurs clients dans leurs livres de comptes d'une récolte à l'autre, l'argent liquide étant rare. Ce pauvre André n'avait pas suffisamment pour vivre une année entière; il s'est donc vu contraint de fermer sa boutique, il y a quelques mois. Depuis, il vit comme il peut en donnant des leçons ou en accomplissant n'importe quelle autre tâche pour des gens qui peuvent le payer.

— Mais ces vêtements! Ils ont dû coûter une fortune!

— Si vous y regardiez de plus près, vous verriez qu'ils ont été raccommodés bien des fois.

— Comment un homme pareil, habitué aux merveilles de Paris, se retrouve-t-il en Virginie? Il a l'air... si peu à sa place.

— Je le soupçonne de s'être enfui de son pays, dit Verner avec un sourire bizarre. Un homme de son... genre court toujours le risque de se mettre en mauvaise posture.

— Ma chère Hannah, il faut vous déshabiller complètement! dit André sans cesser d'agiter ses mains. Sinon, comment voulez-vous que je prenne vos mesures? Je dois connaître vos mesures pour pouvoir commander les matériaux nécessaires à la confection de vos robes. Si vous alliez dans un magasin de Williamsburg, vous n'hésiteriez pas autant, j'en suis certain.

— Non, bien sûr. Mais vous, vous êtes un homme, André! répondit Hannah en rougissant.

— Ah oui. Un homme. (André soupira.) C'est peut-être dommage, mais c'est comme ça. Allons-nous commencer?

— Puisque vous insistez!

Hannah se retrouva très vite nue devant lui. Curieusement, elle ne se sentit pas aussi embarrassée qu'elle l'avait craint. André tourna autour d'elle plusieurs fois, marmonnant tout bas.

— Un corps parfait, chère lady. Vous devriez être fière. M. Verner également devrait être fier.

— Il ne m'a pas encore vue toute nue. Nous ne sommes pas encore mariés!

— C'est vrai? Voilà qui n'est pas ordinaire. Je suppose que l'on juge cela admirable ici. Dans mon pays... Quel gâchis! C'est pitié!

— Qu'est-ce qui est pitié?

— Que vous épousiez un quelconque planteur; les maternités et les travaux durs vont détruire ce corps admirable. Dans mon pays, vous auriez pu être une grande courtisane.

— Qu'est-ce qu'une courtisane?

— Eh bien, une putain, chère lady. Oh... d'une classe supérieure! Pomponnée, gâtée et richement pourvue.

— Est-ce que ce sont des choses à dire?

— Mais oui, chère lady. Dans mon pays, une femme y verrait un compliment. Mais peu importe.. Nous ne sommes pas là pour cela, n'est-ce pas? En premier lieu, corsets... poursuivit-il en tournant autour d'elle.

— Ah, non! Je refuse de porter ces engins de torture!

— Comment? Vous refusez de porter ce que toute Virginienne considère comme le fondement essentiel sur lequel on est censé édifier une lady?

— Oui. Ça vous coince les côtes à vous couper le souffle et ça vous fait transpirer comme un cheval. Je n'en veux pas!

— Mon Dieu! Une femme décidée et indépendante. Bravo! Voilà une femme qui ose défier les conventions dans ce pays sauvage! Donc... laissons tomber le fondement et construisons avec ce que la nature vous a octroyé, chère lady.

Il effectuait son travail d'une manière tellement impersonnelle, comme si elle était un simple mannequin, qu'elle finit par s'étonner. La vérité pointa peu à peu. Hannah avait entendu des rumeurs concernant des hommes qui avaient des rapports charnels avec d'autres hommes et qui ne s'intéressaient absolument pas aux femmes. Elle n'en avait encore jamais rencontré, elle n'était même pas certaine qu'ils existassent. Contrairement à ce qu'elle avait cru, elle n'éprouvait aucune répulsion à l'égard d'André. Elle commençait même à l'aimer. Ce personnage sophistiqué était une nouveauté pour elle et son esprit acide l'amusait beaucoup.

André était à présent en train de la draper dans une vieille étoffe trouvée dans le coffre de Mme Verner.

— C'est simplement pour faire un patron, vous comprenez. Nous allons acheter de l'étoffe que nous couperons selon le patron.

Il plantait des épingles çà et là. Il cria subitement :

— *Merde!*

— *Merde?* Qu'est-ce que ça signifie?

— Dans votre langue, ça veut dire « shit ».

Hannah en fut choquée pour un moment. Puis elle rejeta sa tête en arrière et rit de bon cœur.

Tandis qu'André continuait à épingler et mesurer, Hannah demanda :

— André... vous pourriez me faire une culotte de cheval?

— Une culotte de cheval? Même dans cette région, les femmes ne montent pas à cheval avec des culottes d'homme!

— Ça m'est égal! J'adore faire du cheval et ce n'est pas commode avec une robe.

— Il existe des selles pour dames.

— Ce n'est pas pour moi non plus. Ça m'ôte tout le plaisir.

— Décidément, vous continuez à m'étonner. Je crois que ça ne me déplaira pas...

On frappa à la porte.

— Qui est-ce? demanda Hannah.

— Dickie, lady.

— Un moment... (Hannah s'assura qu'elle était bien couverte par l'étoffe drapée.) Entre, Dickie.

Dickie entra et avança vers Hannah.

— Miss Hannah, Bess dit qu'il est temps de penser au dîner et elle voudrait voir avec vous ce qu'il faudra servir.

Jetant un coup d'œil par la fenêtre ouverte, Hannah s'aperçut qu'il était tard. L'ombre s'allongeait dehors.

— Bon sang! Bess n'a pas besoin de moi pour...

Elle s'interrompit brusquement. Bess s'inquiétait-elle de ce qui se passait en haut et envoyait-elle Dickie pour stopper ce qui était éventuellement en cours? Hannah eut envie de rire. Quand je vais lui dire ce qu'il en est d'André!

Elle observa André à la dérobée et s'aperçut que son regard était rivé sur Dickie.

— Dickie, va dire à Bess qu'elle n'a pas besoin de...

Dickie n'écoutait pas. Il était fasciné par André, comme ébloui par ses vêtements chatoyants. André fit un pas vers le garçon.

— C'est Dickie? Ce garçon est beau, un véritable Adonis, dit-il rêveusement en posant une main sur la tête de Dickie.

— Dickie! lança Hannah d'un ton sévère. Laisse-nous, je t'ai dit de retourner voir Bess!

— Oui, miss Hannah. Tout de suite, lady.

Il partit au galop. La porte refermée sur lui, Hannah fit face à André.

— Vous ne toucherez pas ce garçon!

Il la regarda, ses traits voilés de mélancolie.

— Ainsi, vous êtes au courant, n'est-ce pas? J'ai plus de chance d'habitude. Il est rare que les gens découvrent la vérité dans ce pays reculé.

— Oh, ne vous en faites pas pour ça! Je vous demande seulement de laisser Dickie tranquille. C'est un garçon innocent.

— Vous m'offensez gravement, madame.

Hannah sentit en lui une tristesse profonde. Elle avait encore à apprendre qu'André Leclaire pouvait passer par toute une gamme d'émotions en quelques minutes. Plus tard, elle en vint à penser qu'il aurait fait un grand acteur. Quoi qu'il en fût, elle savait qu'à ce moment présent, elle avait pénétré dans l'âme vraie d'André Leclaire. Il disait encore :

— Me prenez-vous pour un homme dépourvu de manières en supposant que je pourrais abuser de votre hospitalité et de celle de M. Verner? Sans doute souhaitez-vous que je parte?

— Je n'ai pas dit cela! Nous devrions nous remettre au travail. Nous n'avons plus beaucoup de temps.

André demeura silencieux et immobile pendant un moment. Quand il reprit la parole, sa voix avait retrouvé sa nuance moqueuse.

— Vous n'avez pas seulement la beauté et l'intelligence, vous avez aussi un cœur compréhensif. Un amalgame assez rare, chère lady.

Ce compliment fit plaisir à Hannah, mais elle n'en laissa rien paraître. André se remit au travail. Il était beaucoup plus bavard que les hommes qu'elle avait connus jusqu'à présent. Il vivait à Malvern depuis quatre jours et dînait avec Verner et Hannah tous les soirs. Il ne cessait de les amuser par son esprit, ses mains constamment en mouvement sauf lorsqu'il mangeait. Ses remarques spirituelles jaillissaient comme l'étincelle d'une lame de rapière.

André racontait tout en travaillant :

— Une femme, spécialement une femme mariée, n'est guère plus qu'un meuble, chère lady; elle a à peine plus de droits que les esclaves que possède M. Verner.

Je m'étonne toujours qu'elles ne soient pas plus nombreuses à montrer autant de caractère que vous. Ce qui me rappelle un incident amusant qui s'est produit à Williamsburg le mois dernier. J'assistais à un mariage. Pendant la cérémonie, quand le pasteur en fut à la première phrase stipulant qu'une épouse doit obéir à son époux en toutes choses, la jeune femme l'interrompit en disant : « Pas obéir. » Le pasteur poursuivit sa lecture comme si la pauvre femme n'avait rien dit. Il prononça à peu près la même phrase encore deux fois, et la jeune femme réagit encore de la même manière : « Pas obéir. » Le pasteur l'ignorait toujours. Savez-vous que selon les lois anglaises, applicables ici également, la femme ne peut hériter qu'un tiers des biens de son époux? Savez-vous qu'un mari a le droit de battre sa femme si elle n'accède pas à tous ses désirs en quelque point que ce soit?

— Malcolm ne ferait jamais ça.

— Pourquoi donc?

— Parce qu'il m'aime!

— Ah, l'amour! Et vous, vous l'aimez?

— Je... J'ai une grande affection pour lui.

— L'affection est ce que l'on éprouve pour un ami, chère lady.

Hannah se tourna vers lui :

— Comment aurais-je tout ceci si je n'épouse pas un homme comme Malcolm Verner? Vous parliez des putains, ces courtisanes de votre pays... savez-vous ce qu'est une putain ici? Elle travaille dans une taverne. C'est ce que je faisais avant que Malcolm m'emmène loin d'Amos Stritch! Autrement, qu'est-ce que je pouvais attendre? Je n'ai presque pas d'instruction, sauf le peu que m'a appris mon père. Je n'aurais pu épouser qu'un soiffard qui m'aurait certainement battue et m'aurait fait travailler jusqu'à la mort. Comme ma pauvre mère.

— Ah, excusez-moi, chère Hannah. Je ne savais pas,

dit André gravement. (Ses yeux se mirent aussitôt à danser avec une malice charmante :) Je comprends maintenant.

— Vraiment?

— Mais oui. Mes félicitations, madame. Vous êtes une lady selon mon cœur, conclut-il en s'inclinant sur la main de Hannah pour la baiser.

Passant devant la porte ouverte du salon de musique Hannah entendit des notes provenant du virginal. Elle entra.

André était au virginal, ses doigts souples couraient sur les touches avec une agilité consommée. Cette musique était étrange pour elle. C'était léger et aérien, la cadence était cependant puissante.

— Quelle musique est-ce?

— C'est une suite de danses françaises. C'était ce qu'on jouait à Paris quand je suis parti.

— Ça m'est tout à fait étranger. Mais vous jouez très bien.

— Naturellement. André est aussi musicien.

— Connaissez-vous cette chanson que mon père me chantait? demanda Hannah qui se mit à chanter une strophe.

André écouta attentivement, la tête dressée, chantonnant tout bas.

— Encore une fois, je vous prie.

Tandis qu'elle chantait, André se mit à jouer doucement : la mélodie était bien celle de son souvenir. André applaudit légèrement quand elle eut fini :

— Vous avez une bonne voix, chère lady. Vous manquez d'exercice, mais c'est juste, doux et clair. Avec un entraînement adéquat...

— Vous voulez bien m'apprendre? demanda-t-elle vivement. Et à jouer aussi?

— Mais il y faudra du temps, plus qu'il nous en reste avant votre mariage.

— Vous pourriez rester après le mariage? Il y a tant de choses que je voudrais apprendre : chanter, jouer, parler, écrire mieux. Comment être une vraie lady, quoi!

— Vous êtes née lady, chère Hannah.

André souriait. Elle lui prit la main et l'entraîna :

— Venez dans la salle de bal. Il faut que j'apprenne à danser pour le bal.

— Y a-t-il quelqu'un ici susceptible de jouer de la musique?

— Pas que je sache.

— Ce serait plus facile de vous apprendre à danser si nous avions un accompagnement musical... Après tout, André va se débrouiller!

— Ne vous inquiétez pas, je n'ai pas besoin de musique. J'ai celle qui est dans ma tête.

André la considéra avec surprise et se frappa le front :

— Mon Dieu! Non contente d'avoir du tempérament, de l'esprit et de la beauté, lady serait-elle aussi un peu folle?

Il fit une demi-révérence de comédie :

— Après vous, madame.

10

Quelques hôtes arrivèrent dès la veille de la cérémonie, à cheval, en carriole, en calèche et quelques-uns même à pied. Ce matin-là, Hannah se réveilla en sursaut au son d'un violon et de voix nombreuses. Elle vola jusqu'à la fenêtre et s'y pencha : plusieurs personnes entouraient un homme qui manipulait son archet avec célérité. Quelques couples dansaient sur la pelouse.

Quelqu'un frappa à sa porte tandis qu'elle contemplait ce divertissement.

— Hannah, ma chérie, puis-je entrer?

— Un instant, Malcolm!

Hannah enfila en hâte sa robe de chambre.

— Vous pouvez entrer.

Malcolm Verner entra portant un petit coffret artistement gravé. Hannah désigna d'un geste la pelouse :

— Qui sont tous ces gens?

— Mais ce sont nos hôtes, Hannah. (Il la suivit à la fenêtre.) Les premiers arrivants. Il y en aura encore beaucoup d'ici la tombée de la nuit, soyez-en certaine. (Puis se tournant vers elle :) Hannah, j'ai quelque chose ici... que je voudrais vous donner. Ce coffret... vous pouvez le considérer comme votre cadeau de mariage si vous voulez; j'avais acheté tout cela pour Martha. Elle n'a jamais porté la plupart de ces bijoux. De toute façon, elle n'a jamais accordé beaucoup d'importance aux parures.

Une nuance de tristesse assombrit son visage. Il souleva le couvercle du petit coffret et Hannah, bouche bée, écarquilla les yeux à la vue de cet étalage de joyaux. Elle s'y connaissait peu en bijoux et rechignait à montrer son ignorance en posant des questions; elle apprendrait le nom de chaque pièce avec le temps. La cassette contenait deux colliers de perles, un collier de diamants et un collier d'ambre. Il y avait des boucles d'oreilles en or et en argent, et des bagues en abondance, toutes en or pur; une bague en or sertie d'un gros rubis flambait comme un feu; une autre bague était sertie de trois pierres, bleue, verte et jaune; une autre encore comportait huit diamants de tailles différentes. Sans compter plusieurs peignes d'or et d'argent pour maintenir et orner la chevelure.

Bien que peu avertie, Hannah se rendit compte

immédiatement que cette cassette de pierres précieuses représentait une somme d'argent considérable.

— Mon Dieu, Malcolm, c'est une fortune!

— Ce n'est pas l'important. Tout est à vous maintenant. Choisissez ce que vous porterez demain pour la cérémonie. Quant au reste, faites-en ce que vous voulez.

Dans un élan d'affection elle se jeta au cou de Verner pour l'embrasser.

— Vous êtes bon et tendre, Malcolm! Merci, merci!

— C'est peu par rapport à ce que vous êtes pour moi, ma chérie. Je vous aime. Je ne pensais pas pouvoir aimer encore une femme.

Elle l'embrassa, s'accrochant à lui avec une passion qu'elle n'avait jamais montrée auparavant. Verner l'entoura de ses bras et son baiser se fit ardent et pressant. Hannah sentit Verner se raidir contre elle et s'abandonna à son étreinte violente. Elle était consciente que s'il en exprimait le désir, elle se donnerait à lui dès maintenant. Mais il s'écarta d'elle subitement avec un sourire embarrassé :

— J'ai entendu dire qu'il ne faut pas embrasser sa fiancée juste avant le mariage, cela porte malheur. Permettez-moi de me retirer, madame, acheva-t-il en s'inclinant.

Il quitta la pièce rapidement. Hannah, ses sens encore en éveil, resta abasourdie pendant un moment. Puis elle retourna à son lit où Malcolm avait posé la cassette. Ce fut avec une joie d'enfant qu'elle enfonça ses doigts dans la masse des pierres brillantes, les laissant glisser dans ses mains comme de grosses gouttes d'eau étincelantes.

Que de chemin elle avait parcouru en quelques semaines! Elle était arrivé bien au-delà de ses rêves les plus chers.

Hannah s'habilla et descendit. Des hôtes circulaient déjà dans la maison. Des messieurs jouaient aux cartes dans la salle de bal; les femmes bavardaient en petits groupes, leurs éventails bariolés étaient aussi actifs que leurs bouches. Toutes portaient des corsets et des paniers, et des perruques très élaborées. Hannah avait refusé de porter une perruque, ce qui avait fait l'objet d'une autre dispute avec André.

— Bon sang, André, avec ce truc empilé sur ma tête, je ne pourrai même pas hocher la tête, sinon, tout va s'écrouler!

— Chère lady, vous devez porter une perruque aux bals et aux mariages! Je comprends et j'approuve votre refus de porter des corsets et des paniers, mais une perruque, c'est indispensable!

— Pouah! Vous dites cela parce que vous en fabriquez! Je ne veux pas porter de perruque, pas plus que des corsets. Mes propres cheveux sont assez bons, et c'est tout!

Les dames n'accordèrent à Hannah guère plus qu'un regard distrait, ce qui lui fit supposer qu'elles la prenaient pour une servante étant donné la manière dont elle était vêtue. Quel choc elles vont avoir demain, pensa Hannah en réprimant un petit rire.

Elle regarda au-dehors. Les invités arrivaient toujours. On dressait des tentes. Que de monde! Une vague d'angoisse la submergea quelques instants. Serait-elle capable de se conduire convenablement, sans déshonorer Malcolm?

Se sentant perdue et un peu esseulée, elle se dirigea vers la cuisine. La grande pièce était en folie. Bess surveillait une demi-douzaine de filles au travail. Le feu ronronnait dans l'âtre immense, la cuisine entière était comme un gros poêle. Bess ignorait la sueur qui ruisselait de ses pores, elle allait et venait sans cesse, ayant l'œil sur tout.

Pâtisseries, pâtés, gâteaux et puddings de toutes sortes refroidissaient. Des marmites de légumes cuisaient :

patates douces et pommes de terre irlandaises, différentes variétés de pois, en particulier des pois à œilletons noirs. Des épis de maïs doux étaient en train de rôtir sur la braise de l'âtre tandis que l'on passait d'autres grains au four.

Hannah savait que la maison de printemps était pleine à déborder de lait, beurre, fromage et fruits divers : toutes ces bonnes choses étaient gardées au frais jusqu'au moment où elles seraient servies aux invités.

Malcolm lui avait expliqué que les hôtes apportaient d'ordinaire leurs propres paniers de provisions pour le premier jour. A partir du lendemain, toute la nourriture serait procurée par Malvern.

Bess apercevant Hannah se précipita vers elle, essuyant ses sourcils ruisselants avec son tablier.

— Ma douce! Qu'est-ce que vous faites ici?

— Je me sentais perdue, Bess. Tout le monde est tellement occupé et... moi, je n'ai rien à faire.

— Petite folle! Vous êtes la fiancée, vous n'avez pas à faire quoi que ce soit! On devrait même pas vous voir d'ici le moment de passer devant le pasteur! Et maintenant, partez d'ici! Vous nous dérangez. Retournez dans votre chambre et admirez tous les beaux vêtements que vous allez porter!

Hannah quitta la cuisine, mais ne retourna pas dans sa chambre. Elle flâna parmi les hôtes. Elle ne connaissait personne.

Malcolm Verner vint enfin vers elle alors qu'elle écoutait le violoneux sur la pelouse.

— Hannah, que faites-vous dehors? demanda-t-il avec une horreur évidente.

— Je me sentais seule, Malcolm. Je ne connais personne. Ne voulez-vous pas me présenter aux invités?

— Vous présenter? Ce n'est pas ainsi que l'on procède, ma chérie. L'épousée ne doit rencontrer les invités qu'après la cérémonie. Lorsque la fiancée a des parents, le mariage a lieu chez eux si c'est possible. Sinon, le mariage a lieu dans la maison du futur, la fiancée n'y est amenée que pour la cérémonie. Dans votre cas... eh bien...

— Que dois-je faire jusqu'à demain? se plaignit-elle.

— Restez dans votre chambre jusqu'à la cérémonie. Je vous ferai monter vos repas.

— Malcolm, c'est trop cruel! Je vais devenir folle là-haut!

— Je suis désolé, ma chérie, dit-il gentiment mais fermement, mais c'est ainsi. Et maintenant, montez chez vous.

Hannah partit sans hâte. Elle bouda dans sa chambre le reste de l'après-midi, morigénant la fille qui lui apportait son dîner. Hannah pensait qu'André au moins viendrait la voir. Mais, assise près de la fenêtre, elle le vit qui déambulait parmi les invités, les mains sans cesse en mouvement. Il allait sur la pelouse d'une femme à l'autre, s'arrêtant de temps en temps pour dire un mot ou deux pour les quitter ensuite en riant.

A la nuit, Hannah perçut de la musique venant de la salle de bal, elle entendit le virginal accompagné des autres instruments et reconnut le jeu d'André. Ils dansaient en bas alors qu'elle se morfondait seule dans sa chambre!

Malcolm lui avait dit que la plupart des invités ne dormiraient pas, sauf les femmes qui iraient se reposer pendant quelques heures. Les hommes joueraient alors aux cartes et boiraient le reste de la nuit.

Hannah croyait pouvoir affirmer qu'elle ne trouverait jamais le sommeil étant donné l'excitation qui était la sienne dans l'attente du lendemain et les flots de musique qui montaient jusqu'à elle. Elle finit pourtant par se jeter en travers de son lit; elle s'endormit presque immédiatement. Elle rêva qu'elle montait Etoile-Noire, encore revêtue de sa robe de mariée. Etoile-Noire volait, le vent chargé de musique s'engouffrait dans les oreilles de la cavalière...

Le lendemain après-midi, Hannah — Hannah McCambridge pour la dernière fois — descendait le grand escalier au bras d'André. Malcolm Verner et Hannah n'ayant plus de parents vivants, Hannah insista pour que ce soit André qui accompagne la fiancée.

Hannah était tendue; un tremblement nerveux la parcourut lorsqu'elle vit la foule des invités assemblés au pied de l'escalier, tous les regards dirigés vers elle.

— Du courage, chère lady, lui chuchota André à l'oreille. Vous êtes sans aucun doute la plus adorable des femmes présentes ici. N'oubliez pas... c'est à André que vous le devez. Pygmalion dut ressentir la même chose que moi. Chère Hannah, Pygmalion est une figure légendaire, un roi de Chypre qui fabriqua une femme avec de l'ivoire et lui insuffla la vie... avec l'aide de la déesse Aphrodite.

Hannah se mit à rire et murmura :

— Vous arrivez toujours à me faire rire, André. Je vous en remercie.

La robe de mariée qu'André avait conçue pour elle était en velours ruché bleu au décolleté audacieux, découvrant la naissance des seins. La coupe en était simple, mais, grâce à l'habileté d'André, le vêtement soulignait joliment la silhouette d'Hannah, faisant paraître sa taille encore plus mince. Hannah avait choisi le collier de diamants dans le coffret que lui avait donné Malcolm. Elle avait également porté son choix sur une bague en or qui serait son anneau de mariage et qu'André avait dans sa poche.

Ils étaient à présent en bas de l'escalier et les invités se divisèrent pour former une haie jusque dans la salle de bal où allait se dérouler la cérémonie.

Hannah ne put s'empêcher d'entendre les commentaires de ces dames bien qu'ils ne fussent que chuchotés derrière les éventails :

— Révoltant! Ni corset ni panier!

— Voyez donc l'échancrure! Vulgaire, vraiment vulgaire!

— A quoi vous attendiez-vous donc? Vous ne savez pas? C'est une fille de taverne! Je ne sais vraiment pas ce qui a pris Malcolm Verner!

Une voix d'homme fit écho à cette remarque :

— Je crois que je vois ce qui l'a pris!

Le rire discret mais suggestif suivit cette intervention.

Dans la salle de bal, Hannah vit Malcolm face au pasteur. Son esprit se vida alors d'un coup. Elle allait devenir sa femme, la maîtresse de Malvern. Que lui importaient maintenant ces méchants commérages?

Malcolm Verner, mince et droit, était élégant dans ses culottes de velours blanc et sa veste de brocart. Il portait la perruque blanche qu'André avait confectionnée pour lui. Il se tourna vers Hannah et lui sourit. Le cœur d'Hannah vola vers lui. C'était un homme étonnant. Elle doutait de pouvoir l'aimer vraiment un jour, mais son affection pour lui était grande. Elle serait une bonne épouse et elle était décidée à ne jamais rien faire qui pût le blesser.

Elle s'arrêta à côté de lui, toujours au bras d'André, et la cérémonie débuta. Quand le pasteur, un grand homme sec à la voix sonore, cita la phrase lui enjoignant d'obéir à Malcolm Verner en toutes choses, les pensées de Hannah se reportèrent à l'histoire qu'André lui avait contée. Un petit rire nerveux lui échappa. Le pasteur s'interrompit un moment en fronçant les sourcils et Verner lui lança un coup d'œil sévère. André accentua légèrement sa pression sur son bras; sans l'avoir regardé, Hannah savait qu'il arborait son sourire en biais.

Lorsque ce fut terminé, Hannah se tourna vers Verner, son visage levé, pour recevoir son baiser. Avant même que les gens ne s'assemblent autour d'eux pour présenter leurs félicitations, André frôla rapidement de ses lèvres celles de la jeune femme.

— Je vous souhaite tout le bonheur possible, chère lady! dit-il.

Hannah nota que peu de femmes étaient là pour la féliciter mais que, en revanche, il y avait beaucoup d'hommes, ce qui la remplit d'une joie secrète. Les musiciens se mirent à jouer. Le centre de la salle de bal se vida. Verner tendit son bras et conduisit Hannah sur le parquet. On jouait un menuet. Verner se mouvait avec raideur tandis qu'il la faisait tourner autour de la piste.

— Je crains de manquer de pratique, ma chérie. Il y a des années que je n'ai pas dansé.

— Ça va vous revenir, chéri. Je vais veiller à ce que vous dansiez plus souvent à partir d'aujourd'hui, dit-elle en lui souriant tendrement.

Ils furent les seuls sur la piste pour la première danse, les hôtes devant rester poliment sur les côtés. Un tonnerre d'applaudissements éclata quand la musique s'éteignit.

Toujours souriant, Verner recula et fit une révérence. Puis il prit Hannah dans ses bras comme la musique reprenait. Cette fois, les autres se joignirent à eux : le bal nuptial était officiellement ouvert.

André Leclaire obtint la danse suivante. C'était un excellent danseur, bien sûr.

— Malcolm, vous ensuite. Je me demande si d'autres hommes vont m'inviter? dit Hannah.

— Je vous prédis que vous serez très demandée, chère lady. Soyez certaine que tous les célibataires vont vous poursuivre, tout comme les hommes mariés. Au risque de s'exposer plus tard aux langues acérées de leurs épouses.

Il en fut effectivement ainsi. Hannah ne manqua jamais de cavaliers. Les hommes se présentèrent l'un après l'autre, certains même plusieurs fois. Hannah dansa jusqu'à ce que la tête lui tournât, à force de danser, mais aussi à cause du vin qu'elle consommait sans trop s'en rendre compte.

Verner ne dansa plus avec elle. Il était partout à la fois, supervisant le service. Les tables du salon et de la salle à manger regorgeaient de nourriture. La salle à manger ne pouvant contenir les innombrables invités, il n'y avait pas de dîner à proprement parler, mais les gens pouvaient manger à leur guise.

Le bal suivit joyeusement son cours. Hannah dansait, ignorant les regards meurtriers de la plupart des femmes. Elle buvait beaucoup de vin. Il lui fallait sortir de temps en temps pour se rafraîchir un peu, attrapant un morceau au passage qu'elle allait grignoter dehors. Un jeune galant l'accompagnait alors, la flattant de compliments et la bombardant de remarques qui se voulaient spirituelles. Elle les trouva ennuyeux pour la plupart. Verner aperçut bien ses allées et venues mais ne fit aucun commentaire.

Ils se croisèrent une fois dans le salon et Verner demanda aimablement :

— Vous vous amusez bien, ma chérie?

— Je suis bien. Je me sens comme une princesse. C'est un bal merveilleux. Merci pour tout, répondit-elle en lui caressant la joue de ses doigts.

— Il se fait tard. Le bal va continuer toute la nuit. Mais nos invités attendent que nous nous retirions bien avant la fin. Nous sommes mari et femme maintenant. Ils trouveraient bizarre que nous ne le fassions pas, dit-il sur un ton grave, son regard cherchant celui de Hannah.

— Je suis vôtre à présent, chéri, murmura-t-elle.

Il vint la chercher sur le coup de minuit. Ses yeux étaient un peu vitreux et il n'était pas ferme sur ses jambes. Etant donné qu'il n'avait rien bu de toute la soirée, il devait avoir consommé largement pendant l'heure précédente. Hannah se demanda pourquoi. Craignait-il ce qui allait avoir lieu dans leur chambre? Se souvenant de Stritch et des pirates ivres, l'idée d'un homme intimidé à la perspective de coucher avec elle l'amusa quelque peu, tout en l'emplissant de tendresse en même temps.

— Il est temps de nous retirer, ma chérie, dit-il d'une voix traînante.

— Je suis prête, Malcolm.

Comme ils se frayaient un chemin parmi leurs invités, Hannah s'attendait à quelques insinuations gaillardes. Mais les hôtes étaient étrangement silencieux. Hannah savait cependant ce qu'ils pensaient : un homme prenant dans son lit une fille qui pourrait être sa petite-fille. Hannah rejeta la tête en arrière et prit le bras de Verner, ignorant les visages figés. Même les musiciens s'étaient arrêtés de jouer. Le silence était presque surnaturel.

Toutefois, à peine étaient-ils arrivés dans la chambre à coucher de Verner qu'elle entendit la musique de nouveau. Le lit était ouvert; une bouteille de vin, deux verres et deux chandelles allumées étaient disposés sur une petite table.

Verner, étrangement nerveux, se dirigea immédiatement vers la petite table.

— Un verre de vin, ma chérie, pour terminer la soirée?

— Non, chéri. Ma tête est déjà toute brouillée.

Il avait saisi la bouteille de vin et s'apprêtait à remplir un verre mais il arrêta son geste et se tourna vers Hannah :

— Vous avez peut-être raison.

Il reposa la bouteille et se pencha pour souffler les chandelles.

Hannah en fut un peu surprise. Peut-être considérait-il qu'il n'était pas convenable que mari et femme se déshabillent en pleine lumière? Elle haussa les épaules et se mit nue, laissant ses vêtements là où ils tombaient. Elle posa le pied sur un petit tabouret et grimpa sur le lit.

Elle était allongée, un peu somnolente à présent, écoutant le bruit léger que faisait Malcolm en se déshabillant. Il lui sembla qu'il mettait un temps considérable. Elle l'entendit s'approcher enfin, le lit grinça sous son poids.

Il tendit la main vers elle. Quand ses doigts trouvèrent sa chair nue, il retira sa main comme s'il s'était brûlé.

— Vous êtes nue!

— Il ne faut pas? s'étonna-t-elle.

— Je... Vous comprenez, Martha... elle portait toujours une chemise de nuit. Non pas que je vous critique, ajouta-t-il très vite. Il n'y a aucune raison pour que vous ne...

Hannah le toucha de sa main.

— Malcolm, vous portez une chemise de nuit, vous!

— Eh bien, oui, concéda-t-il en hésitant. Vous préféreriez que je n'en porte pas?

— Oui!

Il se mit à rire subitement, c'était le son le plus joyeux qu'elle ait jamais entendu venant de lui :

— Par tous les dieux, vous avez raison!

Le lit cria tandis qu'il se débattait pour sortir de sa chemise. Il roula ensuite contre elle. Hannah sentit la poussée de sa virilité contre sa cuisse et se tendit, attendant qu'il monte sur elle. Mais au lieu de cela, il se mit à la caresser, l'explorant tendrement, avec la légèreté d'une plume. Il embrassa doucement sa gorge, le bout de ses seins; elle les sentit répondre, se dresser et se durcir. A mesure qu'il la caressait et l'embrassait, elle

160

était envahie d'une chaleur diffuse. Ce fut comme une douleur heureuse. Elle désirait...

Elle ne savait pas ce qu'elle désirait.

Malcolm l'embrassa sur la bouche. Ses lèvres s'ouvrirent sous les siennes, leurs souffles se mêlèrent. Son corps répondait malgré elle, sa peau frémissait là où il la touchait. Un picotement s'empara de tous ses nerfs, se propageant à partir de son ventre.

La musique qui venait d'en bas était comme un contrepoint délicieux à cette manière de faire l'amour.

Jamais auparavant elle n'avait éprouvé une chose semblable. Etait-ce ainsi que ça devait être? Allait-elle avoir du plaisir après ces terribles séances passées avec Stritch?

Ces questions n'occupaient qu'une toute petite partie de son cerveau. Tout le reste était submergé par les sensations qu'il suscitait en elle. Ces tendres caresses se prolongèrent encore longtemps, jusqu'à ce que Hannah, lascivement abandonnée, eût l'impression d'être enveloppée dans une nappe de plaisir ondulante. Son corps existait enfin, il attendait le paroxysme de la volupté.

Puis Malcolm vint sur elle. Il la pénétra doucement, lentement, et le plaisir de Hannah s'accrut. Soudain, sa respiration devint rude, rapide et rauque; ses mouvements se firent secs. Il émit un gémissement guttural, eut un soubresaut et retomba sur elle. Au bout d'un moment, ses lèvres frôlèrent celles de Hannah.

— Je vous aime, mon Hannah chérie. Je sais maintenant que je ne regretterai jamais de vous avoir épousée.

Il glissa sur le dos et s'endormit peu après, ronflant légèrement.

Hannah était immobile, fort désappointée. Qu'est-ce que cela signifiait? Serait-ce toujours la même chose? Son corps était fébrile. La douleur heureuse était encore présente, moins forte toutefois; Hannah éprouva un vague mécontentement, une certaine mélancolie, un sentiment d'insatisfaction.

Tout à fait éveillée maintenant, elle savait qu'elle ne dormirait pas. Elle sortit du lit sans bruit, enfila une robe de chambre et alla s'installer dans un fauteuil près de la fenêtre d'où elle pouvait entendre la musique et les ébats joyeux d'en bas.

Elle songea dans un instant d'audace qu'elle pourrait retourner au bal. Le bon sens prévalut cependant. Elle ne pouvait pas faire cela. Elle ne réussirait qu'à heurter les invités et à faire honte à Malcolm.

Ses pensées vagabondèrent, et elle se surprit à rêver d'un autre homme — un homme grand et élégant, la barbe noire bien fournie et des yeux ardents et railleurs. Le pirate qui ne nommait Dancer.

Hannah pleura doucement, sans savoir pourquoi, ce qui ne laissa pas de l'étonner.

11

Silas Quint fut assez malin pour ne pas s'approcher du manoir directement. Il erra tout autour comme un renard chassant des poules, se cachant dans les buissons et les champs.

C'était la quatrième fois qu'il venait rôder aux alentours de la plantation Malvern. Quand il avait appris que Hannah était devenue la femme de Malcolm Verner et la maîtresse de Malvern, il avait été déchiré par des émotions contradictoires : l'envie, la colère et une certaine attente joyeuse. Il était jaloux de sa chance, il était en colère qu'une fille aussi ingrate ait autant de veine. Ce qui l'exaspérait surtout, c'est de n'avoir pas été invité au mariage, lui, le pauvre beau-père, son seul parent encore vivant! Il avait entendu dire que cela avait été un beau mariage, avec toute la nourriture et la boisson qu'un homme puisse désirer. La noce qui avait duré trois jours avait été au centre des conversations de Williamsburg durant tout un mois.

Mais avant toute chose, Quint frémissait d'espoir. L'épouse d'un homme riche devait avoir accès à l'argent. Elle ne refuserait pas quelques pièces à son pauvre vieux beau-père. Sinon par gratitude filiale, au moins par pitié... pour le maintenir loin de Malvern, pensait-il en ricanant sournoisement.

Il avait appris au cours de ses expéditions de reconnaissance que Hannah montait presque chaque après-midi un puissant étalon noir pour parcourir la plantation. Quint nota qu'elle partait habituellement d'un grand pré qui s'étendait au sud du manoir.

Ainsi, par un après-midi froid et nuageux d'automne, le brouillard étant suspendu dans l'air, il sauta par-dessus la barrière et se dirigea vers l'endroit où elle avait l'habitude de monter; il portait sur lui ce qui lui restait d'une bouteille de rhum. Il considéra avec méfiance les quelques bêtes qui pâturaient. Il avait toujours eu peur des animaux, surtout des chevaux. Ils étaient trop imprévisibles. Il atteignit enfin l'énorme chêne aux branches rayonnantes qui occupait le centre du pré. Il s'installa au pied de l'arbre et avala une gorgée de rhum pour se donner du courage. En fait, il vida la bouteille, jetant un coup d'œil autour de l'arbre de temps en temps.

Quint somnolait lorsqu'il entendit un tonnerre de sabots. Dissimulé derrière le tronc, il aperçut le monstre noir qui dévalait à travers le pré, Hannah sur son dos. Ils semblaient foncer droit sur le chêne.

Quint attendit qu'ils fussent à quelques mètres de lui. Enhardi par le rhum, il quitta son refuge pour aller se placer sur la route du cheval, en agitant les bras.

Le cheval l'aperçut et s'arc-bouta pour s'arrêter, en hennissant et en soufflant, battant l'air de ses sabots. Hannah luttait pour rester sur son dos. Quint hurla de terreur et retourna derrière le chêne. Il entendit la voix de Hannah au bout d'un moment :

— Silas Quint, vous pouvez vous montrer à présent.

Il quitta son arbre avec précaution. Le cheval était parfaitement tranquille, Hannah était bien droite et à l'aise sur sa selle. Cette vision mit Quint en colère et il en oublia sa terreur. Reprenant son air gouailleur, il fit quelques pas en avant.

— Eh bien, voilà la maîtresse de Malvern sur cette grande bête fantastique. C'est bien la lady, non?

Les yeux de Hannah lançaient des flammes :

— Que faites-vous à Malvern? Je vous avais dit de ne jamais mettre les pieds ici!

— Je suis venu pour vous demander pourquoi je n'ai pas été invité à votre mariage. Je pensais que vous aviez peut-être oublié le vieux Quint.

— Vous oublier? Jamais je ne vous oublierai. Quant à vous inviter, nous n'admettons pas les loques blanches à Malvern!

— Nous? Moi, une loque blanche?

Il bouillait de rage, et fit un autre pas vers elle. Le cheval s'écarta, les yeux exorbités. Quint recula. Hannah tenait les rênes fermement.

— Attention, Quint! Si je le laissais faire, il aurait tôt fait de vous passer dessus! (Le cheval laboura le sol du pied, s'ébroua et se tint tranquille de nouveau.) A présent, dites-moi ce qui vous amène ici.

— Je pensais que vous étiez riche maintenant, belle lady, et que vous pourriez avoir quelques pièces pour votre pauvre vieux beau-père. J'ai besoin de quelques shillings, c'est même pressant.

— Je vous l'ai déjà dit. Vous n'aurez jamais un sou de moi.

— Juste assez pour payer ma nourriture et ma boisson, petite miss. M. Verner ne s'en apercevra pas. Faites cela et je vous embêterai pas. Peut-être que vous pourriez m'envoyer quelques livres par mois. Si vous le faites, je vous donne ma parole que je vous embêterai pas.

— La réponse est non. Même pas la moitié d'un penny. Ni maintenant ni jamais!

— Putain ingrate! Est-ce que M. Verner sait quel genre de fille il a épousé? Il sait que t'as pas seulement frotté le sol d'une taverne, il sait que t'étais une servante? Et que tu t'es couchée sur le dos quand Stritch te l'a demandé? Qu'est-ce qui se passerait si j'allais souffler tout ça à l'oreille de ton mari?

Quint s'aperçut tout à coup que Hannah portait une badine en cuir. Avant même que son cerveau alourdi par le rhum ait pu saisir l'intention de la jeune femme, celle-ci relâcha les rênes, tambourina de ses talons les flancs du cheval et fonça sur lui. Quint était comme pétrifié, la bouche béante. Ce ne fut qu'au dernier moment qu'elle dérouta le cheval légèrement sur la gauche, mais elle passa si près de Quint qu'il reçut une bouffée de l'odeur forte de l'animal. Tandis qu'elle le dépassait à grand fracas, Hannah se pencha au maximum et fit tourner sa badine dans l'air. Il s'en fallut d'un poil que la badine ne touchât le visage de l'homme; elle fit le même bruit qu'un essaim d'abeilles énervées. Si elle ne l'avait pas manqué, elle lui aurait lacéré le visage.

Quint fit demi-tour en même temps que le grand étalon qui revenait à la charge. Cheval et cavalière ne faisant qu'un apparurent rapidement au premier plan dans son champ de vision; il comprit que, cette fois-ci, elle ne ferait pas virer sa monture, elle avait bien l'intention de le renverser! Le cheval aurait tôt fait de le transformer en bouillie!

Quint se jeta de côté. Il tomba sur le sol avec une telle violence qu'il en perdit le souffle. Il se traîna jusqu'au chêne en prenant position sur ses genoux et ses mains. Les sabots du cheval vinrent labourer la terre là où Quint se tenait quelques secondes plus tôt. Il se dissimula derrière le tronc, tremblant de peur. Le cheval noir poursuivait sa course vers le sud.

Quint attendit d'être certain que Hannah ne reviendrait pas. Il se redressa alors sur ses jambes flageolantes en prenant appui sur l'arbre.

La colère le suffoquait. Cette folle avait essayé de le tuer! Il ne savait que faire. Qui croirait cela de la maîtresse de Malvern? Hannah n'aurait qu'à nier tranquillement et ce serait lui le menteur et le misérable qui tentait de noircir son nom.

Ayant presque retrouvé son calme, il réfléchit à ce qu'il devait faire à présent. Elle ne rentrerait pas avant une heure au moins. M. Verner, lui, devait être au manoir.

Il ramassa sa bouteille de rhum, un sourire mauvais sur les lèvres. Il secoua la bouteille, elle était vide, et la lança au loin. Il allait bientôt avoir de l'argent pour en acheter une autre. Il partit en direction de la maison.

Hannah fut furieuse quand elle apprit que Malcolm avait donné une poignée d'argent à Quint.

— Je vous avais dit de ne jamais rien lui donner!

— Il m'a dit qu'il avait faim et qu'il n'avait pas d'argent pour acheter à manger. C'est votre beau-père, ma chérie.

— A manger! C'est à boire qu'il veut!

— Nous nous débarrasserons de lui, c'est déjà cela.

Malcolm Verner avait changé pendant le mois qui avait suivi leur mariage. Dans les premiers jours, il avait paru content de sa nouvelle vie et de sa jeune épouse. Récemment toutefois, Hannah avait remarqué une différence dans ses manières. Son énergie semblait retombée et il souriait rarement. Certaines fois, l'observant à la dérobée, elle le trouvait vieilli de dix ans et découvrait sur sa physionomie la mélancolie de jadis.

Elle répliqua vivement :

— Nous ne sommes pas débarrassés de lui, Malcolm! Votre geste ne fera que l'encourager à revenir pleurnicher.

Il fit un geste d'indifférence :

— Peu importe. Que sont quelques pièces de plus ou de moins s'il en a besoin?

— C'est important. Pour moi! Il a tué ma mère, j'en suis convaincue!

Son regard se durcit.

— Il l'a tuée? Qu'en savez-vous? Si c'est vrai, il faut faire quelque chose.

— Je ne peux pas le prouver, si c'est ce à quoi vous pensez. Mais je le sais dans mon cœur.

— Ma chérie, ce qui est dans le cœur d'une femme ne peut guère servir de preuve devant les tribunaux.

Il y avait dans son léger sourire un peu de l'ironie perverse d'autrefois.

— Je le sais très bien. C'est pourquoi je n'en ai jamais parlé. Malcolm... Promettez-moi. S'il revient, mettez-le à la porte. Pour l'amour de moi?

— Vous avez ma promesse, Hannah, si c'est tellement important pour vous. Quant à moi, ça m'est égal. Permettez-moi de me retirer, chérie.

Il fit demi-tour avec lassitude et rentra dans son bureau. Hannah entendit le verrou s'enclencher. C'était encore un détail : il avait recommencé à s'enfermer dans son bureau depuis une quinzaine de jours...

— Qu'est-ce qui peut bien chagriner le maître de Malvern, chère lady?

Hannah se retourna brusquement à la voix d'André.

— Que voulez-vous dire? Il n'y a rien qui le chagrine que je sache!

— C'est possible, chère lady. Je m'aperçois tout à

167

coup que votre mari se comporte bizarrement ces derniers jours. Il est distant, dirons-nous.

— Bizarrement? Parce qu'il préfère ne pas caqueter à tous vents comme certaine personne que je pourrais nommer?

— Touché, madame. Hum... Nous sommes dans tous nos états, n'est-ce pas? Chère lady, votre mari, c'est votre affaire après tout. Mais il est l'heure de votre leçon de musique.

— Il faut d'abord que je prenne un bain. Je sens le cheval.

— Vous me surprenez, ma chère Hannah. La plupart des colons que j'ai rencontrés se baignent une fois par mois, quand ils le font; quelques-uns une fois par semaine. Mais aucun aussi souvent que vous. Même en France, le pays le plus civilisé du monde, nous ne nous baignons pas aussi fréquemment. A quoi sert le parfum d'après vous?

— Vous pourriez plonger un cochon dans le parfum, vous ne lui ôteriez pas sa puanteur! lança brutalement Hannah en montant l'escalier.

André la suivit du regard avec un sourire amusé et quelque peu méditatif. Il n'avait encore jamais rencontré une femme possédant des talents aussi variés, autant de charme et de beauté. Hannah Verner avait appris à danser à la perfection en moins d'un mois et, s'il n'y prenait garde, elle le surpasserait bientôt au virginal. Quel gâchis en vérité : en France, elle aurait été honorée comme une grande beauté, elle aurait été très recherchée.

André soupira. Dans des moments comme celui-ci, il souhaitait être différent. Ce n'était pas une obsession, bien sûr. Mais tout de même, ce serait curieux...

— Merde! s'exclama André à haute voix avec un haussement d'épaules. On ne peut changer ce que les dieux ont ordonné.

168

Il dirigea ses pas vers le salon de musique.

En haut, tandis qu'elle se déshabillait, Hannah pensait toujours à Malcolm. Elle croyait savoir ce qui le troublait. Au bout de la première semaine, sa vigueur sexuelle avait diminué. Couché avec elle, il lui faisait l'amour lentement et tendrement; il semblait l'aimer plus que jamais, mais il y avait des fois où sa virilité ne répondait pas à son désir. Excepté la volupté qu'elle éprouvait pendant ces préliminaires, Hannah n'avait toujours pas ressenti l'orgasme ultime. Elle demeurait habitée d'un vague sentiment de frustration.

Quoi qu'il en fût, la seule chose vraiment importante, au moins pour Malcolm, c'était que Hannah n'avait pas encore conçu. Il désirait de toutes ses forces un fils, un héritier; il l'avait admis lui-même. Se blâmait-il de ce manquement?

Hannah s'était finalement confiée à Bess.

— Il est pas jeune, le maître, mon enfant. L'âge affaiblit souvent la semence de l'homme.

— J'ai entendu parler de remèdes, de philtres d'amour, de différentes mixtures qui peuvent rendre un homme plus puissant.

Le rire de Bess avait roulé :

— Des contes de bonnes femmes, enfant! Je les ai tous essayés et j'ai pas d'enfant. Seigneur! J'aurais pourtant voulu avoir des enfants autour de moi! C'est pourtant pas faute de ne pas avoir essayé. J'ai couché avec beaucoup d'hommes et j'en ai eu du plaisir. Pour finir, c'était les autres filles qu'ils mettaient enceintes.

— Alors, que faire Bess? Malcolm voudrait tellement un fils!

— Il couche avec vous?

Hannah s'était sentie rougir :

— Mais oui. Presque... presque tous les soirs.

— Il y faut le temps, ma douce. (Elle posa sa main sur l'épaule d'Hannah.) J'aime pas vous dire ça, ma douce, mais c'est peut-être vous. Il arrive que le Seigneur choisisse de nous faire stériles... comme moi.

Ce soir-là, Malcolm Verner déclara, la mine un peu sombre :

— Je dois aller à Williamsburg demain. Il y a une vente d'esclaves, et j'en ai besoin de quelques-uns. Je n'en ai pas acheté depuis quelques années et je manque de main-d'œuvre dans les champs. Je voudrais aussi dégager une vingtaine d'acres cet hiver pour de nouvelles cultures.

André fit une grimace :

— L'esclavage est une méchante institution, sir.

Le visage blême de Verner s'anima :

— Croyez-vous que je ne le sache pas? C'est pourtant un mal nécessaire. Sans cela, la Virginie serait incapable de survivre économiquement.

— Ce n'est jamais bon de faire d'un homme un esclave, quel que soit l'homme.

— Mon cher Leclaire, corrigez-moi si je me trompe, mais j'ai entendu parler de la condition des serfs dans votre pays tellement civilisé. Si ce que l'on m'a raconté est vrai, je suis prêt à parier que le sort de certains esclaves de Virginie est bien meilleur que celui de nombreux serfs français. De plus, vos compatriotes...

Hannah cessa d'écouter pour se concentrer sur son assiette, souriant vaguement. Malcolm et André s'engageaient dans de chaudes discussions presque chaque soir, lesquelles se prolongeaient parfois jusque tard dans la nuit dans le bureau de Malcolm.

André était devenu l'hôte presque permanent de Malvern; Hannah avait trouvé très aimable de la part de Malcolm de garder André sous son toit. Elle savait pourquoi il avait fait cela : André était un causeur stimulant et Malcolm aimait discuter avec lui, même lorsqu'ils n'étaient pas d'accord, ce qui était souvent le cas!

Le lendemain matin, Malcolm Verner partit de bonne heure. Le groupe qui prit le chemin de Williamsburg ressemblait un peu à une caravane. La calèche était en tête emportant Verner, John tenant les rênes. Henry, le contremaître, chevauchait à côté de John. Suivaient deux carrioles conduites par deux ouvriers agricoles; elles devaient servir au transport des esclaves achetés.

C'était Henry qui s'était chargé de choisir les esclaves que Verner disputerait aux autres planteurs lors des enchères. Son estomac se soulevait à chaque fois qu'il participait à de telles enchères; il observait les planteurs qui examinaient les esclaves assemblés sur la place : tâtant leurs muscles, inspectant leurs dents comme s'ils étaient des chevaux. Verner imaginait fort bien l'humiliation et la honte que devaient éprouver ces pauvres gens. Il avait même vu un planteur examiner les parties génitales d'un nègre, jaugeant son pénis en vue de la reproduction!

Pour distraire son esprit de ce qui allait se passer plus tard, il tourna ses pensées vers ses propres préoccupations. Il réfléchissait depuis plusieurs jours au sujet de Hannah et leur stérilité. Quand il était d'humeur sombre, il se rendait compte qu'il avait fait une erreur en épousant Hannah. Non qu'il ne l'aimât pas; au contraire, il l'aimait de plus en plus. Il savait très bien que les rires et les plaisanteries étaient allés bon train parmi ses invités et même parmi les autres gens par la suite : un homme de son âge épousant une jeune fille de dix-sept ans! Il n'était pas extraordinaire qu'un homme d'un certain âge épousât une femme beaucoup plus jeune, surtout dans ce pays où la population masculine était nombreuse. Cependant, entre Malcolm et Hannah, la différence d'âge était vraiment considérable... En vérité, ce n'était pas les rires vicieux ni les plaisanteries crues qui l'inquiétaient. C'était son échec quand il était au lit avec elle. Il avait cru, un moment, que la mâle vigueur qu'il possédait autrefois était revenue. Il ne lui avait pas fallu longtemps pour s'apercevoir se son erreur.

Il était en train de comprendre qu'il avait été le jouet d'une illusion. Il fut humilié lorsqu'il découvrit qu'il lui était de plus en plus difficile d'avoir une érection et que c'était un véritable calvaire que d'accomplir son devoir conjugal. Cela le laissait épuisé, le cœur battant follement, quelquefois même douloureusement, et il lui fallait longtemps avant de retrouver une respiration normale. Cela lui rappelait que tous les humains étaient mortels, et il en était angoissé.

Toutefois, ce n'était pas ce qui l'inquiétait le plus. Après tout, c'était un fait bien établi que les femmes ne jouissaient pas dans l'accouplement; elles ne s'y soumettaient que pour le plaisir de l'homme. Mais si au moins il lui faisait un enfant! Avec quelle ardeur il désirait un fils qui reprendrait Malvern avec lui!

Puis une autre pensée lui vint. Que se passerait-il s'il venait à mourir subitement? Aujourd'hui même, il devait profiter de sa visite à Williamsburg pour voir un homme de loi et faire un testament léguant Malvern à Hannah ou à son fils dans l'éventualité d'un miracle. Il devait bien cela à Hannah. S'il ne laissait pas de testament, il savait que le tribunal serait dur avec elle. Une femme avait peu de droits. Avec un testament, elle aurait au moins une situation légale. Dieu seul savait ce qu'il adviendrait de la plantation. Elle ne pourrait probablement pas la diriger elle-même mais, si elle était légalement propriétaire, elle pourrait la vendre.

Verner marmonna un juron en secouant la tête. Quand un homme commence à penser sérieusement à sa propre mort, elle ne tarde pas à se produire. Probablement un dicton de vieille femme, et pourtant...

Ils arrivaient à Williamsburg. Verner constata que la calèche approchait du lieu des enchères, où régnait une atmosphère de carnaval et de fête. Des baraques avaient été dressées où l'on vendait de la nourriture et des boissons. Hommes et femmes portaient leurs plus beaux habits et les enfants jouaient bruyamment. C'était encore une chose que Verner détestait. Une atmosphère funèbre s'accorderait mieux à la circonstance. Il savait que peu de gens auraient été de son avis et il avait appris depuis longtemps qu'il valait mieux se taire sur ce sujet. Nombreux étaient ceux qui jugeaient qu'il traitait ses esclaves trop libéralement.

Une seule chose satisfaisait Verner. Les esclaves mis aux enchères ici, une ou deux fois l'an, ne débarquaient pas d'un navire négrier venant directement d'Afrique; ils n'étaient pas enchaînés, à demi morts de faim, abrutis ou affolés car ignorant pourquoi ils étaient là et même parfois où ils étaient. La plupart des bateaux négriers déchargeaient leur malheureuse cargaison plus au sud, sur les côtes de la Caroline. Les esclaves en vente ici appartenaient le plus souvent à des planteurs qui en possédaient trop pour leur propre usage ou à des propriétaires en difficulté qui les vendaient pour des motifs économiques. La majorité venait donc des environs. Certes, des marchands d'esclaves venus de Caroline ou d'autres colonies du Sud étaient parfois présents sur le marché avec un certain nombre d'esclaves à vendre; mais Verner avait ordonné des le début à Henry de ne sélectionner que des esclaves locaux.

Verner était assis dans sa calèche, à l'entrée de la place. Il ne désirait pas se mêler aux autres acheteurs. Peut-être trouvaient-ils cela étrange, mais sachant qu'on le considérait déjà comme un planteur d'une race spéciale, il n'en avait cure.

Henry passa son temps à trotter de la calèche à l'estrade des enchères et inversement. Quand il recommandait un achat, Verner se dressait sur le marchepied de sa voiture et criait son chiffre. Il pensait acquérir huit esclaves, des hommes jeunes. Comme il offrait toujours de fortes sommes, il n'eut aucune difficulté à suivre le choix d'Henry.

A midi, il avait acheté sept des huit esclaves désirés. Il était heureux d'en avoir presque terminé. Les carrioles allaient bientôt reprendre le chemin de Malvern. Il alluma un cigare à la chandelle qui brûlait, fixée près de la portière de la calèche. Il se renversa en arrière pour fumer calmement pendant un moment. Il vit Henry qui parlait à l'un des esclaves restant sur le marché, le Noir attendait qu'on le conduisît sur le podium aux enchères.

L'homme en question était de taille moyenne, mais large et puissant. Il ne portait qu'une culotte effrangée; sa poitrine était barrée de muscles saillants. Il semblait être dans la force de l'âge. Puis Verner remarqua une chose qui le surprit fortement : l'esclave était enchaîné; ses chevilles étaient entravées et des chaînes liaient ses poignets. Il s'agissait d'un évadé ou d'un fauteur de troubles, c'était la seule explication.

Au bout d'un moment, Henry vint à la calèche. Verner en descendit.

— Maître, dit Henry. Le grand gaillard avec qui je parlais, il s'appelle Léon. Je crois que ce serait une bonne affaire.

Verner tira une bouffée de son cigare.

— L'homme est enchaîné. Qu'est-ce que cela signifie?

— Il a eu des ennuis, M. Verner. Il s'est enfui plusieurs fois, mais je crois...

— Je t'ai toujours fait confiance, Henry. Mais un évadé? Il ne peut que nous causer des soucis.

— Justement, dit Henry avec fougue. Il dit qu'il est fatigué de toujours errer. Je lui ai dit que vous étiez un bon maître, le meilleur de tous. Il a juré de bien se tenir. Il en a assez d'avoir les chiens à ses trousses, d'être fouetté et enchaîné. Il dit que si vous êtes un bon maître, il travaillera dur et restera chez vous. Enchaîné, vous pouvez l'avoir à meilleur prix, j'en suis sûr, conclut Henry sournoisement.

— Henry, je ne sais pas. Un évadé...

— Il vient du Sud. Son maître en avait assez de ses fugues, et il pensait que personne l'achèterait là-bas. La plupart des fuyards que je connais ont du caractère, ils n'acceptent pas qu'on les traite cruellement. Ils savent travailler, ils font de bons ouvriers. Si vous l'achetez, je vous promets qu'il sera le meilleur de la plantation.

Verner observa l'esclave enchaîné, l'air abattu, la tête pendante. Acheté par quelqu'un d'autre, il serait probablement fouetté jusqu'à ce qu'il ne soit plus qu'une loque. Verner inclinait à la pitié. Il se décida subitement :

— D'accord, Henry. Tu ne t'es jamais trompé. Mais je te laisse la responsabilité, compris?

Henry hocha la tête en souriant et retourna à l'estrade. Le commissaire faisait son travail, vantant l'excellente condition physique et la force de l'homme, évitant toute allusion à ses chaînes. Verner fut le premier à lancer son prix :

— Cinq livres!

Il y eut un murmure parmi la foule, des gens se tournèrent vers lui. Bart Myers s'exclama en passant près de lui :

— Malcolm, vous êtes fou. Acheter un nègre dans les chaînes? C'est sans doute un échappé du Sud!

— C'est Henry qui me le recommande.

— Henry! pouffa Myers. Vous êtes décidément un homme bizarre, Malcolm Verner, pour faire confiance au jugement d'un nègre sur un autre nègre!

Quelqu'un cria un autre prix et Verner enchérit.

— C'est votre affaire, bien sûr, mais je pense que vous faites une sottise, dit Myers en s'éloignant.

Verner eut finalement l'esclave pour quinze livres, un prix ridiculement bas.

— Parfait, Henry. Charge les carrioles et rentre à Malvern. Je reste encore un peu ici, j'ai quelques affaires à régler, ordonna Malcolm brusquement.

De retour à Malvern, Henry fit un discours aux nouveaux esclaves rassemblés. Celui qui se nommait Léon, libéré de ses chaînes, écoutait calmement quoique avec scepticisme. Henry disait :

— Nègres, écoutez-moi bien. Ici, ce n'est pas une mauvaise plantation. M. Verner est le meilleur maître de la région. On ne dort pas à même le sol ici, il nous laisse prendre du bois pour nous chauffer l'hiver. On ne mange pas les restes. La nourriture est bonne. On nous donne de bons vêtements et des cadeaux pour Noël. On ne travaille pas du lever au coucher du soleil ni tous les jours de la semaine, sauf pour la moisson et le fumage du tabac. On ne vous demande que de faire le travail qui est distribué. On ne fouette pas systématiquement. Master Verner ne fouette que quand on ment ou quand on vole. Si vous vous trouvez une femme, vous avez droit à une maison; vous n'avez pas besoin de vous cacher pour sauter la fille pour qui vous avez le béguin, si vous en trouvez une, venez me le dire...

Henry continua ainsi pendant un moment. Léon écoutait tout en soupirant. Il doutait, mais il espérait tout de même que ce qu'il entendait était vrai. Dieu! Comme il était fatigué de fuir, d'être chassé comme un animal, puis enchaîné, affamé, battu jusqu'au sang. Cela lui était arrivé plus d'une fois. Il avait tenté de s'enfuir vers le nord où, selon les dires, les gens de sa race étaient mieux traités. Mais il avait toujours été rattrapé avant d'avoir pu réussir. Tous avaient peur d'aider un évadé, même un autre nègre.

Oui, il était las de fuir. Il n'était plus tout jeune et avait perdu son ardeur. Certes, encore dans la force de l'âge, il était capable d'abattre sa journée de travail comme n'importe quel autre, mais ces années de fuite et de douleur l'avaient considérablement diminué.

Si ce que disait cet Henry était vrai, Léon pensait qu'il ne partirait plus. Il serait pas heureux, bien sûr, d'être l'esclave d'un blanc; mais, s'il trouvait une place où il puisse travailler et manger régulièrement sans être fouetté tous les jours, ce serait déjà satisfaisant.

Un détail lui parut favorable. C'était la première plantation qu'il voyait où le surveillant était un nègre. Après tout, ce Malcolm Verner était peut-être un cran au-dessus des autres propriétaires d'esclaves...

Il leva la tête lorsque Henry se tut et le cours de ses pensées s'interrompit. Léon entendit aussitôt un grondement de sabots et s'aperçut que les autres regardaient tous en direction d'un grand étalon noir qui galopait vers l'écurie. Une femme blanche était en selle, la chevelure longue et cuivrée, le port souple et droit. Henry expliqua :

— C'est la maîtresse de la plantation, Mme Hannah. Elle est aussi bonne que le maître...

Un souvenir vague rongea Léon à la vue des longs cheveux dénoués. Quelque chose dans cette femme lui sembla familier. Il repoussa cette idée, pensant que c'était un tour de son imagination. Il n'avait jamais vécu dans cette région, il en était certain, cet esclave qui se faisait appeler Léon, ce fuyard connu autrefois sous le nom d'Isaï.

12

— Bess, raconte-nous une histoire de John le conquérant! criaient les enfants réunis autour de Bess dans la
cuisine.

Le froid hivernal les avait fait entrer dans la cuisine.
Il était presque 9 heures du soir et, d'ordinaire, tous les
enfants étaient au lit à cet heure. Mais on était en
décembre, peu avant Noël, et le travail s'en trouvait
ralenti. Le seul labeur important était l'abattage du
bois de futaie sur vingt acres destinés à être plantés au
printemps. Les jeunes avaient donc la permission de
rester debout un peu plus tard. Bess avait confectionné
des galettes de blé; les petits auditeurs s'étaient entas-
sés près de l'âtre tout en grignotant.

— Laissez-moi réfléchir une minute, dit Bess calmement. Je vous ai peut-être raconté toutes les histoires de
John le conquérant. (Un murmure s'éleva et plusieurs
voix protestèrent.) Chut à présent. Laissez-moi réfléchir.

Le regard de Bess passa au-dessus des enfants quand
la porte de la cuisine s'ouvrit et se referma. L'homme
qui arrivait était l'un des nouveaux esclaves, Léon. Bess
fronça les sourcils et songea tout d'abord à le renvoyer.
Elle n'était pas en amitié avec lui. Henry lui avait dit
qu'il était un bon travailleur, mais Bess avait une intuition étrange à son sujet. Il était mauvais, elle le ressen-
tait dans ses propres os. Elle décida de le laisser au lieu
de faire un éclat. Elle ne se plaignit même pas lorsqu'il
s'empara d'une grosse poignée de galettes pour les cro-
quer, accroupi contre le mur du fond. Peut-être avait-il
faim. Bess poussa un soupir. La plupart des nouveaux
esclaves étaient affamés et croyaient à peine à leur
chance devant l'abondance de la nourriture qui leur
était fournie à Malvern. Les menus étaient simples,

bien sûr, contrairement à ceux qui étaient destinés au manoir, mais ils étaient copieux et nourrissants. Et puis Bess ne refusait jamais de donner à manger à un affamé, quels que fussent les sentiments qu'elle éprouvait à son endroit.

Elle commença l'histoire :

— Comme je vous l'ai déjà dit, le grand John faisait toujours gagner son maître quand il pariait sur lui. Un jour, missié amena le grand John à faire la course à pied avec un nègre d'une autre plantation. John a couru la moitié d'un jour, l'autre s'est écroulé par terre, et missié avait gagné cinquante livres. Mais voilà! John s'est imaginé qu'il aurait pas à retourner aux champs ce jour-là puisqu'il avait gagné tout cet argent, mais le maître l'envoya tout de même. John se sentit abusé, alors il s'enferma dans la grange et cassa tous les outils qu'il pouvait trouver. Le lendemain matin, le maître soupçonna le grand John. Il l'accusa. « Oui, c'est moi », dit John en ricanant de toute sa figure. Le maître dit : « Je vais te tuer, John. » Le nègre éclata de rire. Il répondit : « Vous pouvez, missié. Et moi, je vous battrai en faisant de l'argent. » Bien sûr, le maître n'y croyait pas du tout. Il poussa John dans un sac et le traîna jusqu'à la rivière. Il allait jeter le sac dans l'eau quand il se rappela qu'il avait oublié d'attacher des poids au sac. Il retourna alors à la grange pour en chercher. Comme John avait un couteau, il est sorti du sac, il l'a rempli avec des pierres et l'a refermé. Quand le maître revint avec ses poids, il jeta le sac plein de pierres dans l'eau. Il n'en savait rien, bien sûr. Pendant ce temps-là, John était allé se coucher et dormait. Le lendemain John était debout très tôt. Il prit sa vieille peau de mulet et alla au village pour dire la bonne aventure pour de l'argent. Le grand John pouvait faire ça en utilisant une peau de mulet. Il pouvait prévoir quand un homme allait mourir et quand un bébé allait naître.

Il pouvait jeter toutes sortes de sorts. Il pouvait même faire chanter les oiseaux à minuit. John rentra l'après-midi les poches pleines de pièces. Le maître faillit tomber à la renverse quand il le vit. « John, c'est toi? C'est pas possible! » John, lui, il riait et faisait sonner son argent. « Je vous avais dit que, si vous me tuiez, je vous battrais en faisant de l'argent! » Encore tout ébahi, le maître dit : « Tu crois que si je te laisse me tuer, je pourrais faire de l'argent? » Le grand John dit en riant qu'il était prêt à le tuer et qu'alors il verrait! Alors, le maître laissa John l'empaqueter dans un sac. John y attacha des poids et roula le sac jusqu'à la rivière. Juste au moment où John poussait le sac dans l'eau, missié cria : « John, es-tu certain que je vais faire de l'argent? » John dit avec son grand rire : « Missié, je sais que vous êtes en train! » Le grand John fit rouler le sac dans la rivière, et on n'entendit plus parler de missié!

Bess chassa les enfants de la cuisine dans un tonnerre de rires. Léon s'attardait. Quand il fut seul avec Bess, il s'approcha d'elle. Bess se leva.

— Qu'est-ce que tu veux, Léon? Encore des galettes? Tu t'es bourré comme un cochon!

Léon secoua la tête.

— Non, vieille femme. J'écoutais ton histoire étonnante. Tu leur remplis la tête avec de drôles de choses.

Bess haussa ses épaules massives.

— C'est juste pour les aider à passer le temps.

— Non. Tu sais que tu prêches la révolte en leur racontant comment le grand John se défend contre les Blancs, tuant son maître et continuant son chemin!

— Je ne prêche rien! Je te dis que c'est des histoires pour passer le temps, s'entêta-t-elle.

— Le diable m'emporte si tu ne prêches pas, vieille femme, insista Léon doucement.

— Ne blasphème pas devant moi!

— Je me demande comment tu fais pour t'en sortir, c'est tout.

— Miss Hannah, elle prend plaisir à m'écouter.

— Alors, je vois que ce que j'ai entendu dire de la plantation doit être vrai. Cette miss Hannah... Qu'est-ce que tu sais d'elle?

— Ce que je sais d'elle, c'est pas ton affaire, nègre! C'est la maîtresse de la plantation. Que crois-tu que le maître te ferait s'il apprenait que tu poses des questions sur elle?

— De toi, il n'apprendra rien. (Léon était devenu menaçant tout à coup; il fit un pas vers elle.) Tu la fermeras, tu entends, vieille femme? Il en faudrait pas beaucoup pour...

Un hurlement venu du manoir l'interrompit. Bess comprit tout de suite que c'était Hannah qui venait de crier et se précipita vers la porte qui donnait sur le passage couvert menant directement à la maison. Léon s'était déjà éclipsé, tel un fantôme, par la porte de derrière.

— Bess!

Hannah était déjà à mi-chemin du passage.

— Mon Dieu, ma douce, qu'est-ce qui se passe?

— Viens vite, Bess!

Ils s'étaient retirés de bonne heure ce soir-là; Hannah du moins. Elle avait pris un livre dans la bibliothèque. Elle avait frappé à la porte du bureau de Malcolm avant de monter.

— Malcolm, je vais me coucher.

Verner avait répondu après un moment de silence :

— Je vous suis très bientôt, ma chérie.

En haut, Hannah avait hésité à la porte de la chambre à coucher du maître. Elle avait pris l'habitude de dormir dans son ancienne chambre pendant le mois écoulé. C'était Malcolm qui le lui avait suggéré.

— Vous dormirez certainement mieux, Hannah. Je reste souvent très tard à travailler dans mon bureau et je vous réveille quand je viens me coucher.

Hannah savait que ce n'était pas le véritable motif. Malcolm s'était remis à boire; pas autant qu'auparavant, mais il empestait l'alcool quand il pénétrait dans sa chambre. Il rendait visite à sa femme une fois, parfois deux fois la semaine, mais ces visites se terminaient habituellement dans la gêne et Hannah était sûre que Malcolm se sentait humilié.

Ce soir-là, Hannah avait soupiré lourdement et était allée dans sa propre chambre, au bout du couloir.

Elle s'était préparée pour la nuit, laissant brûler une chandelle fixée à une colonne de son lit. Puis elle s'était installée pour lire, appuyée sur des coussins empilés contre le montant de tête du lit. C'était devenu une habitude.

Parmi les nombreuses choses que lui enseignait André, il y avait la lecture; il l'avait familiarisée avec les livres, en grand nombre dans la bibliothèque du bas. Il les sélectionnait pour elle : quelques romans, mais aussi des manuels de savoir-vivre pour faire d'elle une lady raffinée de la noblesse. Hannah savait même lire quelques phrases en français, langue dans laquelle étaient imprimés de nombreux romans. Hannah soulignait les mots et les phrases qu'elle ne comprenait pas et les soumettait à André le lendemain.

Au bout d'une heure de lecture, elle sentit la somnolence l'envahir. Elle souffla la chandelle, se glissa sous ses couvertures, et céda au sommeil.

Elle s'éveilla en sursaut quand le matelas s'enfonça. Elle eut immédiatement conscience des relents d'alcool.

— Malcolm?

— Oui, Hannah chérie. Votre dévoué... mari.

Il était complétement ivre. Hannah ressentit du dégoût pendant un moment et fut tentée de lui refuser son lit. La trouvait-il si répugnante pour qu'il s'abrutît à boire ainsi avant de la rejoindre? Elle n'en fit rien cependant. Elle savait que ce n'était pas le motif qui le faisait agir de cette manière. Elle avait pitié.

Il était nu, et Hannah dut faire un effort pour ne pas esquiver son contact. Ses caresses furent rares, maladroites et douloureuses. Il avait l'impatience de l'homme ivre.

Pensant précipiter les choses, elle prit son pénis et le trouva à demi érigé seulement.

— Croyez-vous que ce soit sage? Vous avez trop bu...

— Vous êtes ma femme. Obligée d'obéir à tous mes désirs selon la loi de Dieu et des hommes, repliqua-t-il en venant sur elle.

Hannah eut la vision du pirate ivre et le dégoût l'envahit de nouveau.

Malcolm essayait de la pénétrer en vain. Cependant, la partie inférieure de son corps faisait les mouvements de l'accouplement. Soudain, il émit un gémissement rauque et se raidit tout entier, enfonçant cruellement ses doigts dans la chair d'Hannah. Puis il s'effondra sur elle.

Pensant qu'il avait réussi à prendre son plaisir, Hannah demeura immobile, attendant qu'il bouge. Mais il ne faisait pas un geste. S'était-il endormi? Cela lui arrivait souvent ces derniers temps. Mais, alors, il se mettait à ronfler presque immédiatement.

Quelque peu alarmée, elle murmura :

— Malcolm?

Il ne répondit, ni ne bougea. Elle le poussa. D'habitude, elle le trouvait léger mais, il était soudain lourd. Elle fut prise de panique. Rassemblant toutes ses forces, elle poussa très fort et le fit retomber.

Hannah sauta du lit et prit la chandelle qu'elle alla allumer à l'âtre. Puis elle regarda Malcolm. Il avait roulé sur le dos, les bras écartés, les yeux ouverts et fixes.

Hannah s'agenouilla sur le lit et le saisit par les épaules :

— Malcolm! Réveillez-vous!

Comme il ne faisait aucun mouvement ni n'émettait aucun son, elle recula, horrifiée. Elle recula jusqu'à ce qu'elle tombât du lit. Se relevant d'un bond, elle jeta sa robe de chambre sur ses épaules et s'enfuit de la chambre en criant, les pieds nus.

Elle descendit l'escalier en courant et traversa l'office, vaguement consciente des regards ahuris des domestiques. Elle n'avait qu'une pensée en tête : Bess. Elle était à mi-chemin du passage couvert quand elle vit Bess émerger de la cuisine.

— Mon Dieu, ma douce, qu'est-ce qui se passe?

— Viens tout de suite. Il est arrivé quelque chose de grave à Malcolm!

— Calmez-vous, enfant. On va voir.

Hannah se hâtait, s'arrêtant fréquemment pour attendre Bess qui soufflait derrière elle.

Lorsque Bess fut à côté du lit, elle jeta un coup d'œil sur le corps nu de Malcolm et dit :

— Seigneur! Allez chercher un miroir, enfant. Vite!

Hannah courut prendre le miroir sur sa table de toilette et le donna à Bess. Bess le tint devant la bouche ouverte de Malcolm pendant une bonne minute, puis elle le regarda.

— Une attaque d'apoplexie, sans doute, soupira-t-elle.

— Nous devrions envoyer chercher quelqu'un à Williamsburg, non? Tu ne peux rien faire, Bess?

— Rien à faire, ma douce. Il est rentré dans la gloire de Dieu.

Hannah refusa d'accepter pendant un moment. Elle resta paralysée, le regard rivé sur le corps immobile. Puis, quand Bess remonta doucement la courtepointe

184

sur le corps et le visage de Malcolm, elle réalisa brutalement. Elle se mit à pleurer, toute secouée de sanglots. Bess prit Hannah dans ses bras, lui caressant les cheveux :

— Pleurez, enfant. Soulagez votre cœur.

Malcolm Verner fut enterré à Malvern, à quelques centaines de mètres du manoir, à côté de la tombe de Martha, sur un petit tumulus dominant la James River.

Hannah avait refusé d'informer les voisins. Elle savait qu'en Virginie les funérailles pouvaient parfois se transformer en fête, tout comme un mariage. C'était le même principe : comme les gens venaient de plusieurs miles à la ronde, il était entendu qu'ils devaient passer la nuit; il fallait donc leur fournir nourriture et boisson.

André la sermonna :

— Chère Hannah, il est bon de défier les conventions à bon escient. Mais vous allez attirer la rage de vos voisins sur votre tête si vous ne les invitez pas aux obsèques d'un homme de la stature de Malcolm Verner. Les funérailles sont chose barbare mais...

— Et en faire une fête donc, est-ce mieux? dit-elle sauvagement. Non. Je suis sûre que Malcolm ne l'aurait pas voulu ainsi.

— Ce n'est pas la véritable raison, n'est-ce pas? interrogea-t-il en la regardant en coin.

— Ce n'est pas la seule raison, non, concéda Hannah. Croyez-vous que je ne sache pas ce qu'ils vont dire, ce qu'ils sont déjà en train de dire? Un homme de l'âge de Malcolm qui prend pour femme une fille de dix-sept ans, ça l'a tué! Vous croyez que j'aie envie de les voir ici, les hommes faussement affectés et les femmes chuchotant et riant derrière leurs éventails?

André haussa les épaules, écartant ses mains en signe de reddition, et il en fut selon le souhait de Hannah.

On fabriqua un modeste cercueil en sapin à la menuiserie et l'on tailla une petite pierre tombale en marbre sur laquelle on grava le nom de Malcolm et les dates de naissance et de décès.

Hannah refusa même qu'un pasteur vienne de la ville.

— André, vous direz quelques mots. Vous êtes un homme instruit.

— Moi? Mon Dieu! s'exclama-t-il horrifié. Chère lady, je ne sais rien de ces choses!

— Vous pouvez bien trouver un mot ou deux à dire.

Le travail s'arrêta à la plantation et tous les esclaves s'assemblèrent près de la tombe. Entre Bess et André, Hannah contempla le cercueil en sapin posé près de la tombe fraîchement creusée. Puis elle regarda André et fit un geste. André fit deux pas en avant et s'éclaircit la voix.

Hannah se serait amusée en d'autres circonstances : c'était la première fois qu'elle le voyait hésiter et chercher ses mots.

Il parla enfin d'une voix étouffée et saccadée :

— Shakespeare a écrit : « Tout ce qui vit doit mourir et passer de la nature à l'éternité. » On lit aussi sous la plume du poète John Donne : « Après un bref sommeil, nous nous éveillerons éternellement; et il n'y aura plus de mort; mort, tu mourras. » Je ne sais rien de ces choses; je ne sais pas si nous « nous éveillerons éternellement ». Mais, dans le court laps de temps où j'ai connu Malcolm Verner, j'ai compris qu'il était un homme bon, un homme qui fit beaucoup de bien à l'intérieur des limites qui lui étaient imposées. Sa mort prématurée éprouve durement ceux qui le connaissaient; mais s'il y a une vie éternelle, il y demeurera. Adieu, monsieur Malcolm Verner. *Amen*.

Il retourna à côté de Hannah. Elle lui prit la main en murmurant :

— C'était beau, André. Merci.

Elle fit un geste et plusieurs esclaves s'avancèrent pour descendre le cercueil dans la fosse. Avant que la première pelletée de terre fût jetée, un son s'éleva à côté de Hannah. Tout étonnée, elle regarda Bess : elle chantonnait. Puis le chant éclata, un hymne chanté d'une voix riche et puissante. Tous les autres esclaves se joignirent bientôt à elle, les voix roulaient le long de la pente jusqu'à la rivière.

Hannah sentit les larmes lui brûler les yeux, des larmes qu'elle essuya sans honte, les premières depuis qu'elle s'était laissée aller dans les bras de Bess à côté du corps de Malcolm.

L'hymne terminé, les esclaves jetèrent la terre sur le cercueil. Hannah se retourna et rentra au manoir au bras d'André. Elle n'avait pas envie de parler et André, pour une fois, resta silencieux.

Hannah essayait de tirer au clair ses émotions. Ce n'était pas de l'amour qu'elle avait eu pour Malcolm, mais une affection profonde et sa mort la touchait beaucoup. En même temps se pressait une autre pensée dans son esprit depuis que le malheur s'était produit. Elle n'essaya plus de la repousser : elle était à présent la véritable maîtresse de Malvern! Tout ici lui appartenait. En moins de six mois, de fille de taverne en servage qu'elle était, elle était devenue la maîtresse de la plus belle plantation de Virginie.

Elle eut de la peine à contenir sa joie à cette réflexion enivrante. Elle fit tous ses efforts pour afficher un comportement grave.

Hannah était occupée à trier les papiers et les livres de comptes dans le bureau de Malcolm. Elle savait qu'il lui faudrait quelque temps avant d'en venir à bout. Elle fut donc légèrement contrariée en entendant un coup discret frappé à sa porte.

— Entrez!

La porte s'ouvrit et Henry, le contremaître, parut, son chapeau à large bord à la main.

— Maîtresse...

— Oui, Henry, qu'y a-t-il? Je suis occupée comme tu vois.

— Maîtresse, c'est à cause... Je me demandais si je resterais comme contremaître maintenant que le maître est mort?

Hannah le considéra avec surprise.

— Pourquoi? Je ne vois aucune raison à ce que tu partes. Tu es content de faire ce que tu fais?

— Oh, oui, maîtresse! Je suis très heureux.

— J'ai cru comprendre que Malcolm t'avait affranchi?

— Oui, maîtresse. Il m'a donné ma liberté quand il m'a nommé contremaître. On me paie des gages, ajouta-t-il fièrement.

— Eh bien, il n'y aura aucun changement. Malcolm lui-même m'a dit qu'il te faisait entièrement confiance. Il n'a jamais vu un intendant blanc faire aussi bien que toi.

— Merci, madame Verner, dit Henry avec gratitude.

Il inclina la tête et allait sortir quand Hannah le rappela.

— Attends un peu, Henry. Puisque je suis maintenant la maîtresse de Malvern, j'attends de toi que tu m'expliques la culture du tabac.

Henry resta bouche bée, incapable de parler. Hannah insista :

— Es-tu d'accord?

— Oui, maîtresse, si vous le souhaitez. Mais je ne sais pas ce que les Blancs vont en penser...

— Du moment que tu es d'accord, le reste est sans importance.

Hannah fit un signe de tête et congédia l'intendant d'un geste de la main.

Elle se replongea dans les papiers et les livres étalés sur le bureau. Elle commençait à comprendre, non sans surprise. Elle savait que Malcolm était fortuné, mais l'étendue de sa richesse allait au delà de ses suppositions. Il possédait d'autres biens à Williamsburg en plus de sa plantation, rien que des affaires commerciales...

Elle fut interrompue par un autre coup frappé à la porte.

— Zut! s'exclama-t-elle en claquant sa main sur le bureau. Entrez!

Cette fois, c'était André Leclaire. Il paraissait étrangement timide, contrairement à son habitude.

— Mitress Verner...

— Mitress? Pourquoi ce formalisme soudain?

— Eh bien... J'ai pensé... Souhaitez-vous que je reste à Malvern maintenant que votre mari est mort?

— Vous aussi? marmonna-t-elle. André, êtes-vous heureux ici?

— Chère lady, aussi longtemps que je suis en exil dans ce pays sauvage, je crois que c'est encore ici que je suis le mieux!

— Alors, pourquoi me poser cette question alors que vous savez déjà que vous voulez rester?

— Chère Hannah, vos voisins. Les bavardages vont aller bon train. Un homme ici avec vous... étant donné qu'ils ne savent pas très bien ce que je suis, acheva-t-il avec son sourire mi-malin, mi-triste.

— Pouah! fit Hannah avec impatience. Vous savez ce que je pense de leur opinion. Et maintenant, cessez de faire l'idiot et allez vous occuper.

— Avec plaisir, chère lady, avec plaisir!

Quelques minutes plus tard, elle l'entendit jouer du virginal dans le salon de musique. Elle sourit. Il jouait la chanson que son père lui chantait.

Elle reprit son travail. Elle découvrit un document

qu'elle lut avec avidité. C'était le testament de Malcolm, daté du 12 novembre 1717, portant sa signature griffonnée et celle de deux témoins.

L'affaire était ainsi complètement légale : Malcolm la désignait comme son héritière en même temps que son fils au cas où elle en mettrait un au monde avant ou après sa mort. Hannah se demanda un instant pourquoi Malcolm ne l'avait pas informée de l'existence de ce testament. Le ton du document semblait indiquer que Malcolm avait le pressentiment de sa mort imminente. Les larmes lui vinrent aux yeux. Comme elle souhaitait porter son enfant, son fils! Mais ce n'était pas le cas.

Elle essuya ses larmes avec colère et reprit sa tâche.

Une heure plus tard, elle fit une autre découverte encore plus ahurissante. Dans le dernier tiroir du bureau, tout en bas, elle trouva un grand coffret en métal. Il était lourd et elle eut de la peine à le soulever. Le coffret était fermé à clef.

Hannah, déconcertée, le considéra pendant un moment. Puis elle se souvint d'un détail : la veille, Jenny lui avait apporté les vêtements que Malcolm avait laissés dans sa chambre le soir de sa mort, avant de venir la rejoindre. Hannah avait fouillé dans les poches et trouvé de nombreuses clés.

Elle courut les chercher. Revenue dans le bureau, elle les essaya. La troisième était celle du coffret. En soulevant le couvercle, l'étonnement lui coupa le souffle : il était rempli à ras bord d'argent, rien que de la monnaie anglaise de différentes valeurs, et aussi d'innombrables pièces d'or et de documents qui se révélèrent être des lettres de crédit en provenance d'Angleterre. Ce qui représentait plusieurs milliers de livres! Hannah se laissa tomber dans le fauteuil, les genoux en coton. Sa fortune totale était considérable!

Une idée germa soudain dans son esprit.

Elle quitta le bureau et se mit à la recherche de Bess qu'elle trouva à la cuisine en train de surveiller la préparation du dîner. Elle l'attira au-dehors, incapable de contenir son excitation.

— Bess, sais-tu si Amos Stritch est propriétaire de *La Tasse et la Corne*.

— Je ne sais pas très bien, ma douce. Mais peut-être pas. Il disait toujours qu'il avait peur du feu. Il disait qu'il ne voudrait plus jamais rien posséder depuis que Jamestown avait brûlé entièrement. Beaucoup de gens pensaient la même chose.

— Sais-tu qui est le propriétaire?

— Non, miss Hannah, je n'en sais rien. Le vieux Stritch ne me parlait pas de ses affaires. Pourquoi? demanda-t-elle vivement.

— Merci, Bess, répondit Hannah en embrassant impulsivement la Noire.

— Merci pour quoi? Je vous ai rien dit. Qu'est-ce que vous vous êtes mis dans cette tête tortueuse?

— Je ne suis pas encore sûre de moi, Bess. Il faut que je réfléchisse encore. Mais si ce que je crois est vrai, nous allons nous payer du bon temps toutes les deux. Nous allons nous frotter de nouveau au vieux Stritch! Tu aimerais cela, non?

— Pour sûr que j'aimerais bien, enfant! dit Bess en riant.

Hannah passa le reste de la journée à réfléchir à son affaire. Ses réflexions l'occupaient encore le soir; elle était tellement agitée et impatiente qu'elle dormit à peine. Elle ne répondait même pas aux mots d'esprit d'André qui finit par remarquer :

— Chère Hannah, je saiscombien tout cela a été difficile pour vous, mais... Vous n'aimiez pas cet homme à ce point. Nous n'avons pas besoin de jouer la comédie entre nous. Pourquoi cet abattement?

Hannah sursauta :

— Pardon? Oh, je suis désolée, André. Ce n'est pas du tout cela, croyez-moi. Je vous dirai demain ce qui m'occupe tant.

— Votre esprit tortueux vient encore d'échafauder un plan. Est-ce que je me trompe?

— André, vous me connaissez si bien! dit-elle en éclatant de rire.

« Ou mieux, vous croyez me connaître », ajouta-t-elle pour elle-même.

Quand, le lendemain matin, Hannah exposa son projet, André fut horrifié.

— Chère lady, je ferais n'importe quoi pour vous... ou presque. Mais ceci dépasse mes talents. Je n'entends absolument rien aux affaires.

— André, il faut que vous fassiez cela pour moi. Moi, je ne peux pas, on me rirait au nez et on m'ignorerait si je me lançais dans une telle démarche. En fait... c'est peut-être un avantage que vous soyez un mauvais homme d'affaires. Je n'attends aucun profit de la transaction. Tout ce que vous avez à faire, c'est de trouver qui est le propriétaire de *La tasse et la Corne*, terrain et bâtiments, et de lui offrir tant d'argent qu'il ne puisse résister. L'argent, je l'ai, André, ne vous inquiétez pas.

— Chère lady, je comprends le désir que vous avez de vous venger de ce faquin. D'après ce que vous m'en avez dit, l'homme est la plus sinistre des canailles. Mais aller jusqu'à cette extrémité!

— Je suis prête à tout pour le ruiner! Je hais Amos Stritch au point que mon cœur devient amer comme la bile quand je pense à lui!

— Bon. Puisque vous êtes déterminée, je jouerai mon rôle. Je comprends votre besoin de soulager votre âme, mais je vous en prie, chère lady, ne laissez pas la haine vous consumer et vous entraîner à détester tous les hommes en bloc. Il y a des hommes bons, même

192

dans ce pays. Aussi cynique que je sois, je sais que c'est vrai. Vous êtes jeune et belle, ce serait du gâchis que de passer votre vie à haïr au lieu d'aimer, ce pour quoi vous êtes faite.

Hannah tourna la tête. Elle déclara d'une voix glacée :

— Vous allez trop loin, sir! Ma vie privée ne regarde que moi.

Un mois plus tard vint le jour que Hannah attendait avec tant d'impatience : Amos Stritch avait été prié de se présenter à Malvern.

Noël était passé. Il faisait très froid. Debout près de la fenêtre, elle regarda la calèche s'arrêter devant la maison, et vit Stritch en sauter maladroitement, avec l'aide du cocher. La silhouette corpulente clopina lentement vers la maison, lourdement appuyée sur une canne.

Hannah sourit d'un air farouche. Sa goutte le faisait souffrir : parfait! Elle avait entendu dire que sa goutte se réveillait lorsqu'il était sous le coup d'émotions fortes. Elle appela Jenny :

— Fais entrer M. Stritch, Jenny. Je suis dans le bureau.

— Dois-je servir queque chose, mistress?

— Non, rien. C'est une visite d'affaire, non une visite d'ami.

Elle entra dans le bureau. Elle s'était habillée avec un soin particulier pour cette occasion, comme s'il s'était agi d'un bal. Elle portait une robe audacieuse qui découvrait ses épaules et la naissance de ses seins. Et beaucoup de bijoux. Elle voulait éblouir Amos Stritch de toutes les manières possibles.

Elle occupait le fauteuil confortable que Malcolm avait l'habitude d'utiliser, abandonnant à Stritch une chaise à dossier dur. Elle avait un document sur ses genoux, l'acte de propriété de *La Tasse et la Corne.* Elle entendit bientôt les pas de Stritch dans le corridor.

Elle répondit au coup timide de Jenny :

— Fais-le entrer, Jenny.

Amos Stritch entra en boitant, un sourire servile sur sa grosse face. Il s'inclina maladroitement :

— Mitress Verner, c'est un plaisir de vous revoir.

— Vraiment? Monsieur Stritch, je ne sais pas si vous serez aussi confiant quand vous saurez pourquoi je vous ai appelé à Malvern. Les circonstances sont tout à fait différentes de celles d'autrefois, ce soir où vous m'avez vue pour la dernière fois!

Stritch dit très vite :

— Quand M. Verner est venu chercher votre contrat d'apprentissage, j'ai été heureux d'accéder à son désir.

— Vraiment? J'ai entendu une autre version.

— Quoi que M. Verner vous ait dit, le gentilhomme qu'il était...

Hannah lui coupa la parole d'un geste brusque.

— Je ne vous ai pas convoqué pour parler de mon mari. Je pense qu'il vaudrait mieux que vous soyez assis pendant que je m'explique.

L'inquiétude passa sur les traits de Stritch. Il s'assit péniblement, ne cessant de regarder son interlocutrice avec circonspection.

Hannah prit le document sur ses genoux.

— Savez-vous ce que c'est?

— Non, madame...

— C'est un acte de propriété. *La Tasse et la Corne,* de même que le terrain, m'appartiennent, sir.

Stritch faiblit visiblement et s'affaissa légèrement; sa carnation normalement rougeaude prit une nuance grisâtre. Hannah poursuivit impitoyablement :

— J'ai l'intention d'augmenter votre loyer à la fin du mois.

— C'est que j'ai du mal à m'en sortir en ce moment!

(Sa voix se fit pleunicharde tandis qu'il demandait :) A combien se montera-t-il?

Hannah donna son chiffre.

— Mais c'est le triple de ce que je paie maintenant!

— Sir, je ne suis plus une servante ignare. Je sais compter. Non seulement j'augmente le loyer, il devra aussi m'être payé le premier de chaque mois.

— Ce n'est pas la coutume! Les loyers sont dus à l'année, après les récoltes, quand les clients paient leurs créditeurs!

— Il n'y pas de loi qui m'ordonne d'obéir à la coutume, sir. Ce sont mes conditions, monsieur Stritch.

— Il n'y a pas trois mois que j'ai payé mon loyer annuel au propriétaire. Il ne va plus rien me rester pour acheter mon alcool et ma nourriture. Il ne me restera plus qu'à fermer ma porte!

Hannah haussa les épaules avec indifférence.

Stritch la regarda de travers; ses couleurs lui revinrent.

— C'est ce que vous voulez, non? Femme ingrate qui portiez des lambeaux de vêtements quand je vous ai reçue chez moi pour vous donner un travail honnête et...

— ... et me forcer à venir dans votre lit, me battant jusqu'à ce que je n'aie plus la force de résister et pire encore, faire de moi une prostituée!

— Je suis désolé de vous avoir déshonorée, mistress Verner. Vous étiez si belle que j'en ai perdu la tête...

Tandis qu'il parlait, il dévorait la chair rosée et la poitrine opulente de Hannah. Elle frissonna comme s'il la touchait.

— Epargnez-moi vos bas mensonges, sir. Me croyez-vous assez stupide pour accepter vos explications? Vous êtes un homme vil, Amos Stritch, et je suis maintenant en état de vous rendre la monnaie de votre pièce. Je crois que nous avons terminé, conclut-elle en se levant.

Il se mit sur ses pieds en chancelant.

— Fille diabolique! Vous vous figurez que c'est parce que vous avez fait votre chemin en vous prostituant dans le lit d'un riche gentilhomme qui vous a épousée, que vous êtes plus que ce que vous êtes? Jouer à la grande dame alors que vous n'êtes qu'une vulgaire prostituée!

Il leva sa canne et clopina vers elle, la face tordue et mauvaise. La canne siffla dans l'air comme Hannah bondissait de côté. Stritch tituba, il faillit tomber. Hannah saisit une clochette sur le bureau et sonna.

Presque aussitôt, la porte du bureau s'ouvrit et John parut.

— Oui, mistress Verner?

— Jetez ce déchet dehors et veillez à ce qu'il quitte Malvern sur-le-champ!

John avança sur Stritch qui se redressa.

— Ne me touchez pas avec vos mains noires! Je m'en vais. Quant à vous, missy, vous entendrez encore parler de moi, je vous le jure!

Amos Stritch se laissa tomber sur le siège de la calèche louée. Il était ruiné!

Il ne voyait pas comment faire pour payer son loyer fortement augmenté et exploiter en même temps sa taverne. Tout l'argent qu'il avait épargné s'envolerait en un mois, deux au maximum, pour payer les alcools.

Il achetait la plupart de ses alcools à des bateaux de pirates à des prix intéressants. Les boucaniers prenaient des navires marchands venant d'Angleterre, de France et des Indes Occidentales; beaucoup de ces navires transportaient du vin, de l'eau-de-vie, du rhum et d'autres alcools. Ce que les pirates ne buvaient pas eux-mêmes, ils le vendaient à des taverniers à bas prix. Nombre d'aubergistes refusaient de traiter avec eux, mais Stritch n'avait pas ce genre de scrupules. L'ennui était que les pirates ne faisaient pas crédit, réclamant le paiement dès la livraison, et de préférence en monnaie espagnole.

Stritch savait qu'il n'avait plus qu'à fermer sa taverne tout de suite. Quel avantage aurait-il à poursuivre son commerce jusqu'à épuisement de ses économies? Il avait besoin du peu qu'il avait pour vivre en attendant de trouver un autre moyen de gagner sa vie.

Il poussa un gémissement, un gémissement proche des larmes. Il ne connaissait guère que la vie de taverne, ayant travaillé au comptoir dans différentes auberges. Ce fut par hasard qu'il entendit parler un jour de pirates qui avaient volé de l'alcool pour le vendre. Stritch s'était glissé dans les bonnes grâces de Barbe-Noire et lui avait proposé de lui servir d'agent commercial. Il avait réussi à tromper les pirates d'une part, qui ne connaissaient pas les véritables prix des alcools qu'ils vendaient, et les taverniers d'autre part. Ce fut ainsi qu'il rassembla suffisamment d'argent pour ouvrir *La Tasse et la Corne*.

Stritch soupira. Sans doute devrait-il reprendre ce commerce risqué. Risqué parce qu'on ne pouvait jamais faire totalement confiance à un pirate, toujours prêt à trancher une gorge dans une lubie d'ivrogne; et aussi parce que le commerce avec les pirates devenait de plus en plus impopulaire en Virginie. Mais il fallait bien vivre. Et étant donné son état de santé délabré, il n'était pas question qu'il retournât travailler derrière un comptoir au cas où il devrait fermer *La Tasse et la Corne*.

Il ruminait sur l'injustice dont il était l'objet. Plus tard d'une manière ou d'une autre, il serait en position de rendre son coup à Hannah, de lui faire regretter le jour où elle avait ruiné Amos Stritch!

Une idée lui vint. S'il joignait ses forces à celles des pirates, peut-être les persuaderait-il de faire un raid sur Malvern. Il devait y avoir beaucoup de choses de valeur là-bas. Cette garce portait une véritable fortune en bijoux. Et Stritch sentait qu'il devait aussi y avoir beaucoup d'argent.

Lorsqu'il était ivre mort, Tiche pouvait être assez téméraire pour entreprendre n'importe quoi dès qu'il était question de profit et de femmes.

Ils pourraient probablement remonter la James River en bateau, presque jusqu'à la porte de derrière du domaine. Qui trouveraient-t-ils pour les repousser? Une femme seule et quelques esclaves effrayés par leur propre ombre. Chacun savait que les nègres ne se battaient pas.

Revigoré, Stritch s'adossa au fond de la calèche. Fermant les yeux, il imagina cette garce possédée tour à tour par Tiche et ses hommes. Lui, Stritch, contemplerait la scène de tous ses yeux. Elle l'implorerait de l'aider, lui promettant de faire tout ce qu'il voudrait pourvu qu'il les éloignât.

Stritch rêvait du beau jour où il prendrait sa revanche contre la grande et puissante Hannah Verner!

13

— Ce serait une erreur, chère Hannah, dit André Leclaire.

— Pourquoi? demanda Hannah rageusement. Il n'y a eu ici que de la tristesse et du travail depuis la mort de Malcolm...

— Il n'y a pas encore un an que M. Verner est décédé. Selon la coutume, une veuve doit porter le deuil pendant un an.

— La coutume! Pouah! On n'arrête pas de me parler de coutume! J'ai travaillé dur, j'ai surveillé les plantations et la récolte qui vient de se terminer. J'ai été sur la brèche jour et nuit. Et je crois que j'ai fait du bon travail. Même Henry l'admet, quoique de mauvaise grâce d'ailleurs.

— Le travail! (André fit la grimace.) Le travail des champs qui fait transpirer, c'est convenable pour un homme, pas pour la lady que vous êtes devenue. Vous avez scandalisé vos voisins. Une femme dirigeant cette vaste plantation!

— Il fallait bien que quelqu'un le fasse. Auriez-vous préféré que je laisse tout aller n'importe comment? Nous avons eu une belle moisson et j'ai négocié la vente du tabac aussi bien qu'un homme.

— Vous auriez dû engager un homme pour diriger le domaine. Cela aurait été plus convenable.

— Convenable? Depuis quand André Leclaire se préoccupe-t-il de ce qui est convenable et de ce qui ne l'est pas?

— Il y a des choses qu'une lady ne doit pas faire, tout simplement.

— J'ai l'intention de diriger ma plantation, un point, c'est tout. Croyez-vous que je pourrais faire confiance à qui que ce soit?

— C'est ce qui m'inquiète, chère lady. Vous avez l'air de ne vous fier à aucun homme. Vous n'êtes pas encore majeure. Votre cœur est dur envers la gent masculine...

— Ce n'est pas vrai. Ce sont ces hommes... Et puis après tout, l'état de mon cœur n'est pas votre affaire.

— Si. J'ai de la peine de vous voir ainsi. Il faut que vous sachiez que je vous aime sincèrement, Hannah.

Sa hargne la quitta instantanément. Elle ne pouvait pas rester fâchée longtemps avec André. Elle lui prit la main.

— Cher ami, je sais. Alors, vous m'aiderez à préparer ce bal?

— Mon Dieu! Comme votre défunt mari me l'avait

déjà fait remarquer, vous êtes du genre obstiné! Ne vous ai-je pas toujours cédé? Mais vous le regretterez, j'en suis certain! ajouta-t-il la mine sombre.

— Pourquoi? Parce que quelques hypocrites ont refusé de venir? Nous nous passerons d'eux. Je veux des jeunes gens, gais et charmants. D'ailleurs, les autres viendront aussi, je le sais. Ce cher Malcolm lui-même m'a dit un jour que les Virginiens ne manquaient jamais une occasion d'aller au bal et de se divertir. Vous-même m'avez assuré que j'avais maintenant toutes les grâces d'une lady.

— Chère Hannah, parfois cela ne suffit pas, soupira André.

Bess également était contre ce bal.

— Bess, je sais que ce sera du travail pour toi, mais...

— C'est pas à cause du travail, ma douce. Seigneur! J'aime les grands bals autant que vous. C'est vous, enfant, on va vous faire du mal, tous ces blancs vont vous en vouloir de donner un bal si tôt après la mort de M. Verner.

— Bess, voilà presque un an! Tu parles comme André!

— Écoutez André. Il sait ces choses. Il prend vos intérêts à cœur.

— J'envoie les invitations cette semaine, Bess.

— Seigneur! il y a du démon en vous qui vous fait tirer la langue à tout le monde!

Bess et André avaient raison. Ce bal fut un échec.

Hannah prépara soigneusement la fête. Nourriture et boissons abondaient et elle fit venir un groupe de musiciens de Williamsburg. André lui confectionna une nouvelle robe en soie blanche. La jeune femme étincelait de bijoux, ses épaules nues et ses bras en étaient enveloppés. André lui affirma qu'elle était plus belle que jamais, et elle savait que c'était vrai.

Cependant, le nombre des assistants fut fort décevant. Peu de femmes se montrèrent; celles qui étaient là ne faisaient qu'observer Hannah et ne cessaient de chuchoter, allant même jusqu'à empêcher leurs maris de danser avec elle. Les hommes étaient en majorité et pour la plupart célibataires.

— Je ne comprends pas pourquoi vous êtes tellement surprise, chère lady, murmura André. Vous êtes un parti de premier choix pour les jeunes. Vous êtes belle, veuve et, qui plus est, riche.

— Vous voulez dire qu'ils m'épouseraient volontiers?

— Naturellement. Ils vont vous poursuivre à présent. Ce bal leur indique que vous êtes disponible.

— Ce n'est pas pour cela que j'ai donné ce bal!

— Eux vont le croire. Ils vont suivre vos pas à partir de ce soir, chère Hannah.

A mesure que la soirée avançait, l'humeur dépressive de Hannah s'estompait. Etant la seule femme célibataire, elle ne manquait jamais de danseurs. Elle dansa sans arrêt, ayant parfois le parquet tout entier pour elle et son partenaire.

Hannah remarqua cependant que tous se servaient largement de nourriture et de boissons. Ce fait enflamma son humeur et elle se mit à flirter ostensiblement avec tous les hommes, mariés ou célibataires. Elle fut alors la cible des regards meurtriers des dames. Redressant la tête, elle n'en poursuivait son jeu que plus joyeusement et envoyait fréquemment ses partenaires lui chercher une coupe de vin.

La tête de Hannah finissait par être un peu brouillée sous l'effet de la danse et du vin. Aussi dit-elle à l'un de ses cavaliers :

— J'ai besoin de prendre l'air. Voulez-vous m'accompagner, Jamie?

— Avec plaisir, milady.

Jamie Falkirk recula d'un pas, s'inclina et tendit son bras.

Parmi tous les jeunes gens présents, Jamie était celui que Hannah préférait. Il était grand et sec, avec des yeux d'un vert profond et des cheveux roux comme des flammes — il ne portait pas perruque. Bien qu'âgé de vingt-trois ans, il lui apparaissait comme un blanc-bec. Elle se sentait beaucoup plus vieille que lui. Et puis il respirait la franchise. Il parlait peu tandis que les autres n'étaient pas avares de flatteries. Il était bien habillé, mais sans affectation, comme tant d'autres. La plantation Falkirk jouxtait Malvern au nord, à une heure environ de cheval.

Il faisait frais dehors. Hannah respira profondément avant de remarquer que d'autres étaient là également. Ils parlaient avec animation, mais se turent en apercevant Hannah.

Hannah toucha légèrement le bras de Jamie :

— Aimez-vous les chevaux?

— Bien sûr, madame. Je suis à cheval presque tous les jours.

— Alors, descendons jusqu'à l'écurie. Je voudrais vous montrer quelque chose.

Les conversations reprirent à mi-voix derrière eux et Hannah sourit en imaginant quel devait en être le sujet.

Une lanterne brûlait doucement dans l'écurie. Hannah conduisit Jamie au box d'Etoile-Noire. La bête hennit quand il la vit, tendant le cou. Il fit un écart à la vue de Jamie.

— C'est bien, beauté, dit-elle doucement. Jamie est un ami.

Elle tendit la main pour caresser l'encolure frémissante. L'animal se calma et s'approcha de la porte du box.

— Quel cheval splendide! s'écria Jamie.

— Oui, n'est-ce pas? Les récoltes m'ont tellement occupée ces derniers temps que je n'ai pas eu beaucoup de temps pour le monter. Cela vous plairait-il de venir un après-midi et de faire une promenade à cheval avec moi?

— Bien sûr, dit-il avec chaleur.

— Et vos parents? Approuveraient-ils?

— Ils n'ont rien à dire, je suis majeur. Ils ne voulaient pas que je vienne... (Il se tut, le regard ailleurs.)

Hannah acheva doucement :

— Ils ne voulaient pas que vous veniez ici ce soir? Assister à un bal donné par une femme débauchée qui fut un jour une servante dans une taverne? Ils ont dit que ce serait la honte pour eux si vous veniez?

— Vous n'êtes pas toutes ces choses qu'ils ont dites. Je le sais. Vous êtes une lady, la plus jolie lady que j'aie jamais vue!

— Merci. Vous êtes gentil.

Elle lui toucha le visage du bout des doigts, comme une caresse.

Il émit un gémissement et fit tourner Hannah dans ses bras, sa bouche cherchant la sienne. Hannah le laissa faire pendant un moment. Elle se sentit répondre malgré elle. En dépit de sa jeunesse apparente, il semblait posséder une grande vitalité et une puissante virilité. Hannah songea qu'il ferait un excellent amoureux.

Elle se dégagea finalement avec douceur en murmurant :

— Nous devrions peut-être retourner au bal.

— Je suis désolé, madame, dit-il avec embarras. Je ne sais pas ce qui m'a pris.

— C'est bien, Jamie. Je vais faire une promenade à cheval demain. A 2 heures. Je serais heureuse si vous veniez avec moi.

Bien que ce fût la mi-novembre, une vague de chaleur avait envahi la Virginie, le fameux été indien. Hannah et Jamie Falkirk pique-niquaient à l'ombre d'un chêne, au bord de la James River.

Deux semaines s'étaient écoulées depuis le bal et Jamie Falkirk était venu à Malvern quatre fois au moins. Comme il faisait beau ce jour-là, Hannah avait prié Bess de leur préparer un panier de vivres et une bouteille de vin.

Jamie était un bon cavalier, meilleur qu'elle, mais son grand alezan ne pouvait rivaliser avec Etoile-Noire, tant pour la vitesse et l'endurance que pour l'agilité à sauter les obstacles.

Etoile-Noire et l'alezan paissaient à quelques mètres de l'endroit où leurs maîtres se reposaient.

Jamie était exceptionnellement pensif ce jour-là. Hannah qui mordait avidement dans une cuisse de poulet la brandit subitement devant son nez :

— A quoi pensez-vous?

Jamie sursauta et cessa de fixer la rivière pour la regarder :

— Je vous demande pardon, madame, j'ai été fort impoli.

— Ce n'est rien. Vous avez l'air tellement préoccupé. Qu'est-ce qui vous trouble?

— Vous, Hannah. Vous m'avez fortement troublé.

— Comment cela, sir?

— Vous occupez constâmment mes pensées. Et je rêve de vous la nuit.

— J'espère que ce sont des rêves agréables, au moins.

— Oui et non. Je rêve que je vous tiens dans mes bras et, quand je me réveille, vous n'êtes pas là.

Hannah fut à la fois surprise et touchée. Puis, avant même qu'elle s'en rendît compte, il avait fait le tour de la nappe du pique-nique et était assis à côté d'elle sur la couverture.

— Hannah, Hannah chérie, dit-il passionnément. Vous êtes si jolie. Je deviens fou quand je pense à vous.

Il l'enlaça et l'embrassa. Sa chemise était ouverte et sa large poitrine se pressa contre Hannah. D'abord en colère, Hannah posa ses mains sur son torse nu pour le repousser. Elle sentit ses muscles onduler sous ses doigts. Soudain, sa faim impatiente éveilla la même faim dans le corps de Hannah. Pourquoi pas? se demanda-t-elle. Ils étaient seuls, sans personne pour les voir. Sa bouche toujours sur la sienne il remonta ses jupes et jupons, ses mains lui caressaient l'intérieur des cuisses. Hannah fut prise d'une douce langueur. Elle se renversa sur la couverture avec un soupir.

Jamie s'étendit à côté d'elle. Le vin qu'elle venait de boire et la caresse de ses mains joints à la sensation rude puis douce des lèvres de Jamie suscitèrent en elle un léger étourdissement. Mais surtout, elle était curieuse. C'était la première fois qu'elle était avec un homme à peu près de son âge, un homme viril, dans toute sa force, un homme épris de ses charmes. L'impression d'insatisfaction qui l'habitait disparaîtrait-elle en faisant l'amour avec lui?

Jamie n'était pas l'expert en amour qu'avait été Malcolm, mais il suppléait à ce manque par sa jeunesse et la puissance de son corps. Il n'était pas rude et brutal comme Stritch et les pirates ivres.

Il avait réussi à délacer son corsage et à libérer sa poitrine. Elle caressait ses cheveux tandis qu'il embrassait le bout gonflé de ses seins. Hannah était vivante, vibrante de sensations. Quand Jamie la pénétra, elle murmura de plaisir et arqua ses hanches à sa rencontre.

Il fut tendre, il se mouvait lentement tandis que la passion montait dans le corps de Hannah, jusqu'à l'instant où elle perdit conscience. Vers la fin, il se fit rude et plus violent. Il cria son nom d'une voix rauque, son corps frémit et Hannah le serra contre elle. Au même moment que lui, elle éprouva un flot de plaisir chaud et, toute frissonnante, poussa un cri avant de s'immobiliser complètement.

Cependant, même alors qu'elle savourait encore son premier plaisir amoureux, un petit doute lui rongeait l'esprit. Il lui semblait qu'il lui manquait toujours quelque chose. Ce n'était pas l'extase surhumaine qu'elle attendait.

Hannah soupira. Peut-être était-elle trop exigeante. Elle avait de la tendresse pour Jamie, mais elle ne l'aimait certainement pas. L'avertissement d'André lui revint : « Ce serait du gâchis que de passer votre vie à haïr au lieu d'aimer, ce pour quoi vous êtes faite. » Sa haine pour Amos Stritch et Silas Quint l'avait-elle déformée, avait-elle brûlé tout l'amour qu'elle portait en elle? Serait-elle incapable d'aimer un autre homme?

Jamie interrompit le cours de ses réflexions.

— Vous n'êtes pas heureuse, Hannah? Vous paraissez tellement... Vous ai-je déplu?

— Non, cher Jamie. Vous m'avez fait énormément plaisir.

— Je vous désirais tellement, Hannah. Mais je n'avais pas l'intention de m'imposer à vous de cette manière.

— C'est très bien, Jamie. Ne vous chagrinez pas ainsi, dit-elle légèrement contrariée mais souriante. Après tout, Jamie, ce n'est pas comme si vous aviez défloré une vierge. J'ai été mariée, vous savez.

Le jeune homme rougit et Hannah cacha son amusement en se faisant brusque :

— Allons, il est tard. Il faut que je rentre.

Jamie accepta cette suggestion avec vivacité — presque avec soulagement, sembla-t-il à Hannah.

De retour à Malvern, au moment de la quitter, Jamie

considéra Hannah tandis qu'il se tenait auprès d'Etoile-Noire :

— Je n'arrive pas à exprimer ce qu'a été cette journée pour moi.

— Alors n'essayez pas, rétorqua-t-elle avec une soudaine rudesse.

— Sortirons-nous encore cette semaine?

— Si vous voulez. Je sors tous les jours à la même heure, avec ou sans vous.

Elle lança Etoile-Noire en direction de l'écurie. Hannah regarda derrière elle juste avant de passer la porte : Jamie était toujours à la même place et la suivait des yeux.

Elle trouva John et Dickie qui parlaient dans l'écurie. Dickie annonçait avec excitation :

— John revient de Williamsburg, milady. Tiche le pirate et sa bande ont été capturés ou tués. Barbe-Noire lui-même est tué! Ça s'est passé la semaine dernière. Les troupes ont envahi l'*Aventure*, leur bateau, sur ordre du gouvernement. La tête de Barbe-Noire a été suspendue à l'avant du navire des troupes!

— Quelle horreur, fit Hannah doucement en frissonnant.

John ajouta plus sombrement :

— C'est une bonne chose qu'on en ait fini avec ce pirate. C'était le diable!

Ces nouvelles n'intéressaient pas vraiment Hannah et elle quitta l'écurie. A mi-chemin de la maison pourtant, elle ralentit le pas en se souvenant de sa dernière soirée à *La Tasse et la Corne* et du gigantesque pirate qui l'avait prise de force. Elle se rappela vaguement qu'il était l'un des hommes de Barbe-Noire. Elle espérait ardemment qu'il faisait partie de ceux qui avaient été tués.

Elle rentra au manoir toujours frissonnante.

— Je vous aime, Hannah chérie! s'écria Jamie avec passion.

Hannah murmura une réponse inaudible. Quelques minutes plus tard, il était assis à côté d'elle sur la couverture. Hannah était appuyée au tronc d'arbre, contemplant rêveusement la rivière.

— Hannah, je voudrais que vous soyez ma femme.

Hannah tourna son visage vers lui, pas tout à fait sûre d'avoir bien entendu.

— Que disiez-vous?

— Je vous demande d'être ma femme. Je vous aime!

— C'est gentil. Je suis sûre que vous pensez m'aimer...

— J'en suis certain, je vous aime!

— Ne serait-ce pas de Malvern que vous êtes amoureux? demandait-elle d'une voix taquine.

— Hannah, ce n'est pas bien de dire cela. Vous savez que ce n'est pas vrai!

— Vraiment? Jamie, je suis flattée de votre proposition, mais je ne peux pas vous épouser, comprenez-vous?

— Pourquoi pas? demanda-t-il d'un ton presque querelleur.

— Parce que je ne vous aime pas.

— Vous apprendrez à m'aimer!

— Non, Jamie. Je ne veux pas vous épouser. Si ce qui s'est passé entre nous vous l'a laissé croire, j'en suis désolée.

— Vous n'aimiez pas Malcolm Verner et vous êtes pourtant devenue sa femme!

— Qu'est-ce qui vous fait croire que je ne l'aimais pas?

— C'était impossible. Un homme qui aurait pu être votre grand-père!

Sans même réfléchir, Hannah le gifla :

— Comment osez-vous, sir! Vous n'avez pas le droit de dire cela d'un mort!

Le visage du jeune homme tourna au rouge sombre :

— Alors, vous n'avez fait que vous amuser avec moi, vous laissant prendre comme... comme une prostituée! Ce qu'on dit de vous est donc vrai!

— Peut-être. Dans ce cas, je suppose que vous ne voudriez pas d'une telle femme pour épouse, n'est-ce pas? fit-elle en se levant.

Jamie se dressa d'un bond et saisit sa main, la mine contrite :

— Oh, je suis désolé, Hannah. Je ne sais pas ce qui m'a fait dire cela. Je sais que ce que l'on dit de vous est faux.

— Vous voyez pourtant par vous-même que c'est vrai. Je ne souhaite pas vous revoir à Malvern, sir.

Elle partit vers Etoile-Noire.

— Hannah, attendez! Ecoutez-moi! Je vous aime. Je vous le jure!

Inflexible, Hannah sauta en selle. Elle était tellement furieuse qu'elle usa pour la première fois de sa cravache, frappant l'animal au flanc. Etoile-Noire, sans doute étonné, partit en trombe. Ne voulant pas descendre pour ouvrir le portail, elle éperonna l'étalon qui bondit puissamment par-dessus la barrière. Sa colère tombait. Hannah ralentit peu à peu l'allure du cheval.

Elle était presque arrivée à la porte de l'écurie quand elle remarqua l'étranger qui longeait le mur et qui l'observait à travers la fumée qui s'élevait du cigare qu'il avait à la bouche. Il était jeune, grand, avec des yeux et des cheveux noirs. Ses vêtements étaient de bonne coupe.

Elle fit arrêter son cheval écumant devant la porte de l'écurie et se laissa glisser à terre.

Le visage de l'homme était manifestement désapprobateur.

— Vous le conduisiez un peu rudement, n'est-ce pas, madame?

— Cela vous regarde-t-il, sir? Cet animal m'appartient.

Dès que l'homme eut parlé, Etoile-Noire hennit et alla droit vers lui, de telle sorte que Hannah dut lâcher les guides. L'étranger s'écarta du mur de l'écurie et caressa la crinière d'Etoile-Noire.

Hannah crut reconnaître en lui quelque chose de familier et, pourtant, elle était certaine de ne l'avoir jamais vu auparavant.

— Qui êtes-vous, sir?

— Je suis Michael Verner, dit-il en l'examinant franchement.

— C'est impossible! Il est mort!

— Il semble que ce soit faux, madame, puisque je suis ici. Et je vous assure que je ne suis pas un fantôme! dit-il avec ironie.

14

L'échange de paroles cruelles qui avait eu lieu entre Malcolm Verner et son fils le dernier après-midi où ils s'étaient vus à Williamsburg avait été en grande partie une mise en scène de la part de Michael. C'était un rôle qu'il avait joué afin que les autres croient qu'il se séparait à jamais de son père et abandonnait le nom de Verner; il espérait que la rumeur atteindrait les oreilles d'Edouard Tiche.

Toutefois, une partie des sentiments qu'il exprima alors étaient vrais; la vie grise des planteurs le dégoûtait. Il aspirait à quelque grande aventure sur laquelle il aurait été d'ailleurs bien incapable de mettre un nom.

Mais au fond de son cœur, il aimait son père.

Pendant les quelques minutes qu'il avait passées à l'écurie avec son père le soir où celui-ci lui avait fait cadeau d'Etoile-Noire, le cœur de Michael s'était empli d'amour pour son père et il avait été bien près de révéler son secret.

Mais, au dernier moment, l'avertissement du gouverneur Spotswood l'avait arrêté. « Ne parlez de cela à personne, Michael, surtout pas à votre père. S'il savait que votre départ brutal est autre chose que ce qu'il croit, il pourrait vous trahir, même sans le vouloir. Nous ne savons pas à qui nous pouvons faire confiance. Votre vie pourrait être en péril, peut-être celle de votre père. Barbe-Noire est rusé et sans cesse aux aguets. Il faut qu'il soit convaincu que vous avez choisi d'être un pirate. Aussi, ne dites rien à personne, qu'il n'y ait que nous deux qui soyons au courant. Ne vous inquiétez pas, mon garçon. Votre père sera fier de vous et vous pardonnera quand vous aurez accompli votre mission. »

Michael avait été surpris lorsque le colonel Alexandre Spotswood, gouverneur royal de Virginie, le convoqua un soir en son palais pour une audience privée. Il avait ri sous cape en se remémorant l'histoire du « Palais du Gouverneur ». Les travaux de fondations avait commencé en 1706, alors que le gouverneur Nott était en place. Il disposait de trois mille livres pour construire un édifice digne du gouverneur royal, mais il apparut bientôt que cette subvention serait insuffisante. Les bourgeois s'étaient vivement plaints de la désinvolture avec laquelle le gouverneur Nott investissait les fonds publics dans cette construction. Les citadins parlaient ironiquement du « Palais »; le terme avait fait fortune...

Ce soir-là, après de brèves salutations, le gouverneur Spotswood annonça subitement :

— Il faut faire quelque chose au sujet de ce démon,

Barbe-Noire; le Ciel m'entende, j'ai l'intention de lancer une action contre lui. D'importants citoyens de toute la Virginie, et même de Caroline du Nord, sont venus me voir en clamant qu'il fallait agir. Pendant ce temps, il trouve d'ailleurs refuge en Caroline du Nord justement; c'est pour ainsi dire un hôte d'honneur du gouverneur Eden! (Très agité, le gouverneur Spotswood s'était mis à arpenter son bureau tout en poursuivant :) Ce maudit coupeur de gorge prend la mer quand il lui plaît, il aborde et pille les navires marchands et les galions espagnols qui transportent de l'or; il met le feu aux vaisseaux et assassine leurs équipages. Il rentre ensuite dans son asile de Caroline du Nord. Savez-vous que de méchantes rumeurs disent même que moi, le gouverneur royal de Virginie, je fais partie de sa cohorte et que je lui permets de piller et d'assassiner le long des côtes de Virginie, étant entendu que j'ai ma part du butin?

— J'ai entendu ces histoires, en effet, mais ce ne sont que des rumeurs et personne n'y croit vraiment, avait avancé Michael avec circonspection.

— Il n'empêche qu'elles existent! Et que les gens finiront par y ajouter foi un jour. C'est pourquoi il faut que j'agisse.

— Monsieur le gouverneur, je dois confesser mon étonnement. Dans quel but m'avez-vous convoqué, moi?

— Vous allez vous faire pirate et devenir un membre de la bande à Tiche!

— Je crains de ne pas bien comprendre, avait retorqué Michael avec stupéfaction.

— Mais si, mais si. Oh... pardonnez ma pauvre hospitalité, sir. Désirez-vous boire queque chose, Michael? De l'eau-de-vie?

Commençant à se détendre et intrigué par cet homme volubile, Michael se renversa contre le dossier de son fauteuil et croisa les jambes :

— J'accepterais volontiers, sir.

Le gouverneur Spotswood remplit deux verres sur la desserte et en tendit un à Michael. C'était un gentleman élégant dont le visage vermeil était dominé par un grand nez; sa perruque atteignait ses épaules. Il avala une gorgée d'eau-de-vie et se posta devant l'âtre une main posée sur le manteau de la cheminée sculptée.

— Que savez-vous de Barbe-Noire?

— Pas grand-chose à vrai dire, sir.

— C'est un homme énigmatique. Je me suis donné pour tâche d'en apprendre le plus possible sur cette canaille. Ses origines sont obscures. Personne n'est même certain de son nom; il est fort douteux qu'il s'appelle vraiment Edouard Tiche. Il est connu sous différents noms d'ailleurs. La plupart de ceux qui ont été en contact avec lui, même ses propres compagnons, disent qu'il est une brute sans foi ni loi et impitoyable. Sa vie a débuté à Bristol, le pays de sa mère. Selon de nombreux rapports, il est devenu pirate sur un bateau de corsaires qui partait de la Jamaïque, pendant les dernières années de la guerre de la reine Anne. Il a débuté avec une autre canaille, Stede Bonnet, un démon auquel nous avons eu souvent affaire ici, en Virginie. Tiche était pourtant plus malin que Bonnet et il ne tarda pas à prendre le commandement. On dit qu'il est à présent à la tête de nombreux hommes. Il faut arrêter ce bandit à tout prix, Michael.

— Ce gouverneur de Caroline du Nord, Eden, pourquoi n'entreprend-il rien, lui?

— Parce que l'homme est ligué avec Tiche! Je pense qu'il en partage le butin. Il permet aux pirates de se rassembler sur ses côtes. Le refuge de prédilection de Tiche, c'est Ocracoke, il y posséderait même une maison dite « le chateau de Barbe-Noire »; il s'y retire pour boire et mener joyeuse vie avec les femmes. Barbe-

Noire est un amateur de femmes notoire. On dit qu'il a été marié quatorze fois. Des farces plus que des mariages véritables, bien sûr, étant donné que les femmes qu'il épouse sont souvent celles qu'il a capturées sur les navires marchands.

— L'homme a un aspect terrifiant d'après ce que j'ai entendu dire, remarqua Michael.

— Réputation bien méritée, soyez-en certain. C'est un géant qui possède une force physique incroyable et parfaitement entraîné au maniement du pistolet et du sabre. Il se laisse pousser la barbe sans jamais la tailler, elle envahit son visage presque jusqu'aux yeux; elle est tressée en plusieurs nattes dont les bouts sont arrêtés par des rubans de couleur. Oui, Michael, il est terrifiant, mais aussi sans peur aucune et il manie n'importe quelle arme.

— Monsieur le gouverneur, j'ai l'impression que vous essayez de m'effrayer avant même que je sache ce que vous attendez de moi exactement dans cette affaire, dit Michael avec un sourire amusé.

— En effet, Michael. Je veux que vous sachiez tout ce dont ce scélérat est capable.

— Parfait. A présent que je suis effrayé et impressionné, peut-être aurez-vous l'amabilité de m'indiquer le rôle que j'aurai à jouer dans votre plan?

Le gouverneur Spotswood vida son verre et le reposa avant de se redresser de toute sa taille. Il sembla à Michael qu'il venait de revêtir le manteau de l'autorité pour mettre quelque distance entre eux.

— Votre tâche est de devenir un membre de la bande de pirates dont Barbe-Noire est le chef!

— Oui, j'avais compris, mais dans quel but?

— J'ai besoin d'une personne de confiance. J'ai besoin d'un espion dans le camp ennemi.

Michael se dressa, mal à l'aise.

— Pardonnez mon audace, monsieur le gouverneur,

mais il me semble qu'il ne manque pas d'hommes plus aptes à cette tâche que moi.

— Plus aptes, peut-être, mais je ne sais pas à qui me fier. J'en ai envoyé d'autres, ils sont revenus me dire qu'ils ne pouvaient rien apprendre, qu'ils n'avaient pas pu trouver de preuves! Je n'ose user de mon autorité pour aller capturer cette canaille dans une autre colonie. On m'a même chuchoté que Richard Fitzwilliam, collecteur des droits de douane dans le secteur de la James River inférieure, a partie liée avec Barbe-Noire, étant son agent et son conseiller juridique. Comprenez-vous le problème auquel je suis confronté?

— Oui, je comprends, sir. Mais encore une fois : pourquoi moi?

— Parce que vous êtes un Verner, je peux vous faire confiance. Et pour être franc, c'est aussi parce que vous êtes l'héritier d'un domaine considérable. Cet homme ne saurait vous corrompre. Il existe aussi une autre raison qui fait de vous l'homme idéal... Tiche a une manie. Il lui plaît de recruter ses membres parmi la haute bourgeoisie et la noblesse. Etant lui-même de souche paysanne, il est ravi d'avoir des gentilshommes comme subordonnés dans la mise en œuvre de ses lubies cruelles et de faire d'eux ses lieutenants. Barbe-Noire étant presque sans instruction et ses hommes de main n'en ayant pas du tout — la plupart ne sont que des brutes ivrognes — il a besoin de quelques hommes comme vous, Michael.

La première surprise passée, Michael était de plus en plus intrigué par cette proposition. Devant le sourire du gouverneur, Michael se rendit compte qu'il s'était trahi. Le gouverneur poursuivait en effet :

— Cela vous intéresse, n'est-ce pas? Je m'en étais douté. Oh, ne prenez pas la peine de le nier. Je me souviens comment j'étais à votre âge, le sang chaud, me frottant durement aux contraintes et aux conventions, aspirant à un brin d'aventure. J'ai pu observer votre caractère agité, et même impétueux cette année. Vous allez avoir vingt et un ans, n'est-ce pas?

Michael hocha la tête affirmativement.

— On m'a parlé aussi de votre habileté à l'épée et au pistolet, vous êtes de plus un homme de cheval...

— Simplement comme distraction ou sport inoffensif, sir, mais jamais en vue d'un combat sérieux. Et puis sur un bateau, cela ne me servira pas à grand-chose.

Tenant sans doute pour acquise l'acceptation de Michael, le gouverneur Spotswood alla plus avant :

— La navigation s'apprend et quoi que l'on puisse dire par ailleurs d'Edouard Tiche, c'est un marin exceptionnel. Vous comprenez que je ne dois pas financer votre mission; vous devez vous présenter devant Barbe-Noire sans aucun argent, sinon, il ne vous croira pas. Vous recevrez cependant une récompense substantielle si vous réussissez. Il faut que vous en soyez réduit à vivre par vos propres moyens, comme on dit, avant de rejoindre l'équipe de Tiche.

— Sir, en quoi consiste exactement cette mission?

— Rassembler des preuves comme quoi Barbe-Noire est vraiment un pirate et un coupeur de gorge, de telle sorte que je puisse éventuellement envoyer des troupes dans la colonie du gouverneur Eden, en Caroline du Nord, où elles appréhenderont ce prince des canailles. Mieux encore, me fournir des informations sur les razzias qu'il effectue sur le sol de la Virginie et au large des côtes virginiennes. Je pourrai ainsi envoyer des vaisseaux militaires qui le captureront. La Couronne ne me fournira pas de fonds pour équiper un ou deux avisos de combat, mais je suis prêt à utiliser mes propres fonds dans ce but, et avec joie! J'ai donc besoin de toutes les preuves possibles concernant cette cohorte. Il doit coopérer avec d'autres personnes en plus du gouverneur Eden. J'ai un homme à Bath, un forgeron nommé Will Darcy, qui me transmet des informations.

— Cela peut prendre assez longtemps.

— En effet, Michael. Certainement même. Ce qui ne sera pas plaisant, naturellement. Je m'imagine bien qu'un jeune homme romantique et aventureux puisse trouver tentant un séjour pas trop long parmi les pirates, mais si ça doit durer, bien sûr... Préparez-vous à y passer un an, peut-être davantage. Pire encore : provoquez une querelle avec votre père en présence de témoins. Il faudra qu'Edouard Tiche l'apprenne pour être totalement convaincu. Ce sera amer pour vous, mais il le faut.

Ce fut alors que le gouverneur fit jurer à Michael le secret absolu.

Ce qui fut fait. Mais cela laissa à Michael un arrière-goût encore plus amer qu'il n'aurait cru. A la suite des quelques paroles acrimonieuses échangées avec son père dans la rue de Williamsburg, Michael dut faire un effort considérable pour rentrer à la taverne après que Malcolm Verner l'eut frappé. Il ne désirait alors rien d'autre que se jeter au cou de son père en lui demandant pardon.

Il demeura à Williamsburg le temps de gagner suffisamment d'argent aux cartes pour s'acheter un cheval bon marché, une paire de pistolets et un sabre; également des vêtements grossiers convenant à l'homme qu'il allait être pendant l'année à venir.

Lorsqu'il quitta Williamsburg, il éprouva un sentiment de liberté et de soulagement. Il s'embarquait pour l'aventure!

Il chevaucha en direction de la côte de la Caroline du Nord, Bath étant sa première étape.

Bath était une ville primitive, même selon les critères du temps, habitée par des gens plus frustes que ceux qu'il avait coutume de côtoyer. De nombreux bateaux étaient ancrés dans le port. Bien qu'aucun ne battît pavillon pirate, la tête de mort et les os croisés, Michael apprit bientôt que certains de ces bateaux servaient à la piraterie.

La plupart des hommes de Bath étaient marins et beaucoup d'entre eux ne cachaient pas qu'ils vivaient de la piraterie. Adoptant leur comportement grossier, Michael but avec eux et joua aux cartes. Il supportait heureusement bien l'alcool, ce qui lui permettait de rendre verre pour verre tout en conservant les idées claires tandis qu'eux laissaient aller leur langue. Pourtant, ce ne fut qu'au bout de quatre mois qu'il entendit parler de faits plus substantiels que de simples rumeurs. Édouard Tiche avait réussi deux prises récemment, et il avait fait voile sur Charlestown, en Caroline du Sud, pour vendre son butin.

— Il va s'arrêter à Bath bientôt, dit l'homme à Michael en attendant une autre cruche de rhum. Barbe-Noire s'arrête toujours ici avant de rentrer chez lui pour payer la goutte à ses vieux compagnons.

C'est ainsi que, quelques jours plus tard, en fin d'après-midi, Michael observait du quai le bateau de Barbe-Noire, le *Revanche de la Reine Anne*, qui pénétrait dans le détroit de Pimlico. L'ancre fut jetée de loin, les voiles baissées et ferlées. Deux barques se dirigèrent bientôt vers la côte.

Michael était parmi la foule. Aucun doute dans son esprit quant à l'identité d'Edouard Tiche dit Barbe-Noire, le prince des canailles selon le gouverneur de Spotswood.

A l'avant de la première barque se dressait un géant à la barbe noire dont les tresses multiples se terminaient par de petits rubans de couleur. Il avait posé un pied sur la proue. Les eaux étaient calmes mais il y avait cependant un léger remous; Barbe-Noire accompagnait le roulis aussi naturellement qu'il respirait. Il portait un couteau dans sa main, le soleil couchant en faisait luire la lame d'acier. Un grondement s'éleva parmi les hommes à terre; le pirate leva alors son couteau pour l'abaisser ensuite violemment, comme pour trancher une tête. Il s'ensuivit un nouveau grondement Barbe-Noire brandit l'autre main qui tenait une bouteille de rhum. Il but à larges goulées, la tête rejetée en arrière.

Il apparut bientôt que les hommes de la barque étaient tous ivres. Barbe-Noire se détachait au-dessus des têtes qui l'entouraient, plastronnant et rugissant l'histoire de ses derniers méfaits tandis que tous se dirigeaient vers le centre de la ville.

— Où sont les femmes, cap'taine Tiche?

— Pas de femme à bord des deux derniers bateaux! aboya Barbe-Noire.

Barbe-Noire en tête, ils pénétrèrent dans la première taverne. Le pirate s'avança et lança une poignée de pièces d'or sur le comptoir.

— Du rhum pour tous. C'est Tiche qui paye.

Michael se faisait aussi discret que possible à l'arrière-plan. Il n'était pas prêt à rencontrer Barbe-Noire bien qu'il ait eu déjà une vague idée de la manière dont il fallait procéder. Il rentra finalement dans la pauvre chambre qu'il avait dénichée dans une auberge du haut de la rue. Lorsqu'il retourna à la taverne le lendemain, en fin de matinée, Barbe-Noire était toujours attablé, régalant ceux qui étaient encore capables d'écouter le récit de ses actes sanglants. Des hommes étaient étalés sur les tables et sur le sol, cuvant leur vin. Par contre, l'alcool semblait n'avoir que peu d'effet sur Tiche. La taverne puait le rhum, le vomi et l'excrément.

Michael se glissa dehors au bout d'un moment. Il passa l'après-midi à courir la ville à la recherche de deux hommes qui l'aideraient à exécuter son plan. La plupart de ceux qu'il accostait blêmissaient de terreur à sa proposition et s'esquivaient. Il finit par trouver deux hommes à la mine patibulaire qui avaient travaillé pendant quelque temps pour Tiche mais qui avaient été exclus de sa bande. Ils étaient grands et lourds. Une cicatrice zigzaguait sur la joue de l'un d'eux. Même eux refusèrent la tâche que leur proposait Michael... Jusqu'à ce que ce dernier remplît leurs poches avec tout l'argent qu'il possédait lui-même.

— Pour cette somme, je veux bien tuer ce bâtard sanglant si vous voulez, m'sieur, dit l'homme à la cicatrice. Vous voyez ça? insista-t-il en portant ses doigts sales à sa joue balafrée et violacée. C'est Tiche, ce fils de putain, qui m'a fait ça!

— Mais non, doucement, répliqua Michael vivement. Mort, il ne me servira à rien. Il s'agit juste d'un coup monté, mais qui aurait l'air vrai. Quand j'arrive, faites semblant de l'attaquer, et puis enfuyez-vous aussitôt comme si vous sauviez votre peau. Rappelez-vous, attendez mon signal!

Michael retourna en hâte à la taverne, craignant un peu que Tiche ne soit parti dormir. Mais le pirate était bien là, de nouveaux visages autour de lui, tous écoutant avidement les louanges qu'il se décernait à lui-même.

Michael s'assit sur un banc, contre un mur, en sirotant lentement une bière.

Edouard Tiche ne quitta la taverne que vers minuit. Il titubait légèrement et s'agrippa au mur :

— Allons, les gars, faut retourner au bateau. Il est temps que Tiche prenne un peu de repos.

Comme Michael l'avait espéré, les compagnons du pirate étaient trop ivres pour l'accompagner. Barbe-Noire sortit seul, sa grande carcasse encore en équilibre remarquable étant donné la quantité de rhum qu'il avait ingurgitée.

Michael le suivit au bout d'un moment. La nuit était noire; seules quelques torches brûlaient au coin des rues. Michael resta à quelques mètres en arrière de Barbe-Noire qui descendait la rue d'un pas mal assuré et chantait à pleins poumons une chanson paillarde. Michael aperçut enfin deux silhouettes titubant à l'entrée d'une impasse. Michael tira son sabre et le brandit au-dessus de sa tête, selon le signal convenu.

Les deux hommes quittèrent l'impasse en chargeant, sabres d'abordage en avant, avec des cris terrifiants. Pour un homme saturé de rhum, Barbe-Noire réagit avec une rapidité étonnante. Il se courba et louvoya, évitant les lames brandies à toute volée; il réussit à s'appuyer contre un mur; il tint soudain son propre sabre à la main, comme par magie. Il ripostait en proférant d'énormes jurons.

Michael arriva en courant tandis que Barbe-Noire tenait fort habilement sa propre partie. Michael se plaça à côté du pirate. Ce dernier lui lança un regard perçant, sans doute pour voir s'il s'agissait d'un nouvel adversaire.

Les deux assaillants commencèrent à perdre du terrain sous les coups puissants de Michael et Barbe-Noire. Tout à coup, touché au bras par le sabre de Barbe-Noire, l'un des hommes laissa tomber son arme pour tenir le bras qui saignait. Il tourna les talons en criant et s'enfuit. L'autre combattit encore un peu puis s'enfonça bientôt dans l'obscurité de la rue.

Le pirate fit quelques pas dans leur direction :

— Battez-vous, au moins; espèces de mauviettes au foie de poulet!

Puis il essuya tranquillement sur ses culottes le sang qui s'égouttait de son sabre, il le glissa dans son fourreau et se tourna vers Michael en fronçant fortement les sourcils :

— Qui es-tu, mon gars?

— Je... Je m'appelle Michael Verner.

Tiche l'examina pendant un long moment, toujours

renfrogné, et Michael était tendu, l'épée toujours en main.

— Michael Verner? De Williamsburg? On m'a parlé de toi. Tu parles comme un gentleman. Comment se fait-il qu'un fin monsieur comme toi se promène dans les rues à cette heure? Tu voudrais te faire pirate, non?

— J'y ai songé, oui.

— Tu cherches le pillage et l'aventure?

— Quelque chose comme ça, fit Michael en hochant la tête.

Tiche caressa sa barbe :

— Tu sais te battre, un peu maladroit mais souple sur tes pieds, comme un danseur. Ton épée est trop légère à mon goût. Aurais-tu dans la tête l'idée de t'associer au vieux Tiche?

— Si vous le voulez.

— Un beau dandy, mon gars. (Tout à coup, Barbe-Noire aboya un grand rire et abattit son bras puissant autour des épaules de Michael.) Bienvenue à bord, mon gars! Et merci pour ton aide. C'est pas que j'en avais besoin, tu comprends... Range ton arme, mon gars, et monte à bord avec moi. J'ai besoin de dormir, ça, c'est sûr, dit-il en bâillant.

Le quai était désert; les barques de Barbe-Noire se balançaient. Tiche lança un cri qui se répercuta le long de la côte. Pas de réponse.

— Les bougres! Je ne comprends pas qu'un homme tienne pas la boisson. Tous saouls et endormis, c'est sûr. (Il descendit détacher l'une des barques et y fit monter Michael.) Ils reviendront au bateau à la nage, une seule barque peut pas les porter tous.

Tiche s'assit sur le banc arrière et prit les rames. Il propulsa l'embarcation sans effort apparent jusqu'à son vaisseau, sans cesser de chanter. A son approche, ce fut le branle-bas sur le pont; l'équipage réduit qui était resté à bord se précipitait pour lancer l'échelle. Barbe-

Noire entrava la barque et grimpa à l'échelle, agile comme un grand singe. Michael le suivait plus lentement, l'estomac serré. Il n'avait connu jusque-là que les petites embarcations de la James River.

A bord, Tiche balaya ses pirates de la main et conduisit Michael dans sa cabine. Elle était vaste et bourrée de meubles hétéroclites très probablement pris sur des navires marchands capturés. Tiche alla jusqu'à un hamac fait de cordages suspendu à l'extrémité de la cabine.

— Installe-toi là pour la nuit, mon gars. C'est là que je fais coucher mes hôtes particuliers.

Il lança son rire énorme et rejoignit sa couchette, le long du mur opposé. A présent qu'il était chez lui, Tiche semblait complètement ivre. Il s'affala sur sa couchette, n'ayant ôté que ses armes. Il ronfla presque aussitôt.

Michael était fatigué aussi, les dernières heures avaient été pénibles. Il retira ses chaussures, ses bas et sa veste avant de s'étendre dans le hamac. Il se demandait comment il allait s'y prendre pour s'accommoder de sa nouvelle vie de pirate. Il lui fallait gagner la confiance de Barbe-Noire s'il voulait rester membre de sa bande; il lui fallait être un pirate jusqu'à la fin de sa mission.

Ses pensées s'estompèrent peu à peu et le léger balancement du navire l'aida à s'endormir.

Il s'éveilla un peu plus tard au mouvement du vaisseau. Il avait pris la mer. La couchette de Barbe-Noire était vide. Il voulut se lever mais n'en fit rien : il avait le temps d'apprendre le but du voyage. Il se rendormit.

La seconde fois, ce fut un coup de botte sur ses fesses, à travers les mailles du hamac, qui le réveilla.

— Debout, mon gars! Habille-toi et sur le pont, jeune Dancer!

Michael s'assit en clignotant des yeux.

— Comment m'avez-vous appelé?

— Dancer, compagnon! (Barbe-Noire riait de tout son cœur.) Plus de Michael Verner. Personne ne porte son vrai nom dans l'équipe de Tiche. Pour les curieux, Michael Verner est mort et inhumé en mer. Et comme t'as l'air d'un danseur quand tu bouges, tu t'appelleras Dancer! Ça fait bien, non?

Barbe-Noire quitta la cabine. Michael s'habilla, constatant que le vaisseau était immobile. Sur le pont, il trouva Tiche près du bastingage; il regardait en direction de la côte. Ils étaient ancrés dans une anse quelque part au large de la côte de la Caroline. Ce fut du moins ce que supposa Michael en remarquant que le soleil était juste derrière eux, ce qui signifiait qu'ils ne devaient pas être loin de Bath.

— Entendu parler du château de Barbe-Noire, mon gars?

A une centaine de mètres s'étendait un cap, à vrai dire guère plus qu'un banc de sable portant quelques arbres et arbrisseaux tordus par le vent et qui s'obstinaient à y pousser. Michael n'avait jamais vu une construction aussi étrange que ce château de Barbe-Noire. Il semblait fait de deux ou trois bateaux assemblés et débarrassés de leurs mâts.

Barbe-Noire rugissait de rire.

— T'attendais peut-être quelque chose de grandiose? C'est bien trois navires que Tiche a capturés et traînés sur le sable; on les a cloués ensemble après. J'ai vidé l'intérieur et je me suis fait une place pour habiter. Pas beaucoup de gens savent où est le château de Barbe-Noire, pas même mes hommes. C'est assez grand pour Tiche.

Tiche demanda d'une voix toniturante qu'une barque fût abaissée. Tandis que les pirates s'empressaient d'obéir, Michael nota que l'équipage était toujours réduit. Quand la barque fut dans l'eau, Tiche descendit l'échelle, suivi de Michael. Tiche prit les rames, laissant les autres sur le bateau. Il échoua la barque sur le sable. Aucun signe d'activité ne venant du « château », Michael se demanda s'il était désert. Il éprouvait de l'appréhension. Tiche l'avait-il amené ici pour le tuer?

Haussant les épaules, il suivit le pirate par une porte taillée dans le flanc de ce qui était le bateau du milieu. Tiche aboya alors :

— Sally, Nell, où êtes-vous? Remuez vos derrières!

Michael regarda autour de lui avec une curiosité non déguisée. Il ne restait des navires que les flancs et les ponts qui servaient de toit. L'espace évidé était rempli d'objets et de meubles de toutes sortes provenant probablement aussi du pillage de navires marchands. Le sol était recouvert de tapis aux riches couleurs et les murs tapissés d'étoffes en tous genres et de toutes les teintes de l'arc-en-ciel. Une immense cheminée faite de pierres brutes avait été aménagée dans la paroi du fond. Deux canapés s'étendaient le long de ce même mur, un de chaque côté de l'âtre.

Son examen fut interrompu par l'arrivée précipitée de deux femmes par une porte percée à l'extrémité de la pièce. Elles se jetèrent dans les bras de Tiche. Il les souleva et virevolta avec elles tout en lâchant son gros rire. Elles ne portaient que des vêtements de nuit et Michael aperçut quelques éclairs de jambes blanches tandis qu'elles tournaient.

Barbe-Noire s'immobilisa enfin, une femme sous chaque bras.

— Mes épouses, Dancer. Sally, Nell, saluez Dancer. Vous allez le voir souvent.

Nell était jeune, à peine plus de seize ans, avec une tête ronde, de joyeux yeux bleus et de longs cheveux bruns. Sally était un peu plus âgée, cheveux et yeux noirs.

— Laquelle tu préfères, mon gars?

— Pardon?

— Quelle fille tu préfères? Bon Dieu! Tu comprends pas la langue de Sa Majesté? (Michael ne répondant pas, Tiche poussa Sally vers lui.) Prends Sally. Si j'ai bonne mémoire, c'est avec elle que j'ai couché la dernière fois. A moins que ce n'ait été avec les deux? Ça fait rien. Les deux sont comme des flammes au lit. T'essaieras Nell une autre fois.

Propulsée par Tiche, Sally tituba contre Michael. Il lui entoura la taille de son bras. Il sentit les contours de son corps à la fois dur et doux à travers le vêtement léger. Une étincelle traversa Michael malgré lui. Il considéra Barbe-Noire par-dessus la tête de Sally. Le pirate le regarda à son tour, la mine impassible.

Tiche éclata de rire et emmena Nell vers l'un des lits, désignant l'autre à Michael qui s'exclama :

— Dans la même pièce, comme cela?

— Oui, mon gars. A moins que ta noblesse soit pas d'accord pour culbuter une fille devant un autre homme?

Michael pensa que c'était là en quelque sorte un test. Il eut un haussement d'épaule d'indifférence.

— Je n'ai pas d'objection, si vous-même n'en avez pas.

— Alors, allons-y! lança Tiche.

Comme à un signal, Sally se libéra de Michael, se débarrassa rapidement de sa chemise et s'immobilisa pendant un moment, sans sourire. Elle était avenante, seins hauts et fermes, ventre plat, jambes longues et minces, chair rosée.

Le cœur de Michael battit plus vite et il sentit sa virilité s'éveiller... Si c'était là tout ce que Barbe-Noire attendait de lui... Il s'efforça d'ignorer que le pirate l'avait possédée avant lui.

Sally était allongée sur le dos, un sourire léger sur son visage. Sur le lit voisin, Tiche et Nell étaient nus, Tiche rugissant, Nell riant.

Michael rejoignit Sally qui le caressa et fit toutes sortes de choses pour l'exciter davantage. Ils roulèrent en travers du lit. Michael jeta un coup d'œil de l'autre côté : le petit corps de Nell disparaissait presque entièrement sous la masse énorme de son partenaire.

Michael se retourna vers Sally et la prit rudement et impérieusement. Elle glapissait, l'entourant de ses bras et de ses jambes, prête à répondre à toutes ses demandes.

Cependant, alors même que son corps flambait de plaisir, il faisait mentalement une petite prière : « Mon Dieu qui êtes aux cieux, faites que cette fille n'ait pas la maladie! »

15

Lorsque le *Revanche de la Reine Anne* se trouva à portée de tir du vaisseau marchand français, Barbe-Noire donna l'ordre de hisser le drapeau à tête de mort.

Tiche était sur le pont avant, Michael à côté. S'approchant rapidement du navire français lourdement chargé, Barbe-Noire lança un ordre au timonier; le bateau vira, se montrant de flanc à l'autre bateau. Barbe-Noire hurla :

— Feu! Et visez bien!

Les canons balayèrent les ponts du navire français. Ce dernier n'était équipé que de quelques canons; il ne tarda pas à donner de la bande. Barbe-Noire ordonna un autre tir. Cette fois-ci, lorsque la fumée se dissipa, Michael ne vit plus personne debout sur le pont. Sans direction, le bateau français faisait des embardées sauvages. Les pirates étaient tout près maintenant; ils lancèrent des grenades — des bouteilles remplies de poudre, de chevrotine et de limaille de fer, et munies de mèches fumantes — sur le pont du bateau déjà endommagé. Barbe-Noire se préparait à aborder.

Les deux vaisseaux se heurtèrent en douceur. Barbe-Noire brandit alors son sabre en commandant l'abordage. Lui-même fut le premier à se lancer sur le bateau français, un câble à la main pour attacher les deux navires. Michael le suivit. Derrière eux les autres pirates grimpaient pêle-mêle sur le plat-bord comme des fourmis sur un tas de fumier.

Il y avait encore des hommes en vie sur le navire marchand. Ils arrivèrent en essaim du pont inférieur, armés de sabres et de pistolets.

Michael et Tiche avancèrent côte à côte. Tiche tenait un sabre dans une main et un pistolet de l'autre. Michael n'avait que son épée. Ils avaient pris de nombreux bateaux depuis cinq mois que Michael s'était joint à Tiche. Michael essayait toujours d'éviter de tuer, sans trop en avoir l'air. Il ne le faisait que pour se défendre.

Ils engagèrent le combat avec trois hommes. L'un fit feu, et la balle siffla aux oreilles de Michael. Michael chargea avec son épée avant que l'homme n'eût le temps de recharger son pistolet. L'homme laissa tomber son arme et s'écroula. Michael se retourna pour voir si Tiche, aux prises avec les deux autres Français, avait besoin d'assistance. Comme d'habitude, le chef pirate n'avait besoin de rien! Il souffla littéralement l'un des deux hommes en lui tirant un coup de pistolet en plein visage. Il chargea ensuite l'autre, son sabre fendant l'air et aboyant des jurons obscènes. Son adversaire laissa tomber son sabre et recula jusqu'au bastingage, les yeux exorbités de terreur. Barbe-Noire lui enfonça tranquillemnt la pointe de son sabre dans le cœur et le sang jaillit comme d'une fontaine.

Michael détourna le regard de ce carnage. Il examina

le pont. C'était terminé. Les pirates s'étaient rendus maîtres du navire français. Les cadavres jonchaient le pont gluant de sang. L'odeur de la poudre et du sang mélangés était écœurante à vomir. Michael se demandait s'il s'y habituerait jamais.

Plus tard, il apprit que l'équipage du bateau français avait eu dix tués. Tiche n'avait pas perdu un seul homme, quelques-uns souffraient seulement de blessures bénignes.

Le commandant du bateau français était vivant. Barbe-Noire lui expliqua, par le truchement de Michael, qu'il pourrait continuer sa route sans autre perte s'il n'offrait pas de résistance. Ils pourraient faire voile dès que la bâtiment serait allégé de sa cargaison. N'ayant guère le choix, le Français hocha la tête en signe d'assentiment.

Edourad Tiche se frotta les mains avec allégresse.

— Vite en bas, mon gars! Voyons ce que cette journée de travail nous a rapporté.

Le bateau transportait des parfums, de la soie et surtout de l'eau-de-vie, des vins et autres spiritueux.

— Bonne journée! J'ai déjà des clients pour l'alcool français!

Michael fumait un cigare près du bastingage du bateau pirate. Le bateau se dirigeait vers le nord, en direction de la côte virginienne, peut-être Williamsburg. Michael était amer. Il attendait ce moment depuis si longtemps. Malheureusement, il ne lui avait pas été possible d'envoyer un message au gouverneur Spotswood pour l'avertir de sa visite éventuelle. En effet, au lieu de se mettre à l'ancre dans le port, Tiche avait préféré remonter la côte immédiatement après avoir laissé partir le vaisseau français.

Ces derniers mois avaient été bien étranges pour Michael. La vie de pirate n'était pas précisément celle dont il avait rêvé. Il y avait bien eu quelque excitation et un goût certain pour l'aventure au début, mais maintenant, il était las des pillages et des tueries.

Il avait beaucoup changé extérieurement : Tiche lui avait suggéré de se laisser pousser la barbe.

— T'es ma main droite, mon gars. Ta barbe sera le signe que t'es l'homme que les autres doivent écouter quand Tiche n'est pas là.

De plus, Michael avait adopté une apparence quelque peu précieuse, toujours pour répondre à une idée de Tiche. Il portait les vêtements les plus élégants et un anneau serti d'une perle pendait à l'une de ses oreilles. Michael soupçonnait Barbe-Noire de considérer cela comme une vaste plaisanterie, mais jamais il n'en fit des gorges chaudes.

Michael se demandait s'il avait changé intérieurement. Un homme pouvait-il vivre pendant longtemps la vie brutale d'un pirate sans se transformer?

Edouard Tiche était aussi un sujet de réflexion pour lui. Un être étrange, paradoxal et plein de contradictions. Un meurtrier, certes. Il tuait sans scrupules dans une bataille. Mais une fois tombée la chaleur du combat, il faisait preuve d'une mansuétude dont manquaient la plupart des pirates. Jamais il ne torturait ses prisonniers; il les laissait s'en aller après avoir pillé leurs vaisseaux. On disait aussi qu'il emmenait les femmes qu'il trouvait sur les navires capturés. C'était faux; du moins n'était-ce jamais arrivé depuis que Michael était avec lui. Ils avaient laissé partir les quelques femmes qu'ils avaient rencontrées, souvent en dépit des grognements réprobateurs des hommes de Tiche. Il est vrai que Tiche avait des femmes dans son château. La plupart semblaient cependant tout à fait consentantes.

Toutefois, ce qui étonnait le plus Michael, c'était l'attitude du pirate à l'égard des nègres. Un tiers au

moins de l'équipage était composé de Noirs, en majorité des esclaves en fuite. Tiche veillait à ce qu'ils
reçoivent la même part de butin que les autres. Intrigué, Michael l'avait un jour questionné et Tiche avait
grommelé :

— Tout homme devrait être libre de faire ce qu'il lui
plaît, mon gars. Couleur et race, ça n'a pas d'importance. Pour Tiche, un Noir est comme un autre homme
du moment qu'il est capable de faire ce que je lui
demande. Qu'est-ce que c'est, la vie de pirate? Une vie
libre où tout le monde est égal et prend tout ce qu'il
peut aux autres. Ces messieurs de la noblesse pensent
que Tiche est une canaille et un vaurien. C'est peut-être
vrai. Mais dans la guerre, ils font la même chose que
moi. Et Tiche est toujours en guerre! Je sais que Malcolm Verner a des esclaves sur sa belle plantation.
Tu crois qu'il vaut tout de même mieux que le vieux
Tiche.

Michael resta sans voix.

En plus de tout cela, Barbe-Noire avait un sens de
l'humour pervers, presque sadique. Michael fut le
témoin de nombreux incidents illustrant cet aspect de
l'homme. L'un en particulier lui restait en mémoire...

Un soir, Michael et d'autres membres de l'équipe
buvaient dans la cabine de Tiche. Soudain, Tiche tira
deux pistolets de sa ceinture, les arma et les tint en
main par-dessous la table.

— Lequel de vous je vais descendre en premier?
rugit-il.

Tous s'enfuirent de la cabine, sauf Michael et un
autre. Plus tard, Michael pensa que l'autre avait été
trop terrifié pour bouger. Michael lui-même n'était pas
rassuré, mais il s'efforçait de rester calme.

Barbe-Noire partit de son grand rire en rejetant la
tête en arrière. Puis il prit un air sombre tout à coup.
Croisant ses mains sous la table, il fit feu des deux

pistolets. L'autre pirate reçu la charge de l'une des armes dans son genou gauche. Cette blessure devait le laisser infirme pour le reste de sa vie.

Tiche aboya aux pirates recroquevillés à l'extérieur de la cabine de venir chercher le blessé pour le transporter chez le médecin du bateau. Tiche buvait son rhum à longs traits tout en riant tandit que l'on emportait le blessé.

— Pourquoi blessez-vous délibérément un homme que vous appeliez votre ami quelques instants plus tôt? demanda Michael.

Tiche eut l'air surpris :

— C'est pas compliqué, mon gars. Faut bien que Tiche s'amuse un peu pour que la vie soit vivable. Et puis, si je ne tuais ou ne blessais pas l'un de mes hommes de temps en temps, ils oublieraient que Tiche est leur capitaine!

Michael avait espéré avoir accès à des documents mettant en lumière une conspiration entre le gouverneur Eden, Tobias Knight, collecteur des douanes de Caroline du Nord, et Edouard Tiche. Michael en avait vu et entendu suffisamment pour être à peu près certain de l'existence d'une telle conspiration. Cependant, Tiche n'était pas encore allé jusqu'à se confier à Michael. Lorsqu'ils étaient ancrés à Bath, Tiche disparaissait fréquemment pour de longues périodes. Michael était sûr qu'il rencontrait le gouverneur Eden et Tobias Knight.

Pendant ce temps, la richesse et le pouvoir de Tiche s'accroissaient. Tout en vidant une bouteille de rhum, il avait confié à Michael son projet de s'emparer du bateau de Stede Bonnet, *l'Aventure*, le seul vaisseau construit spécialement en vue de la piraterie; Michael savait qu'il avait la capacité et l'audace nécessaires pour arriver à ses fins. Tiche prévoyait trois bateaux et quatre cents hommes environ sous son commandement.

S'il mettait ses plans à exécution, il serait pour ainsi dire invincible.

Michael était fort contrarié. Pour compliquer encore sa situation, toute communication avec le gouverneur Spotswood était interrompue pour une raison qu'il ignorait. Michael lui avait envoyé plusieurs messages par l'intermédiaire de Will Darcy, le forgeron taciturne, mais il n'avait jamais reçu la moindre réponse.

Peut-être aurait-il la possibilité de prendre contact avec le gouverneur au cours de cette brève escale à Williamsburg, si Tiche voulait lui permettre de quitter le bateau. Michael pensait annoncer au gouverneur qu'il renonçait à sa mission. Il n'avait réussi en rien du tout, et il était fâché contre le gouverneur Spotswood qui avait rompu le contact avec lui.

Tiche n'éleva pas d'objection à ce que Michael quittât le bateau à l'escale de Williamsburg.

— Mon gars, rappelle-toi que tu t'appelles Dancer. Et sois à bord au lever du jour, pour le départ.

Rien dans le comportement de Tiche ne laissait deviner s'il quitterait son bateau ou non. Il était appuyé au bastingage quand Michael partit avec la première barque bondée d'hommes.

Au cas où Tiche le ferait surveiller, Michael visita plusieurs tavernes, buvant un verre dans chacune d'elles. Lorsqu'il passa à *La Tasse et la Corne*, il était convaincu que personne ne l'avait suivi. Les autres n'aspiraient qu'à s'abrutir d'alcool et à chercher des filles avec qui coucher.

Quand l'aubergiste de la *Tasse et la Corne* lui offrit une fille avenante au premier étage, Michael accepta pour deux motifs; d'une part, le désir, et d'autre part, la nécessité de faire croire que ses actes étaient parfaitement normaux.

Lorsqu'il quitta la taverne peu après, offusqué de la brutalité de l'aubergiste, les pensées de Michael étaient encore pleines de l'image de cette belle fille à la chevelure de cuivre qu'il avait vue nue sur le lit. Elle avait été battue cruellement, ce qu'il n'approuvait pas mais, après tout ce n'était pas son affaire. Si un jour il retournait à Williamsburg en tant que Michael Verner, il avait bien l'intention de rendre visite à cet aubergiste corpulent et d'abattre le plat de son épée en travers du dos de cette canaille.

Il marchait pour le moment en direction du palais du gouverneur.

Le gouverneur Spotswood était déjà couché et vint accueillir Michael en chemise de nuit. Ses yeux s'écarquillèrent à la vue du jeune homme comme s'il était une apparition.

— Michael! Est-ce bien vous? Avec cette barbe et tout...

— Une idée de Tiche.

— Je dois dire que vous avez vraiment l'air d'un pirate. (Puis, lui tapant sur l'épaule :) Le bruit courait que vous étiez mort depuis plusieurs mois, perdu en mer!

— Il semble que je ne sois pas mort, rétorqua Michael sèchement. C'est également l'idée de Tiche.

Le gouverneur Spotswood lui donna alors l'accolade avec ferveur. Puis Michael recula en fronçant les sourcils :

— A propos de mort... Vous auriez pu l'être également, sir, étant donné les messages que j'ai reçus de vous! N'avez-vous pas eu les miens?

— Si, mais je... je croyais que la rumeur était vraie et que ces messages étaient faux. Mais que faites-vous ici?

Michael s'expliqua et le gouverneur se mit à arpenter son bureau en gesticulant.

— Barbe-Noire est ici et je n'ai pas de troupes! C'est la grande occasion de ma vie et je ne peux même pas en profiter. Dites-moi tout ce que vous savez.

234

Michael termina son rapport en exprimant ses soupçons selon lesquels le gouverneur Eden, Tobias Knigth et Tiche travaillaient ensemble.

— Oui, mais vous n'avez aucune preuve en plus de vos observations, aucun document, soupira le gouverneur.

— Non, mais je suis certain qu'il en existe. Mon témoignage devrait être une preuve que Barbe-Noire opère en tant que pirate!

— Ah! Si seulement nous étions quelques mois en arrière. C'est que, voyez-vous, il y a eu du changement. Il existe maintenant ce maudit « Acte de Grâce »!

— Oui. J'en ai entendu parler, mais je suis dans le brouillard quant aux détails.

— C'est un moyen imaginé pour mettre fin à la piraterie. Selon l'« Acte de Grâce », un pirate peut, de son propre chef, se présenter chez un gouverneur royal pour y abjurer sa vie passée et jurer devant Dieu qu'il ne reprendra plus jamais la mer en tant que pirate. Ce faisant, il lui sera accordé le pardon plein et entier. De nombreux pirates ayant commencé leur action en temps de guerre, le roi a pensé qu'ils saisiraient volontiers cette chance de redevenir d'honnêtes citoyens. Ce qui fut effectivement le cas pour certains d'entre eux. Mais le gouverneur Eden et Barbe-Noire ont interprété cet « Acte de Grâce » différemment et l'ont détourné de son but! Barbe-Noire prend la mer, fait des prises, écoule son butin et donne une part au gouverneur Eden qui lui accorde ensuite le pardon en vertu de l'« Acte de Grâce » du roi... jusqu'à la prochaine fois!

— Alors, tout ce que j'ai fait ne sert à rien, et aussi tout ce que je ferai dans l'avenir? s'écria Michael avec dégoût.

— Vous vous trompez, mon garçon! Ne vous découragez pas. Trouvez-moi des preuves de l'existence de cette entente; je pourrai alors envoyer des avisos pour la capture de Barbe-Noire. Et je serai en mesure de me justifier devant le roi. J'ai déjà des avisos prêts à opérer, que j'ai armés à mes propres frais. Si seulement ils étaient ici ce soir! Nous capturerions ce prince des canailles et personne, pas même le roi, ne pourrait y trouver à redire. Mais vous me dites que ce faquin lève l'ancre au lever du soleil?

— Vous souhaitez donc que je continue?

— Oui, Michael, je vous le demande. Je vous en supplie!

Michael se leva.

— Ce bruit qui a couru sur ma mort... mon père en a-t-il connaissance et y croit-il?

— Je le crains. Mais il a l'air de surmonter le coup. Je vous demande de ne pas l'informer, nos plans pourraient en être dérangés. Pensez à l'honneur que vous ferez au nom de Verner quand vous aurez accompli votre mission. On en parlera dans toute la Virginie!

Michael quitta le palais du gouverneur Spotswood et se dirigea vers le port en passant par les petites rues. Malgré les recommandations du gouverneur, Michael fut tenté de faire parvenir un message à Malvern pour assurer son père qu'il était en vie et bien portant. Mais il se ravisa.

Le gouverneur Spotswood était dans l'erreur quand il assurait que tout serait bientôt fini.

En novembre 1718, presque quatorze mois après sa visite clandestine au palais du gouverneur, Michael Verner était toujours à bord du vaisseau de Tiche.

Ce n'était plus le même bateau. Tiche avait réalisé la plupart de ses ambitieux projets. L'*Aventure* était devenu son vaisseau amiral; il était donc à la tête d'une flotte de trois navires avec le *Revanche de la Reine Anne* et le *Revanche*. A un moment donné, il avait quatre cents hommes sous son commandement. Il avait fait des ravages entre les Indes Occidentales et le continent. Il était devenu fortuné et puissant. A la fin de l'été 1718, il s'était séparé de la plus grande partie de ses hommes et avait envoyé deux bateaux opérer seuls, ne conservant que l'*Aventure* sous son commandement direct.

Néanmoins, la fin était heureusement en vue. C'était un Michael Verner très satisfait qui était appuyé au bastingage de l'*Aventure* en ce matin du 19 novembre, fumant un cigare.

Son long compagnonnage avec Tiche avait enfin porté ses fruits. Enhardi par ses succès, de plus en plus arrogant dans son impunité et sa liberté, Tiche en était venu à se croire vraiment invincible. Il s'était mis à se vanter de ses exploits devant Michael; il n'avait plus de secrets pour lui.

De nombreux documents accusateurs se trouvaient dans une commode de la cabine de Tiche : des lettres émanant d'importants négociants de Caroline du Nord, de Virginie et même de New York où il était question de transactions avec le pirate; un livre de comptes où étaient enregistrés les butins des deux années écoulées avec détail des partages avec Tobias Knight et le gouverneur Eden. Et, surtout, une lettre adressée à « Mon cher ami Edouard Tiche » sous la signature de Tobias Knight. C'était une invitation chez le gouverneur Eden.

Michael avait transmis toutes ces informations au gouverneur Spotswood la semaine précédente, par le truchement de Will Darcy, en même temps que sa suggestion d'envoyer en toute hâte les avisos armés à Ocracoke, où l'*Aventure* resterait ancré pendant une semaine au moins. Michael recommandait également au gouverneur d'envoyer une force armée à Bath pour arrêter les hommes de Tiche qui s'étaient égaillés dans les tavernes.

Michael était heureux. Il semblait que son long séjour

parmi les pirates allait prendre fin. Cette vie le dégoûtait de plus en plus. Se souvenant de ses aspirations à l'aventure naguère, il souriait doucement. Il était rassasié!

Une voix forte interrompit le cours de ses réflexions.

— Ohé, la barque! Qui va là? criait l'homme de quart.

Une petite embarcation progressait irrégulièrement en direction de l'*Aventure*. Michael ne comprit pas la réponse de l'occupant. Une espèce de sixième sens l'avertit toutefois que mieux valait pour lui rester hors de vue. Il recula dans l'ombre tandis que l'échelle était abaissée. Un léger tremblement parcourut le navire quand la barque se frotta à son flanc. Peu après, une petite silhouette corpulente grimpa le long de l'échelle en soufflant, enjamba le plat-bord pour arriver sur le pont. Michael distingua parfaitement le visage du visiteur à la lumière de la torche que tenait le matelot du pont. Cette face ne lui était pas inconnue. Lorsque l'homme disparut dans la cabine de Tiche, Michael se souvint : c'était l'aubergiste de *La Tasse et la Corne*! Que venait-il donc faire ici?

Michael savait depuis longtemps que Tiche vendait à prix réduit à des taverniers le surplus d'alcool pris sur les navires capturés. Mais Tiche n'avait pas d'alcool à vendre, depuis un certain temps d'ailleurs.

Le pont étant désert, Michael put se glisser le long de la cabine de Tiche où il s'accroupit sous le sabord ouvert. Même ainsi, il ne put entendre que des bribes de la conversation.

— ... pas eu une goutte d'alcool à vendre depuis quelque temps, cap'taine Tiche... pleurnichait l'aubergiste.

— ... m'embêter avec ça en ce moment.

— ... faut bien vivre...

— Eh ben alors, vis! Sans dépendre du vieux Tiche pour chaque sou! tonna Tiche.

— Une proposition alors...

Les voix se perdirent et l'attention de Michael se relâcha. Apparemment, il ne s'agissait que d'une quelconque transaction. Il allait jeter son cigare par-dessus bord quand le nom de Malvern fut prononcé sur le ton pleunichard de l'aubergiste.

— ... prendre ce risque rien que pour une fille? Vous perdez la tête, Stritch! Des femmes, j'en ai...

— ... fortune en bijoux aussi, de l'or, beaucoup d'or. Je vous le jure!

— Ah bon, je préfère ça. Parlez-moi encore de ça, mais tout bas, quelqu'un pourrait entendre...

Malgré ses efforts, Michael ne saisit presque rien du reste de la conversation. Il avait toutefois l'impression que l'aubergiste suggérait à Tiche de faire un raid sur Malvern!

Quelques minutes plus tard, Michael entendit du bruit dans la cabine et il se recula dans l'ombre. Il entendit l'homme clopiner lourdement le long du bateau. L'esprit agité, Michael s'appuya au bastingage et écouta le clapotement des rames sur l'eau comme la barque s'éloignait en emportant l'aubergiste.

Michael se redressa en entendant un bruit de pas derrière lui. Il se retourna : Barbe-Noire ricanait devant lui, un pistolet à la main.

— Tout entendu, hein, mon gars? Ne mens pas. J'ai senti ton cigare!

— Vous ne pensez pas à faire un raid sur Malvern!

— J'ai pas encore décidé, mais ça m'excite.

— Qu'est-ce que vous espérez gagner?

— Selon l'homme, il y a du butin à récolter et...

— Il ment!

— ... le vieux Tiche en a assez de chasser les bateaux. Ça me tente bien de naviguer sous le nez de Spotswood et de ses semblables.

— Je vous dis que vous allez perdre votre temps!

Tiche se mit à rire.

— Allons, mon gars, tu te figures que je vais te croire, toi, un Verner? La plus riche plantation de Virginie? Mais faut d'abord que je m'occupe d'autre chose... (Il devint brusque dans ses manières, son pistolet toujours à la main.) Tu vas descendre, mon gars, jusqu'à ce que je me sois décidé. Ou jusqu'à ce que j'aie exécuté mon projet. Un gentleman comme toi est pas habitué à ce genre de logement, mais faudra t'y faire.

Michael, la rage au cœur, fit deux pas vers le pirate. Le pistolet bougea légèrement, pointé sur son cœur.

— N'essaie pas, jeune Verner. Crois pas que je me priverais de te souffler du pont! Tu m'as déjà vu à l'œuvre!

Les soutes puaient la pourriture et il y faisait aussi sombre que dans un puits. Une trappe pourvue d'une échelle y conduisait à partir du pont. Bien sûr, la trappe fut verrouillée de l'extérieur.

L'ivresse joyeuse éprouvée quelques moments auparavant s'était dissipée. Etre réduit à l'impuissance alors que Tiche envisageait une opération sur Malvern! Ceux de Malvern n'étaient guère en état de résister, surtout pris par surprise. Son père n'avait que des esclaves, et ceux-ci n'étaient pas des combattants, même si la plupart d'entre eux avaient appris à manier les armes pour chasser.

Son seul espoir reposait dans l'arrivée des avisos de guerre du gouverneur Spotswood. Encore n'était-il pas certain que Barbe-Noire serait encore ici quand ils arriveraient.

Le deuxième jour que Michael passa dans les soutes, il fut réveillé de bonne heure par des cris venant du pont et le bruit d'un canon que l'on roulait en position. Il faisait jour, suffisamment pour qu'il pût distinguer les objets autour de lui. Aucun moyen de sortir.

Il se leva et marcha pour s'échauffer les muscles. Il ne disposait d'aucune literie à l'exception d'une couverture de laine humide. Il était raide et endolori.

Une porte était aménagée à une extrémité de la soute, donnant dans la réserve de poudre. Elle était fermée, naturellement, la poudre devant être gardée au sec dans un endroit bien calfaté. Pour ce qui était du reste, personne ne s'en inquiétait à moins que les fissures ne s'élargissent dangereusement.

Comme il marchait ainsi de long en large, en se demandant ce qui causait toute cette agitation en haut, en priant que ce fût l'arrivée des troupes du gouverneur, il entendit un bruit particulier au-dessus de lui, puis on souleva la trappe.

Un nègre, que Michael connaissait sous le nom de César, descendit l'échelle, portant un rouleau de corde, Tiche sur ses talons. Tiche s'arrêta à mi-chemin, son pistolet pointé sur Michael, et se mit à rire joyeusement.

— On va avoir de la distraction, mon gars. Pendant qu'on s'occupe là-haut, on va t'attacher. Je te demande pardon, mais c'est nécessaire. César, attache-le solidement, les mains et les pieds derrière.

Tandis que César liait les mains de Michael, Tiche poursuivit :

— On se prépare à engager la bataille contre quelques avisos. On les aura sans mal. Mais si, par malchance, on n'y réussissait pas, le vieux César va rester ici avec une chandelle allumée et, si ça va mal pour nous, on lui donnera l'ordre de faire sauter la poudre. Personne, homme ou démon, ne prendra mon bateau! Le vieux César aura le temps de sortir avant l'explosion. Mais toi... Mon gars, prie pour que Tiche réussisse encore une fois, autrement, tu sauteras au ciel en même temps que l'*Aventure!*

Michael était solidement entravé. César se leva et fit un signe de tête à l'adresse de Tiche qui salua Michael avec son pistolet avant de le remettre, toujours armé, dans sa ceinture.

— Je te souhaite bonne chance, jeune Verner, j'espère qu'on se rencontrera dans le monde d'en bas. César, aie l'œil sur lui.

— Oui, cap'taine Tiche.

Barbe-Noire disparut par l'échelle. Michael recroquevillé, jeté comme un sac contre la cloison suintante d'eau, tenta d'engager la conversation avec César. Ce dernier l'ignora complètement. Il venait d'ouvrir la réserve à poudre à l'aide d'une clef et était en train de semer une traînée d'explosif sur le sol. Tout en parlant, les mains de Michael tâtonnaient à la recherche d'un morceau de métal ou de quelque chose de dur qui fût susceptible de limer les cordes qui lui liaient les poignets. Il ne trouva rien.

Michael ne pouvait pas savoir qu'Edouard Tiche avait été averti de l'approche des avisos du gouverneur Spotswood. Tobias Knight lui avait envoyé un message. Le pirate n'avait donc pas été surpris lorsque les deux petits avisos apparurent en direction d'Ocracoke peu avant la tombée de la nuit. Ils avaient jeté l'ancre pour la nuit.

Tiche n'avait pas songé à fuir. Il était sans crainte, étant tout à fait certain de les battre. L'*Aventure* était plus grand et plus rapide que l'un ou l'autre des avisos et Tiche pensait bien leur être supérieur en nombre d'hommes et de canons.

Il ne fit pas de préparatifs extraordinaires. Au contraire, il avait passé une bonne partie de la nuit à boire dans sa cabine, se demandant s'il entrerait dans le jeu que Stritch lui avait proposé lorsque le combat serait terminé. Tiche s'amusait énormément à l'idée que le jeune homme maintenant prisonnier dans ses soutes avait été un jour l'héritier du domaine Verner. Ne serait-ce que pour cette raison, Tiche envisageait la possibilité de piller Malvern. Ce serait une fête qui ajouterait encore à la légende de Barbe-Noire.

L'action s'engagea à 9 heures le lendemain matin. Les deux avisos se rapprochèrent, l'un manœuvrant dans la ligne de tir de l'*Aventure*. Aucun des avisos ne montrait de pavillon.

Tiche, musardant sur le pont avec une cruche de rhum, hurla :

— Maudites canailles! Qui êtes-vous? D'où venez-vous?

Le pavillon britannique fut alors hissé. Une voix répondit.

— Ces couleurs vous prouvent que nous ne sommes pas des pirates! Je suis le lieutenant Robert Maynard, de Williamsburg. Et vous, qui êtes-vous?

— Venez à bord de mon bateau et vous verrez qui je suis!

— Je n'ai pas de chaloupe à perdre, mais je monte à l'abordage dès que j'aurai pu m'approcher avec mon aviso.

Tiche but une longue gorgée de rhum et cria :

— Que je sois damné si je vous fais quartier ou si j'en accepte de vous!

— Je n'attends pas que vous m'épargniez, Barbe-Noire, mais je ne vous épargnerai pas non plus!

Tiche fit hisser son emblème à tête de mort. Des hommes déjà en position coupèrent les cordes d'ancrage et déroulèrent les voiles. L'*Aventure* fit route vers ce même canal qu'avaient emprunté les avisos du lieutenant Maynard. Le commandant du second aviso, pensant que Tiche se dirigeait vers la haute mer, manœuvra son bâtiment de manière à lui bloquer le passage. Lorsque la distance qui les séparait se rétrécit à une demi-portée de pistolet, Tiche fit virer son bateau et donna du canon. La moitié de l'équipage de l'aviso fut tuée, y compris le commandant; le mât avant et le foc furent balayés. Hors d'état de combattre, l'aviso dérivait misérablement.

Pendant ce temps, le lieutenant Maynard s'était approché de l'*Aventure*. Tiche, remarquant que l'équipage de Maynard semblait rassemblé sur le pont, ordonna un autre tir. Le pont de l'aviso fut balayé, vingt et un hommes furent blessés.

Craignant un carnage, Maynard ordonna à tous ses hommes de descendre, et lui-même se réfugia dans sa cabine.

Tiche, voyant le pont déserté, était certain qu'il n'y avait plus assez d'hommes pour résister. Il amena son bateau le long de l'aviso. Comme d'habitude, il fut le premier à se trouver sur le bateau ennemi, son équipage grimpant derrière lui.

Maynard donna alors l'ordre à ses hommes de retourner sur le pont, et une bataille furieuse s'engagea. Tiche et Maynard se trouvèrent face à face. Tous deux firent feu. Le coup de Tiche manqua son but, mais la balle de Maynard toucha la grande silhouette du pirate. Ce fut à peine s'il chancela. Il avança encore, et les deux adversaires sortirent leur sabre. Un puissant coup de sabre de Tiche fit voler celui du lieutenant comme une brindille. Tiche se préparait à donner le coup mortel lorsque, au dernier moment, l'un des hommes de Maynard porta une botte et plongea sa dague dans la gorge de Tiche.

Les pirates étaient en minorité; leur chef avait fait une erreur de calcul qui devait leur être fatale.

Edouard Tiche mourut comme il avait vécu, n'acceptant pas de quartier mais n'en faisant aucun. On découvrit plus tard qu'il portait plus de vingt-cinq blessures, la plupart d'entre elles suffisamment graves pour tuer un homme ordinaire.

La bataille était terminée. Elle avait duré à peine dix minutes. Neuf pirates étaient morts. D'autres sautèrent par-dessus bord et se perdirent en mer. Ceux qui vivaient encore jetèrent leurs armes et se rendirent.

Penché sur le cadavre de Tiche, le lieutenant Maynard ordonna :

— Tranchez la tête de ce scélérat et pendez-la sous la livarde de notre bateau. Faites savoir à tous qu'il n'y a plus de prince des canailles!

Là-dessus, Maynard s'élança à bord de l'*Aventure*. Le gouverneur Spotswood lui avait donné pour instructions de perquisitionner le vaisseau à la recherche des documents accusateurs.

Dans les soutes de l'*Aventure*, Michael avait trouvé ce qu'il cherchait. Il avait découvert une dague dans une mare d'eau de mer. D'après ses sensations tactiles, elle était rouillée et rongée; il ne pouvait qu'espérer qu'elle ne se rompît pas avant d'avoir limé les cordes. Ce n'était pas une tâche facile. Ses doigts étaient engourdis tellement les cordes lui serraient les poignets, entravant la circulation du sang. Le métal s'enfonça dans sa chair plus d'une fois.

Il avait de la chance sur un point : l'attention de César fut détournée dès le début de la bataille, de sorte qu'il ne remarqua pas le balancement qu'imprimait Michael à son corps tandis qu'il limait les cordes. Il laissa tomber la dague plusieurs fois et dut fouiller dans l'eau pour la retrouver. Les coupures qu'il s'était faites aux mains brûlaient comme du feu au contact de l'eau de mer.

La dernière corde lâcha enfin. Michael se frotta les mains derrière le dos pour faire circuler le sang.

Le tir cessa subitement au-dehors. César, alerté, dressa la tête, puis il s'accroupit au bout de la piste de poudre, la chandelle allumée maintenue debout dans sa propre cire à portée de la main.

La trappe fut soulevée violemment et un pirate passa la tête par l'ouverture.

— Cap'taine Tiche est mort, César. Ils l'ont tué! Mets

le feu à ta poudre et tire-toi! Je vais dire à ceux qui sont à bord d'abandonner le navire!

Le visage disparut; la trappe restait ouverte. César allait s'emparer de la chandelle. Michael savait qu'il n'avait pas beaucoup de temps. Il chercha vainement la dague dans l'eau. César était à environ deux mètres de lui. Michael prit son élan et bondit, la seule force de sa volonté entraînant ses jambes attachées.

Il développa suffisamment de puissance pour franchir d'un bond la distance qui le séparait de César et lui tomber sur le dos. Sous le choc, l'homme trébucha, lâchant en même temps la chandelle. L'impact semblait l'avoir paralysé car il demeura un moment immobile sous Michael. Puis il laissa échapper un rugissement de rage lorsqu'il comprit sa situation.

Michael passa un bras autour du cou de l'homme, et serra l'étau en joignant ses poignets.

Le nègre était petit, mais souple et fort. Il se démenait comme un poisson pris dans un filet. Michael resserra son étreinte autant qu'il put. César commença à manquer de souffle. Il enfonçait ses ongles longs dans la chair de Michael, mais ce dernier tint bon.

César s'affaiblit graduellement. Michael n'en pouvait plus. Ses bras étaient comme morts et ses doigts étaient près de lâcher prise.

Enfin, César s'arc-bouta encore une fois dans un dernier effort pour se débarrasser de Michael. Il n'y réussit pas; il s'effondra et demeura immobile. Ne voulant pas tuer l'homme, Michael maintint sa pression quelques instants seulement avant de le lâcher. Il craignait que César ne feignît l'inconscience, mais il ne bougeait plus.

Michael s'écarta pour reprendre haleine, il était sans force. La chandelle avait roulé dans une flaque d'eau et s'était éteinte. Il s'attaqua aux cordes qui lui liaient les chevilles, mais ses doigts étaient trop malhabiles. Il abandonna la tête pendante.

Un bruit venant du pont lui fit relever la tête. Le désespoir fondit sur lui quand il aperçut un homme à mi-hauteur de l'échelle, un pistolet armé à la main. Tout cela avait donc été vain! Ils allaient le tuer et mettre le feu à la poudre. Ses yeux fatigués fixèrent l'homme : il portait l'uniforme du roi! L'homme demanda d'une voix brusque :

— Que s'est-il passé ici?

— Barbe-Noire avait donné l'ordre de mettre feu à la poudre et de faire sauter son bateau s'il était tué. Je... J'ai eu la chance d'arrêter ce pirate-là à temps, expliqua-t-il en désignant le nègre. Et vous, qui êtes-vous, sir?

— Je suis le lieutenant Maynard, sous l'autorité du roi et mandaté par le gouvernerneur royal de Virginie pour capturer Barbe-Noire.

— C'est donc vrai? Tiche est mort?

— Ce scélérat ne vit plus. Sa tête est accrochée à mon bateau et ceux de ses hommes qui sont encore en vie seront emmenés à Williamsburg où ils seront pendus. Mais... puis-je savoir quel est votre nom, sir?

— On m'appelle... (Michael s'interrompit et eut un rire bref.) Je suis Michael Verner.

16

— Ah, Michael! s'écria le gouverneur Spotswood. Vous êtes plus naturel comme cela! La dernière fois que nous avons parlé ensemble, vous aviez vraiment l'air d'une fripouille.

Michael s'était rasé la barbe et avait acheté des vêtements plus appropriés avant de retourner à Williamsburg pour demander audience au gouverneur. Il eut un sourire en coin.

— Je suis heureux, sir, d'être à nouveau moi-même. Tout ce qui sent la piraterie me rend malade, toutes ces choses que j'ai vues et que j'ai dû faire pendant ces deux années...

— Oui, je comprends, Michael, dit le gouverneur gravement. Mais je suis content, comme tous les habitants de ce pays. Vous leur avez rendu un fier service, mon garçon! J'ai persuadé l'Assemblée de réserver une récompense de deux cents livres à l'homme qui réussirait à mettre fin au jeu du prince des canailles. Je vais veiller à ce que cette somme vous revienne.

Michael eut un geste de lassitude.

— Ce n'est pas là l'important, et ce n'est pas non plus la raison qui m'a fait entreprendre cette mission. (Il trouvait le gouverneur quelque peu étrange et singulièrement évasif.) Mon père est-il au courant de mon retour à la vie?

— Non, Michael, répondit le gouverneur en regardant ailleurs.

Michael se leva.

— Dans ce cas, je me rends à Malvern immédiatement.

— Michael... (Une nuance d'affliction dans la voix du gouverneur stoppa net l'élan du jeune homme.) Mon garçon... votre père n'est plus. Il est mort l'année dernière, peu avant Noël.

— Mon père est mort? (Stupéfait, Michael se laissa choir dans le fauteuil le plus proche.) Depuis un an, dites-vous? Pourquoi ne m'en a-t-on pas informé?

— J'ai beaucoup réfléchi à cela et j'ai décidé de me taire. Dieu me jugera, mais j'ai pensé que cela valait mieux. (Le gouverneur regarda Michael dans les yeux :) Je suis sincèrement et profondément chagriné d'avoir à vous faire part de cette mauvaise nouvelle. Mais il était mort et enterré avant que j'en sois moi-même informé!

— Et il est mort avec la conviction que j'étais perdu en mer! dit Michael d'une voix éteinte.

— Probablement.

La colère s'éleva alors en Michael, au point de l'étouffer. La colère contre cet homme vaniteux tellement obsédé par son désir de se débarrasser de Tiche qu'il avait tenu secrète la mort de son père! Le gouverneur avait craint que Michael retournât chez lui lorsqu'il aurait appris la nouvelle. C'était un comportement méprisable et Michael comprit qu'il ne pouvait plus dès lors que honnir cet individu.

— De toute façon, je dois aller à Malvern pour voir où en sont les choses, dit-il d'une voix unie en se levant de nouveau.

— Il y a autre chose, Michael. Malcolm Verner s'était marié trois mois environ avant sa mort. Certaines gens assurent que ce fut la cause de...

— Marié?

Michael fit ce qu'il put pour ne pas broncher sous ce nouveau coup foudroyant.

— Ce fut l'une des raisons qui me fit m'abstenir de vous prévenir. J'ai pensé...

— Qui? Qui est la femme?

— Une quelconque jeune don... fille. Je ne l'ai jamais vue. Elle s'appelle Hannah, je crois. Je n'ai jamais su son nom patronymique.

— Hannah? répéta Michael lentement. Je ne connais aucune relation de mon père qui portât ce nom.

— Je crois... qu'il l'a rencontrée après votre départ.

Michael éclata d'un rire bref et amer.

— Dans ce cas, je crois que je n'ai pas de temps à perdre. Il faut que j'aille présenter mes hommages à ma belle-mère!

— Je crois savoir qu'il existe un testament. Vous croyant mort, votre père a légué Malvern à sa femme.

Michael haussa les épaules en se retournant. Le gouverneur Spotswood l'arrêta de nouveau.

— Michael? D'après la loi anglaise, vous avez droit aux deux tiers des biens de votre père en tant qu'héritier mâle, même si le testament du défunt en dispose autrement. Je suppose que vous êtes au courant.

Ce fut ainsi que Michael se retrouva face à face avec la femme de son défunt père. Sa belle-mère! pensait-il avec un mélange d'amusement et de dégoût.

Il la reconnut dès qu'elle eut mis pied à terre pour venir à sa rencontre.

— Mais Michael est mort, tout le monde le sait!

— Je vous assure que non, madame. Je vis bel et bien.

— Mais, alors, que s'est-il passé?

— C'est une histoire longue et ennuyeuse qui ne vous intéresserait pas. (Il eut un geste d'indifférence. Puis il la dévisagea, les yeux noirs et luisants étincelant d'amusement.) Les circonstances sont tout à fait différentes de celles d'autrefois, lors de notre première rencontre, n'est-ce pas?

Hannah, à peine remise du choc initial, le considéra d'un air interloqué.

— Nous nous sommes déjà rencontrés, sir?

— Oh, que oui. Ce fut bref, c'est vrai, mais inoubliable. Vous étiez nue à ce moment-là. Une vision fantastique. Je m'en souviens encore parfaitement.

Elle s'approcha de lui et l'examina. Ces yeux noirs, oui. Mais le visage dont elle se souvenait était barbu, et les vêtements étaient bien différents. Elle hésita :

— Vous... êtes l'homme qui se nommait Dancer?

Il fit une révérence de comédie :

— Pour vous servir, milady.

Hannah sentit le sang lui monter aux joues.

Le sourire de Michael s'accentua un instant puis s'éteignit subitement.

— Est-ce ainsi que mon père vous vit pour la première fois? Nue sur ce lit? Est-ce ainsi que vous l'avez ébloui afin qu'il fasse de vous son épouse?

Hannah leva la main impulsivement; Michael l'attrapa au vol, avant qu'elle n'atteignît son visage. Il attira la jeune femme contre lui. Elle sentit l'odeur de tabac que répandait son haleine, tout en prenant conscience du jeune corps musclé contre le sien. Son regard plongeait dans le sien et ses lèvres entrouvertes frôlaient les siennes. Ses yeux se brouillèrent. Elle était certaine qu'il allait l'embrasser. Elle y aspirait, les yeux clos.

Mais il la relâcha subitement et recula. Hannah vacilla, encore étourdie et inconsciente. Quand elle ouvrit les yeux, le beau visage de Michael affichait de nouveau son sourire moqueur, comme s'il avait lu dans sa pensée.

Elle secoua la tête pour reprendre le fil de ses idées. Ce fut alors qu'elle songea aux conséquences que pouvait entraîner ce retour à la vie.

— Si vous êtes venu pour la plantation... elle marche bien, dit-elle avec hésitation.

— C'est ce que j'ai compris. J'ai fait mon enquête. On m'a dit que vous réussissiez bien dans la culture du tabac. On m'a dit cela entre autres choses... Ne vous inquiétez pas, madame. Je ne suis pas ici pour réclamer mon héritage. Je n'ai guère de goût pour la vie de planteur. Vous pouvez continuer... au moins jusqu'à ce que j'en décide autrement. Si, par hasard, je reprenais Malvern, je veillerais à ce que vous soyez largement dédommagée. Au moins le salaire d'un contremaître. Cependant, il y a une chose que je réclame... Etoile-Noire.

— Non! cria-t-elle horrifiée. Etoile-Noire m'appartient!

— Non, madame, dit-il froidement. On vous a certainement prévenue que cet animal était un cadeau d'anniversaire de mon père?

Hannah restait silencieuse, sachant qu'elle était impuissante à l'empêcher de reprendre Etoile-Noire.

— Je reste à Williamsburg pour quelque temps. Je vous souhaite le bonjour, madame.

Il s'inclina. Le geste était visiblement dédaigneux. Il se mit en selle sur Etoile-Noire, saisit les rênes et considéra Hannah :

— Encore une question si vous le permettez, madame. Mon père vous a-t-il souvent parlé de moi?

Hannah leva la tête.

— Votre nom n'est pas passé une seule fois sur les lèvres de Malcolm en ma présence, sir!

— Je comprends.

Son visage blêmit, ses yeux noirs se remplirent de chagrin et Hannah regretta un instant de n'avoir pas menti.

Il toucha légèrement les flancs d'Etoile-Noire avec ses talons, puis homme et cheval s'éloignèrent. Hannah regarda l'animal qui se mettait au trot léger. Elle suivit des yeux l'homme et sa monture jusqu'à ce qu'ils se perdent au loin, sur la route de Williamsburg. Sa gorge lui faisait mal. Elle aimait tant ce cheval...

Elle secoua alors l'espèce de charme sous lequel elle était tombée, et la précarité de sa situation lui apparut en pleine lumière. Il avait suffi de quelques minutes pour que la femme qu'elle était devenue fût menacée de perdre tout ce qu'elle avait gagné au cours de cette année. Elle ne se faisait aucune illusion quant à ce qui se produirait si Michael décidait de rentrer à Malvern définitivement. Hannah savait qu'elle ne pourrait jamais vivre dans le domaine avec Michael pour maître. Pas après avoir été la maîtresse de Malvern pendant un an. Sa fierté ne le lui permettrait pas.

Sentant les larmes lui picoter les yeux, Hannah se hâta de rentrer dans la maison, avant de s'effondrer complètement. En entendant le virginal dans le salon de musique, elle s'y précipita, claquant la porte derrière elle.

André se retourna. A la vue de son visage désolé, il se leva d'un bond.

— Mon Dieu, Hannah! Que se passe-t-il?

Elle se jeta dans ses bras en sanglotant, pour la première fois depuis la mort de Malcolm. Elle raconta en haletant son aventure entre deux soubresauts.

— Chère lady, je suis vraiment désolé. Je comprends pourquoi vous êtes tellement désemparée.

Il soupira en l'aidant à sécher ses larmes, puis la fit asseoir. Il alla chercher un verre d'eau-de-vie. Après avoir vidé le petit gobelet, elle s'appuya au dossier de son fauteuil, laissant l'alcool la réchauffer et la revigorer.

André l'observait avec inquiétude :

— Le retour du fils prodigue vous a mise dans une situation délicate, n'est-ce pas, chère lady?

— Je vais lutter contre lui! Il ne peut pas revenir comme cela et...

Il lui coupa la parole d'un geste de la main.

— C'est pourtant son droit, chère Hannah. Je vous ai déjà avertie au sujet des droits de propriété des femmes selon la loi britannique. S'il choisit de revenir et de reprendre la place qui lui revient légalement, vous ne pourrez rien faire. La loi peut même lui donner raison s'il décidait de vous renvoyer d'ici. Mais je ne crois pas qu'un homme, quel qu'il soit, puisse être aussi cruel. Surtout pas le fils de Malcolm Verner...

— S'il revient vivre ici, je m'en irai. Je refuse de vivre dans la même maison que cet homme!

— Oh? Votre animosité me paraît bien profonde envers un homme que vous n'avez vu que quelques minutes. A moins qu'il n'y ait autre chose?

Hannah était silencieuse. Elle avait presque tout raconté à André, sauf ce qui s'était passé à la taverne. Elle ne lui avait pas parlé du pirate ivre ni de l'homme qui se nommait Dancer. André était compréhensif, mais c'était un homme tout de même, quelles que fussent ses pulsions naturelles; et Hannah refusait de s'humilier en entrant dans les détails.

André se mit à arpenter la pièce.

— Peut-être nous faisons-nous du souci pour rien. Ce jeune homme était parti chercher l'aventure au loin. Vous me dites que la vie de planteur ne l'intéresse pas. Nous pouvons espérer qu'il préférera reprendre ses voyages. Je crois qu'une fois qu'un homme a pris le goût de l'aventure, il ne saurait jamais se satisfaire d'une vie sédentaire. (Sa physionomie devint amère.) Ce n'est pas ce que j'épouve moi-même cependant; je souhaiterais ardemment retourner... mais cela est sans importance. Il faut faire quelque chose pour vous ragaillardir. Ah, j'ai trouvé! Un bal, un grand bal! Une idée formidable! s'exclama-t-il le visage illuminé et battant des mains avec joie.

— Un bal! (Elle le considéra comme s'il était devenu fou.) C'est vous qui avez cette idée, André? Vous étiez contre le dernier que j'ai donné, et vous savez bien que ce fut un échec!

— Les circonstances sont différentes, madame. Surtout, votre époux est mort depuis plus d'un an. Le deuil officiel est terminé. Maintenant, il faut imaginer un prétexte... (Hannah était médusée, son esprit confus.) Voilà! reprit André en frappant des mains. Ce sera un bal de bienfaisance. Ça attire toujours du monde. Bien sûr! Les gens favorisés aiment bien avoir l'impression de contribuer à adoucir le sort de ceux qui sont moins fortunés qu'eux.

— Un bal de bienfaisance? En faveur de qui?

— Heuh... Pour les orphelins, naturellement.

— Quels orphelins? Je n'en connais pas!

— Il y a toujours des orphelins, chère lady. Nous en trouverons, n'ayez crainte. Les gens viendront, j'en suis certain. Ils viendront voir comment va la maîtresse de Malvern. Bien sûr, certains viendront par simple curiosité, en quête de nourriture pour leurs ragots. Surtout maintenant que le jeune Verner est ressuscité. Ce serait même un coup splendide si vous invitiez...

Il se tut, le regard en coin.

— Non! Je ne veux pas inviter cet homme à Malvern. Qu'il n'en soit plus question!

Notant sa rougeur certaine et son agitation exagérée, André se demanda s'il n'y avait pas quelque chose qu'elle refusait d'admettre. Ce jeune homme aurait-il réussi à toucher son cœur endurci? Impossible, se dit-il. Il haussa les épaules et écarta ses mains.

— Il en sera selon vos désirs, chère lady.

Hannah voulait que le bal ait lieu avant Noël. Elle fut donc fort active dans les quelques jours qui suivirent. Elle écrivit de sa propre main toutes les invitations, prenant les noms sur la liste que Malcolm avait consultée pour leur bal nuptial. John et Dickie étaient quotidiennement sur les routes pour délivrer les invitations. Dickie n'avait pas loin de seize ans maintenant; il était devenu presque un homme depuis qu'il était à Malvern.

Un jour, rentrant de Williamsburg avec la calèche, Dickie se précipita dans la maison. Le garçon raconta à Hannah et à André l'aventure de Michael Verner et ce qu'il avait fait pour mettre fin à la carrière de Barbe-Noire. Michael était un héros pour tous les habitants de Williamsburg.

— Un héros? C'est bien possible, murmura André. Chère lady, peut-être devrions-nous...

— Non! Je sais à quoi vous pensez, André. Je ne veux pas l'inviter, héros ou non!

— Il ne sera pas au bal? dit Dickie, visiblement désappointé. Pensez aux histoires qu'il aurait à raconter!

— Il ne sera pas ici. Qui se soucie d'entendre des histoires de pirates sanguinaires? Ses propres mains sont probablement tachées de sang s'il a navigué avec eux tout ce temps. Plus un mot à ce sujet!

Le bal serait un succès, Hannah le savait. Elle reçut de nombreuses réponses exprimant toutes la joie d'avoir été invités. Certains passèrent même à Malvern : c'était la première fois qu'une chose semblable se produisait.

Hannah les reçut comme il convenait à la maîtresse de Malvern, offrant du thé et des gâteaux, ou quelque chose de plus fort pour les messieurs s'ils le désiraient. Elle bavarda avec tous parfaitement à l'aise. Hannah était ravie de ces visites, bien qu'elle devinât que de nombreux visiteurs étaient venus dans l'espoir de voir Michael ou même seulement d'entendre parler de lui.

La plantation bourdonnait d'activité et d'excitation. Bess mit tout en œuvre pour faire de cette fête le plus grand bal de cette année, voire des années à venir. En haut, dans la pièce réservée aux travaux de couture, André chantonnait joyeusement en dessinant et confectionnant une nouvelle robe pour Hannah.

— Ce sera la plus somptueuse des robes de bal jamais créée, chère lady. Toute la Virginie en parlera; vous verrez, elle soulignera votre grande beauté et scandalisera tout le monde!

En fait, le soir du bal, Hannah fut largement récompensée par les réactions qu'elle suscita. André lui avait strictement interdit de faire son entrée avant que tous les hôtes, ou du moins la plupart d'entre eux, ne fussent arrivés. Il avait revêtu l'un des domestiques d'une splendide livrée et lui avait appris à annoncer les invités. Il agitait une clochette d'argent à l'arrivée de chacun d'eux avant de lancer les noms à l'assemblée égaillée dans la salle par petits groupes.

Lorsque Hannah Verner parut en haut de l'escalier, le domestique agita sa clochette avec plus de force encore et annonça d'une voix suffisamment forte pour couvrir les conversations :

— Madame Hannah Verner!

Un sursaut de surprise secoua les hôtes comme Hannah descendait avec grâce le grand escalier. Sa lourde chevelure d'or cuivrée n'était pas poudrée; adroitement coiffée, elle couronnait son joli visage; quelques boucles allongées tombaient sur son dos et ses épaules, accentuant la blancheur de la peau qui contrastait avec le vert riche de la robe.

Hannah avait daigné porter le corset et les paniers de rigueur. André avait confectionné lui-même le corset; il était beaucoup plus confortable que ces espèces de cages qui endolorissaient les côtes; il rehaussait sa poitrine, mais ne la couvrait pas, ce qui était important, étant donné la forme de la robe.

Cette robe était faite de plusieurs mètres de soie vert émeraude. Les manches en étaient longues et formaient ballon au-dessus du coude. L'échancrure du dos, que l'assemblée ne pouvait pas encore voir, plongeait audacieusement et la jupe gonflée soulignait la minceur de la taille.

Le chef-d'œuvre cependant, c'était le corsage dont aucun homme ne pouvait détourner le regard. La soie chatoyante avait été découpée suivant le contour supérieur des seins blancs et ronds, la découpe se prolongeant presque jusqu'à la taille. L'espace ainsi créé était comblé par un panneau de fine dentelle couleur chair derrière lequel si on regardait bien, on pouvait voir sa peau nue. Ce que ne manquèrent pas de faire les hommes et même la plupart des femmes.

André l'avait convaincue d'acheter de nouveaux bijoux pour aller avec la robe.

— Vous en avez le droit, ma chère. La plantation a été rentable, vous l'avez mérité. Les bijoux de ce cher Malcolm sont beaux, bien sûr, mais ils ne conviennent pas pour cette robe.

Elle portait donc un collier d'émeraudes. Ses yeux brillants étaient parfaitement assortis aux pierreries.

Il y eut quelques murmures, des souffles rentrés; scandalisés ou admiratifs, il était difficile de le dire.

André avança doucement au pied de l'escalier et lui prit la main. Il annonça d'une voix forte :

— La mode la plus récente venue de Paris, ladies and gentlemen. Je comprends que ces dames de la cour soient folles de ce style nouveau.

Il offrit ensuite son bras à Hannah. Il lui chuchota à l'oreille :

— Vous voyez? La reine du bal, chère lady.

La tête haute et fière sous les regards, Hannah ignorait les murmures. Dès qu'ils eurent pénétré dans la salle de bal, les musiciens attaquèrent un morceau : c'était la mélodie que le père de Hannah chantait à sa fille. Hannah eut un sourire de gratitude à l'adresse d'André. Elle se tourna vers lui et ils commencèrent à danser. Ils furent d'abord seuls, puis un couple les imita, puis un autre, et, bientôt, le parquet fut envahi par les danseurs.

André expliqua doucement juste avant la fin du morceau :

— Ce sera sans doute la seule danse de la soirée pour moi. Vous allez être très demandée.

Il avait raison. La musique s'arrêta, André recula, s'inclina en pliant la taille. Des jeunes gens s'approchèrent, réclamant Hannah pour la danse suivante.

La soirée ne fut plus dès lors qu'un flot de musique et de danse sous les chandeliers étincelants. Hannah en était tout étourdie. Tous les galants lui faisaient la cour. Elle flirtait, parant leurs avances peu subtiles, riant à leurs flatteries.

C'était le bal dont elle avait toujours rêvé. Ce fut un grand succès. Hannah était étourdie par la danse et les attentions dont elle était l'objet, mais non par le vin. Se souvenant de ce qui s'était produit lors des deux autres bals, elle but très peu, une gorgée ou deux des verres que ses partenaires lui offraient.

Hannah surveilla l'arrivée éventuelle de Jamie Falkirk, mais elle ne le vit pas. Elle ne lui avait pas envoyé d'invitation, et il semblait qu'il eût accepté le fait qu'elle ne désirait pas le voir...

Il était presque minuit quand les musiciens s'arrêtèrent tout à coup, au milieu d'un morceau. Un silence étrange s'abattit sur la salle de bal. Intriguée, Hannah fit quelques pas en arrière et regarda autour d'elle. Elle le vit alors.

Michael Verner se dressait dans l'encadrement de la porte, point de mire de tous. Il était élégamment vêtu : une veste en camelot avec manchettes en dentelle, culottes en peluche de première qualité de teinte olive, bas noirs et chaussures noires à boucle d'argent. Ses yeux noirs et luisants rencontrèrent ceux de Hannah et il vint directement vers elle, les danseurs s'écartant pour lui livrer passage. Il ignorait les regards consternés et les murmures qui bruissaient comme des feuilles d'automne. Il ne portait pas de perruque; il n'en avait pas besoin, ses cheveux étaient longs, noirs et lustrés. Une mèche bouclée descendait sur son front.

L'ayant rejointe, il s'inclina en pliant le genou, le bras tendu devant sa taille comme s'il portait un chapeau. Il se redressa, vacilla légèrement et Hannah sentit l'odeur de l'alcool.

— Madame, m'accorderez-vous cette danse?
Avant même que Hannah ait pu dire un mot ou faire

un geste Michael fit signe à l'orchestre, et la musique reprit.

Tandis qu'il l'enlevait autour de la piste, elle dit d'une voix furieuse :

— Comment avez-vous osé venir, sir! Vous n'étiez pas invité!

— Pourquoi aurais-je besoin d'une invitation? répondit-il avec une insolence étudiée. Malvern est ma maison, je peux réclamer mon domaine quand je le souhaiterai.

— Et puis, vous êtes ivre! Vous puez l'alcool!

— Cela vous choque-t-il, madame? Vous avez été fille de taverne, vous en avez servi de bien plus ivres.

— Vous allez trop loin, sir!

— Je ne dis que la vérité, n'est-ce pas? A moins que l'on ne m'ait menti. N'avez-vous pas été fille de taverne? Aurais-je été trompé? Est-ce une autre fille que j'ai vue un soir à l'étage de *La Tasse et la Corne*?

Hannah tenta de s'écarter, mais il la tenait d'une poigne de fer. Puis elle se souvint qu'elle n'était pas seule. Regardant autour d'elle, elle constata que les gens avaient les yeux rivés sur eux. Elle abandonna, mais se promit de ne pas répondre à ses insultes.

Quand la musique s'arrêta, il se courba devant elle :

— Ce fut un vrai plaisir, milady.

Il se retourna et s'éloigna. Hannah bouillonnait de rage. Comme elle aurait voulu ordonner qu'on le jetât dehors! Mais elle n'osa pas. Cela ne ferait qu'attiser les bavardages, et il y avait plus : cela risquait d'accroître la colère de Michael qui pourrait alors réclamer qu'on lui rendît Malvern.

Hannah décida qu'elle ne danserait plus avec lui, dût-elle s'enfuir de la salle de bal. Il se garda bien de l'approcher. Elle fut étrangement piquée de le voir danser chaque morceau avec une femme différente.

Elle accepta désormais le vin que ses nombreux partenaires lui présentaient. Elle se rendit bien vite compte que la présence de Michael avait fait descendre un voile étrange sur le bal. Dès que leur curiosité fut satisfaite, les invités commencèrent à se retirer. Il n'en resta bientôt plus que quelques-uns.

— Que faites-vous, sir?

Sans répondre, Michael avançait. Hannah, tout à fait consciente des visages ébahis, essaya de dégager son bras, mais ses doigts enfermaient inexorablement son poignet. Dans l'espoir de l'empêcher d'aller plus loin, Hannah recula de toute la force dont elle était capable; mais elle glissa sur le parquet ciré et tomba sur les genoux. Toujours silencieux, Michael se tourna, la releva et lui saisit de nouveau le poignet, l'entraînant à sa suite.

Hannah cria, en colère et effrayée en même temps; mais les hôtes pétrifiés ne firent rien pour lui venir en aide.

De l'autre côté de la salle, entendant les cris de Hannah, André Leclaire se hâta dans sa direction. Voyant l'homme qui la traînait ainsi, André ralentit le pas puis s'arrêta. Ce ne fut pas la peur qui le fit s'immobiliser. André ne craignait aucun homme. Il avait déjà tué et le ferait de nouveau en cas de nécessité. La seule raison de son comportement était qu'il vivait en exilé dans ce pays sauvage au lieu d'être dans son Paris tant aimé.

Le sourire en biais d'André effleura ses lèvres. Après tout, ce pays n'était peut-être pas aussi sauvage qu'il le jugeait. Peut-être y aurait-il beaucoup de choses à dire en faveur du déploiement d'une passion à l'état brut.

« Chère lady », pria-t-il tout bas, « ouvrez votre cœur pour une fois. Si le plaisir vient à vous, acceptez-le avec joie ».

Michael se dirigeait vers l'escalier. Hannah s'agrippa violemment à la colonne, Michael relâcha son emprise.

— Madame, dit-il entre ses dents serrées, nous montons...

— Non!

— ... même si je dois vous porter!

Sans ajouter un mot, il se pencha et la souleva dans ses bras. Hannah, surprise et indignée, lâcha la colonne. Michael monta l'escalier, et la porta sans peine. Hannah luttait, le frappant au visage de toute la force de sa colère, lui criant de la lâcher. Elle vit alors les hôtes par-dessus l'épaule de Michael. Ils étaient rassemblés au pied de l'escalier, la tête levée. Elle se tut, décidant qu'elle ne prolongerait pas le spectacle.

En haut, Michael passa devant la chambre du maître pour se rendre directement dans la chambre de Hannah. Il laissa tomber Hannah sur le lit avant d'aller fermer la porte à clef.

Il revint près du lit et la regarda, le front barré d'une mèche bouclée, les yeux étincelants comme des pierres noires.

Hannah était consciente du sang qui battait dans ses veines. Ce mélange de crainte et de colère qu'il lui inspirait était excitant. Dans sa détresse, Hannah réalisa qu'elle n'avait jamais été aussi vivante qu'en ces minutes.

Elle s'écria sur un ton de défi :

— Qu'est-ce que vous comptez faire?

— C'est simple, madame. Je fais usage de mes droits seigneuriaux en tant que maître de ce domaine.

— Vous disiez que vous ne réclameriez pas vos droits sur la plantation.

Le sourire glacial de Michael ne se refléta pas dans ses yeux.

— Simple façon de parler, madame. Je suis le seigneur de ce manoir; la loi me permet de prendre possession de ce qui se trouve sur ma propriété. Mais laissons de côté cette conversation oiseuse. Après tout, ce ne sera pas la première fois que vous coucherez avec un homme. Je ne pense pas être plus repoussant que l'aubergiste et je suis beaucoup plus jeune que mon père. J'aimerais savoir ce qui en vous a bien pu séduire un homme de l'âge de mon père et l'amener à vous épouser, allant ainsi à contre-courant de son caractère.

Il se pencha et posa une main de chaque côté de Hannah. Elle vit son regard fiévreux et sentit l'odeur d'alcool que répandait son haleine, mêlée à l'odeur mâle qui émanait de lui et qui n'était pas désagréable, d'ailleurs.

— N'ayez crainte, madame. Vous pouvez conserver la plantation, au moins pour le moment. Je veux seulement m'amuser avec vous, comme le fit mon père.

— Votre père ne s'est pas « amusé » avec moi!

— Vraiment? (Un sourire cynique apparut sur ses lèvres pleines.) Etait-il dans l'impossibilité de coucher avec vous?

— Ce n'est pas ce que j'ai voulu dire! (Hannah se sentit rougir. Elle se redressa, repoussa les bras de Michael et arrangea sa robe :) Vous n'allez peut-être pas me croire, mais votre père m'aimait. Il a toujours été gentil et respectueux!

— Respectueux? (Michael éclata de rire.) Le respect n'a pas sa place dans une chambre à coucher, madame... Mais peut-être était-ce tout ce qu'il pouvait vous apporter!

Hannah le dévisagea.

— Puisque cela vous intéresse tant, sir, sachez que ce n'était pas le cas. Votre père était encore un homme sous tous les rapports!

— Ainsi, il vous aimait et vous respectait, vous, une fille de taverne qui couchiez avec les hommes pour de l'argent.

Hannah releva le menton, son regard rivé sur celui de Michael :

— Une fille de taverne, oui. Mais je n'ai jamais couché avec les hommes pour de l'argent, pas de mon propre fait en tout cas. Il y a une chose que vous ne croirez peut-être pas mais qui est vraie : c'est Amos Stritch qui avait arrangé tout cela. Et quel droit avez-vous de parler de votre père? Vous l'avez quitté. Vous avez quitté Malvern et votre père pour devenir un pirate. Vous lui avez brisé le cœur et il ne s'en est jamais remis. S'il a trouvé de l'amitié et du plaisir auprès de moi, qu'est-ce qui vous autorise à le juger?

Hannah eut un léger frisson de triomphe en lisant sur la physionomie de Michael que ses paroles l'avaient blessé. Il blêmit de rage et leva la main, comme pour la frapper. Mais il glissa ses doigts repliés comme des serres dans l'échancrure profonde de son corsage et tira tout le long de la robe, jupe et jupons, dénudant brutalement son corps.

Instinctivement, Hannah voulut d'abord se couvrir de ses mains, mais elle s'efforça plutôt de rester immobile sous son regard. Elle était tenue de rester aussi digne que possible dans cette confrontation. Il lui fallait être forte. Sinon, elle se perdrait aux yeux de Michael.

Les yeux noirs glissaient en étincelant sur les rondeurs luxuriantes et les creux de son corps. Hannah sentit sa chair s'échauffer sous son regard, mais elle ne fit pas un geste.

— Vous me prendriez de force alors?

— Madame, je vous prendrai de la manière qu'il faudra!

Il se déshabilla en hâte, laissant tomber ses vêtements négligemment.

Malgré elle, Hannah ne put s'empêcher d'effleurer son corps du regard. Elle n'avait jamais vu un homme aussi beau, épaules larges, taille et hanches étroites. Ses jambes étaient longues et bien musclées, et entre ses cuisses...

Elle rougit et détourna son visage. Bien que la vision de sa nudité ait suscité un sentiment étrange dans son propre corps, elle était déterminée à demeurer raide et froide dans ses bras. Elle ne pouvait pas l'empêcher de la prendre comme il voudrait, mais elle l'insulterait par sa froideur.

Il souffla la chandelle et la rejoignit sur le lit. Ses mains s'attaquèrent avec impatience aux lambeaux de vêtements. Il lui saisit rudement les épaules et l'embrassa avec une passion impérieuse, lui labourant la bouche.

En dépit de ses bonnes résolutions, le corps de Hannah répondit. Elle aurait voulu lutter contre elle-même autant que contre lui.

Les lèvres de Michael descendirent au creux de la gorge. Oh, ce traître de corps! Demeurer immobile devenait une véritable torture. Un gémissement se forma au fond de sa gorge.

Michael riait et descendit encore jusqu'aux seins, en agaçant les bouts avec sa langue jusqu'à ce qu'ils soient durs et palpitants.

Pleurant presque de colère et d'humiliation, Hannah se surprit cependant à lui rendre ses baisers. Michael lui avait transmis la chaleur de son corps et Hannah éprouva dans les coins les plus secrets de son ventre une faim qui exigeait d'être apaisée. Elle était pleinement consciente de ses jambes musclées contre les siennes, de sa peau douce et de son corps souple. Un corps d'homme jeune.

Les mains de Michael exploraient avec rudesse, lui donnant un plaisir presque douloureux. Cette étrange et voluptueuse souffrance ondoyait, chaque vague atteignant un sommet de désir de plus en plus élevé, jusqu'au moment où elle cria son nom et le saisit par les épaules.

— Oui! Maintenant, madame!

Il lui écarta les cuisses et vint sur elle, la pénétrant d'un seul mouvement brutal. Elle cria de nouveau, lui frappant la poitrine de ses poings. Mais il était déjà en elle. Les sensations se firent de plus en plus fortes. Elle gémit et se tendit vers lui tandis qu'il accentuait la rapidité de son mouvement. Elle était plongée dans un torrent de plaisir.

Puis il poussa un fort gémissement et ce fut le dernier mouvement. Quelque chose comme une explosion se produisit alors en elle et elle se perdit dans une extase douce presque insupportable dans son intensité. Hannah s'accrocha au corps à présent immobile, frémissant et criant sous la jouissance complète.

Elle se sentit lasse, comme sans pesanteur et désarticulée, les membres lourds. Les sens encore en éveil, Hannah émit un son de protestation quand il se sépara d'elle. Elle crut un instant qu'il allait se lever et voulut lui demander de ne pas s'en aller. Elle dut faire un effort de volonté pour rester silencieuse. Michael cependant ne partit pas, il s'étendit sur le dos à côté d'elle.

Hannah attendait qu'il parlât, le cœur battant. Mais il ne dit pas un mot. Seule sa respiration haletante emplissait la chambre.

Elle en fut désappointée. Toutefois, toujours sous le coup de l'émotion qu'elle venait de vivre pour la première fois, sa déception s'émoussa. Toute langoureuse, elle glissa dans le sommeil.

Hannah se réveilla en sursaut, clignant des yeux dans l'obscurité. Venait-elle de rêver encore d'Etoile-Noire? Il semblait bien, mais la substance de son rêve, si rêve il y avait, était trop diffuse pour qu'elle pût la saisir.

La mémoire lui revint enfin et elle retint son souffle, aux aguets. Etait-elle seule? Elle tendit une main timide et trouva la peau chaude de Michael.

— Oui, amour? Qu'y a-t-il? dit Michael d'une voix lente.

Essayant toujours de reconstruire son rêve, Hannah demanda avec hésitation :

— Etoile-Noire... il va bien...? Michael?

— Le cheval va bien, madame. J'ai fait plusieurs courses avec et j'ai gagné. Je vous fais mes excuses pour vous avoir accusée de maladresse à son égard. Vous l'avez bien entraîné... (Il s'interrompit puis sa voix s'éleva de nouveau, cette fois avec une nuance d'étonnement :) Hannah?

Une main la toucha dans l'obscurité, effleura son visage, les doigts suivirent le contour des lèvres, puis des seins. Hannah haletait, se tendant sous la caresse.

Michael gémit :

— Hannah, ma chérie! Vous avez hanté mes nuits pendant les jours passés! J'ai vécu dans la fièvre, mon amour!

Se souvenant du plaisir qu'il lui avait donné cette nuit, Hannah explora audacieusement le corps d'un homme pour la première fois. Ses mains glissèrent légèrement sur la poitrine aux muscles durs, sur les mamelons dressés sous les paumes caressantes, sur le ventre plat et dur, toujours plus bas.

Michael soupira et se tourna sur le lit pour la prendre dans ses bras. Leurs bouches se rencontrèrent et ils s'embrassèrent longuement.

Hannah se perdit de nouveau dans un monde de sensations. Il ne lui semblait même pas étrange d'avoir cru haïr cet homme au premier regard. Ou de n'avoir eu que dégoût pour lui seulement quelques heures plus tôt. Elle ne désirait pas se poser de questions. La seule chose qui lui importait était qu'il la désirait. Elle venait de vivre quelque chose de merveilleux. Rien de honteux ni de blessant comme avec Amos Stritch et le pirate ivre. Rien de pitoyable comme avec Malcolm sur la fin de sa vie. Avec Michael, c'était exaltant, merveilleux et voluptueux. Tout semblait naturel et juste.

Les lèvres de Michael laissèrent une trace brûlante jusqu'à ses seins. Sous ses baisers tendres et excitants, Hannah était heureuse d'avoir une poitrine parfaite à lui offrir. Tandis que ses lèvres et ses doigts jouaient sur son corps, Hannah laissait ses mains à elle aller et venir sur son dos, étonnée d'y sentir la tension et la détente musculaire. Elle plongea ses doigts dans ses longs cheveux, pressant son visage encore plus fort contre elle. Le corps frémissant de désir, elle voulait éprouver encore la douleur voluptueuse de tout à l'heure.

Il fut en elle avant même qu'elle s'en rendît compte, l'emplissant, se mouvant doucement. Cette fois-ci, peut-être parce qu'ils n'étaient pas tout à fait éveillés ni l'un ni l'autre, ils s'aimèrent plus lentement, plus tendrement, langoureusement. Hannah se crut dans l'eau, ou bien dans un rêve où les gestes sont ralentis.

Ce fut le début de l'extase, elle se laissa submerger par le plaisir, emportée par une volupté presque sauvage...

Quand elle revint à la réalité, Michael s'était retiré. Il repoussa doucement une mèche de cheveux humides qui dissimulait ses yeux. Il l'embrassa tendrement. Puis il se retourna en soupirant profondément.

Hannah fut un peu déçue. Elle aurait aimé qu'il la gardât dans ses bras. Elle s'y sentait en sécurité, à l'abri de toute blessure.

Mais il était fatigué, elle le comprit. Ses propres membres étaient lourds maintenant; il lui fallut faire un effort pour bouger. Elle rêvait, à demi endormie.

Elle se dressa et se tourna vers Michael.

— Michael? Je t'aime. Je crois que je t'ai aimé dès que je t'ai vu, alors que j'étais convaincue que tu étais le pirate nommé Dancer... Michael?

Il ne répondit pas; il respirait profondément et régulièrement. Il s'était endormi.

Hannah pensa que c'était très bien ainsi. Ils auraient tout le temps de parler à loisir. Une vie entière!

Elle se pelotonna contre son dos et céda au sommeil, un sommeil profond et heureux.

17

Le soleil dardait ses rayons sur les vitres de sa fenêtre lorsqu'elle s'éveilla. Elle s'assit en criant :

— Michael?

Il n'était pas là. La panique l'envahit et fit bondir son cœur. Où était-il?

Puis, se souvenant de leur nuit, elle s'allongea de nouveau et sourit. Il avait eu la gentillesse de se lever sans la réveiller. Il était probablement descendu prendre son petit déjeuner.

D'après la hauteur du soleil, il devait être bien tard et Hannah s'aperçut qu'elle était elle-même affamée. Elle resta pourtant couchée encore un moment, revivant et savourant sa joie. Son cœur lui faisait mal à force d'aimer. Quel avenir merveilleux pour eux! Avec Michael, Hannah restait maîtresse de Malvern mais avait maintenant quelqu'un avec qui partager.

Elle se leva enfin. Jamais elle ne s'était sentie aussi totalement heureuse. Elle s'habilla en chantonnant, choisissant une robe presque simple, espérant ainsi atténuer le choc que n'avaient sans doute pas manqué d'éprouver les domestiques et les invités encore présents au moment de la scène, la veille au soir. Hannah s'immobilisa pour éclater de rire. Choqués, ils l'avaient été, c'était certain. La vague d'indignation allait s'étendre sur Williamsburg et ses environs. Qu'ils papotent donc! Elle avait trouvé ce qu'elle attendait sans le savoir. Elle se sentait invulnérable dans son bonheur tout neuf.

Elle posa sa main sur la courbe douce de son ventre. Michael l'avait-il mise enceinte? Elle l'espérait bien!

Ses pensées allèrent vers Malcolm. Aurait-il approuvé? Hannah était sûre qu'il ne se serait pas contenté d'approuver, il aurait applaudi.

— Vous vouliez un fils, cher Malcolm, vous en avez un. Michael est vivant et présent! Vous avez un fils pour perpétuer le nom des Verner. Et si vous aviez un petit-fils? Ne serait-ce pas mieux encore?

Elle quitta sa chambre quelques minutes plus tard et descendit les mains sagement croisées, le visage grave, comme une vraie lady. Mais elle chantait à l'intérieur.

La maison était étrangement calme. Plus d'invités. Ils avaient dû se hâter de quitter les lieux après que Michael l'eut portée dans la chambre du haut.

« Oh, qu'ils aillent au diable! Je me suis passée de leur approbation jusqu'à présent. Michael et moi nous nous en passerons encore à l'avenir! »

La salle à manger était déserte. Elle alla jeter un coup d'œil à l'office. Jenny y était seule et lui lança un regard furtif.

— Jenny, as-tu vu Michael?

— Il a quitté la maison il y a plus d'une heure, madame Hannah.

— Où est-il allé?

— Vers l'écurie, répondit Jenny les yeux baissés.

Hannah sortit en hâte. Elle trouva John qui réparait des harnais à l'intérieur de l'écurie.

— John... Michael est-il parti à cheval?

— Oui, madame Hannah.

— Il est allé inspecter la plantation? Sans doute avait-il hâte, après une si longue absence...

— Non, madame Hannah. Il a pris la direction de Williamsburg.

Le cœur de Hannah s'effondra. Pourquoi était-il parti, sans un mot pour elle? Elle se détourna pour cacher sa détresse. Elle scruta la route de Williamsburg depuis la porte de l'écurie. Peut-être avait-il quelque affaire personnelle à régler à la ville. Dans ce cas, John ne l'aurait-il pas conduit dans la calèche?

Refoulant ses craintes, elle se tourna vers John. Elle devait absolument faire quelque chose pour occuper son esprit.

— John, veux-tu seller mon cheval? Je vais me changer en attendant.

Depuis que Michael avait repris Etoile-Noire, Hannah montait le cheval de Malcolm, un grand bai. Un animal assez bon, mais qui n'avait pas la classe d'Etoile-Noire.

Hannah repartit vers la maison, l'inquiétude remplaçant sa joie d'un moment. Elle ne comprenait pas pourquoi Michael était parti sans rien dire. Il reviendrait pourtant. Après la nuit qu'ils avaient passée ensemble, elle était certaine qu'il reviendrait.

Les temps étant de nouveau difficiles pour Amos Stritch, il avait perdu un peu de poids. Mais il souffrait toujours de sa goutte et il lui fallait une canne pour marcher.

De mauvaise humeur, il clopinait dans les rues de Williamsburg. Il avait gagné largement avec Barbe-Noire, vendant l'alcool volé et servant d'intermédiaire pour d'autres pirates. Mais maintenant, la mort de Barbe-Noire écartait les pirates des côtes virginiennes. Stritch devait donc trouver un autre moyen d'existence, sinon l'argent qu'il avait épargné serait bientôt épuisé. Peut-être vaudrait-il mieux quitter Williamsburg.

Tournant dans la Gloucester Street, il vit un grand jeune homme qui marchait tête baissée. Stritch le reconnut aussitôt. C'était le jeune Michael Verner. Stritch s'enflamma. D'après les histoires qui circulaient dans la ville, c'était lui qui était responsable de la mort du pirate. Une idée germa alors dans la tête de Stritch.

Il traversa la rue et aborda Michael Verner.

— Monsieur Verner...

Michael s'arrêta. Ses yeux se rétrécirent quand il reconnut Stritch.

Stritch ôta son chapeau.

— Je vous souhaite le bonjour, jeune sir. Peut-être n'êtes-vous pas au courant, mais votre père — que son âme repose en paix — avait conclu un marché avec moi avant de mourir. Il m'a acheté le contrat d'apprentissage de Hannah McCambridge, maintenant Mme Verner. Il devait me payer cinquante livres après la vente de la récolte de tabac de l'année dernière. Le pauvre est mort avant d'avoir pu payer. Vous êtes un gentleman, sir, et vous tenez certainement à ce que la dette de votre père soit honorée, n'est-ce pas? J'ai demandé à Mme Verner de me payer mon dû, mais elle a refusé et...

Les yeux de Michael s'enflammèrent.

— Comment osez-vous, monsieur? Comment osez-vous m'aborder ainsi? Croyez-vous que je ne sache pas qui vous êtes? Croyez-vous que j'ignore vos affaires avec Edouard Tiche? Que j'ignore que vous avez voulu le persuader d'opérer un raid sur Malvern?

Michael leva la main comme pour le frapper et Stritch recula.

— C'est faux, jeune sir. On vous a raconté un mensonge.

— J'étais témoin, créature méprisable! J'ai tout entendu et je sais tout. Qu'est-ce qui vous arriverait si je rapportais cela au gouverneur Spotswood? Il vous ferait pendre comme un pirate!

Vraiment effrayé à présent, Stritch s'écria :

— Je vous en prie, jeune sir. Je vous demande de ne pas faire cela! Nous oublierons la dette de votre père...

— Il n'y a pas de dette et même s'il y en avait une, je

ne l'honorerais pas. Si j'avais mon épée, je vous trans-
percerais le corps!

Stritch leva les bras au ciel.

— Je ne suis pas un homme qui se bat. Je ne porte
pas d'arme. Je suis malade et paralysé...

— Vous allez quitter Williamsburg sur-le-champ,
Amos Stritch. Si jamais je vous revois, je vous tue. Je
vous en donne ma parole. Vous allez quitter Williamsburg aujourd'hui même.

Michael tourna les talons et s'éloigna. Amos Stritch le
suivit des yeux, complètement abattu. Il était trop
inquiet pour sa vie immédiate pour se complaire plus
longtemps dans sa colère. Il savait que ce jeune homme
fougueux était tout à fait sérieux.

Stritch se rendit compte qu'il avait agi follement et
que sa vie était en danger. Il lui fallait quitter la ville ce
jour même. Mais pour aller où? Il lui fallait quitter la
Virginie, peut-être même le Sud, pour se diriger vers le
nord et se trouver une place dans une ville quelconque.
Sans doute pourrait-il s'immiscer dans quelque commerce d'alcools. Si la fortune lui souriait, il n'était pas
impossible qu'il possédât un jour sa propre taverne.

Tandis qu'il traînait dans la rue, il maudissait le jour
où il avait posé l'œil sur Hannah McCambridge. Cette
garce venue de l'enfer avait été sa perte. Il semblait
qu'il n'aurait jamais l'occasion de régler ses comptes
avec elle.

Michael Verner était tourmenté. Une semaine s'était
écoulée depuis le soir où, après avoir trop bu, il s'était
laissé emporter par sa passion, assistant au bal de Malvern et faisant enfin l'amour avec Hannah.

Il poussa un gémissement. Cette femme le hantait
maintenant jour et nuit. Elle lui courait dans le sang
comme une mauvaise fièvre.

Le lendemain de ce bal, il avait quitté Malvern de

bonne heure après une longue conversation avec John, l'homme qui avait toujours été le plus proche de lui depuis son enfance. John avait rectifié un certain nombre d'erreurs de jugement que Michael avait commises au sujet de Hannah. John avait conclu :

— Mme Hannah, elle est une femme très bien. Elle a apporté le bonheur à Malvern. Mme Hannah exploite Malvern presque aussi bien que votre père, monsieur Michael.

Il n'en était pas moins vrai qu'elle avait été une fille de taverne, quelle que fût la manière dont elle en était arrivée là. Toutefois, ce qui tourmentait le plus Michael, c'était le fait qu'il avait fait l'amour à une femme que son propre père avait eue également dans son lit. Sa belle-mère! C'était un inceste, non selon le sang bien sûr, mais c'en était un tout de même dans son esprit.

En outre, l'idée que cette canaille d'Amos Stritch avait aussi couché avec elle était tout simplement insupportable; il imaginait ce gros corps difforme violant Hannah! Quelques minutes plus tôt, lors de sa rencontre avec le scélérat, un rideau de rage folle était descendu devant les yeux de Michael. Il aurait tué l'homme sur place s'il avait eu une arme.

Pourtant, rien de tout cela ne pouvait effacer la nuit qu'il avait passée avec Hannah. Jamais une femme ne lui avait donné autant de plaisir. Il savait qu'elle attendait son retour; c'était pour Michael une lutte de chaque instant pour résister à la tentation puissante de rentrer au domaine. Il avait passé la semaine à boire, à jouer, à faire des courses avec Etoile-Noire, dans le seul but de détourner ses pensées de Hannah. Il avait même couché avec une putain de taverne, mais il avait ensuite quitté son lit avec écœurement. Rien n'y faisait. Rien n'effaçait Hannah de son esprit.

Michael entra à la taverne Raleigh et monta dans la chambre qu'il partageait avec d'autres messieurs. A Williamsburg, quelques rares tavernes seulement étaient pourvues de chambres individuelles. Il était courant de dormir dans une pièce bondée d'autres voyageurs. Toutefois, la taverne Raleigh était la meilleure de la ville et Michael pensa que son nouveau statut de héros de la cité exigeait qu'il résidât dans ce qu'il y avait de mieux.

Michael était assez sage pour savoir que l'adoration vouée à un héros était de courte durée et qu'il serait bientôt remplacé par quelqu'un d'autre. Il espérait que ce serait pour bientôt! Son élévation au rang de héros, son retour miraculeux de la mort, les rumeurs que suscitait son logement à la taverne au lieu de reprendre sa place comme maître de Malvern, tout cela lui apportait une célébrité dont il se serait passé.

Au moins avait-il un coin pour lui seul dans la grande chambre, un coin pour ses vêtements et ses affaires personnelles. Il disposait même d'une écritoire pour son seul usage.

Il enfila sa tenue d'équitation. Il avait couru cinq fois avec Etoile-Noire et le cheval avait toujours été vainqueur. Les défis lui arrivaient en masse. Jamie Falkirk venait justement de lui en lancer un sur son grand alezan, Smoker. Michael se souvenait très bien que cette course lui avait été proposée dans des circonstances bizarres, comme si Jamie l'avait provoqué en duel. Vivant dans des plantations voisines, ils avaient été des amis très proches dans leur enfance et voilà que Jamie semblait nourrir une animosité inexplicable envers lui. Son ancien ami serait-il envieux? Et, pourtant, si Jamie savait combien sa vie de héros lui pesait!

L'importance de l'enjeu avait surpris Michael. Jamie avait parié cinquante livres contre Etoile-Noire. C'était considérable par rapport aux enjeux habituels. Il fallait que Jamie fût bien sûr de lui.

Quoi qu'il en fût, cette somme serait la bienvenue. Michael avait d'abord hésité à accepter la récompense du gouverneur, jugeant que cet argent était le prix du sang. Puis il avait compris qu'il ne pouvait guère rester à Malvern, Hannah y vivant déjà, et il ne pouvait se résigner à l'en faire partir; dans ces conditions, il était évident qu'il avait besoin d'argent. Il avait donc ravalé sa fierté et accepté les deux cents livres. Elles lui avaient servi à jouer aux cartes et à parier sur Etoile-Noire.

Quittant la taverne Raleigh, il chemina jusqu'aux écuries situées à l'orée de la ville. Le cheval hennit doucement dans son box, encensant de la tête, comprenant que Michael avait un morceau de sucre pour lui. L'animal le lui prit dans la main, Michael repoussa d'un geste le garçon d'écurie et sella Etoile-Noire lui-même.

Il se mit en selle et sortit de la ville, en direction de la piste de course qui était des plus simples. De nombreuses villes de Virginie possédaient des pistes; certaines étaient même aménagées pour recevoir des spectateurs. A Williamsburg, ce n'était qu'une piste circulaire tracée sur une ancienne pâture. Comme c'était un jour de semaine, il y avait peu de spectateurs. Jamie était déjà arrivé avec plusieurs de ses amis. Michael le rejoignit.

Jamie rejeta en arrière sa chevelure flamboyante et considéra Michael; son visage maigre reflétait son mécontentement.

— Vous êtes en retard, sir. Nous pensions que vous aviez peur de jouer votre cheval contre le mien.

— Pourquoi aurais-je peur, Jamie? C'est vous qui êtes arrivé de bonne heure. Nous avions rendez-vous...

— Pour être franc, je crois qu'il faut que je vous mette au courant. Il m'est arrivé plusieurs fois de courir avec Smoker contre Etoile-Noire, sir, Hannah Verner le chevauchant. J'ai toujours gagné.

Michael se raidit, mais il réussit à répondre d'une voix calme.

— J'apprécie vos inquiétudes, Jamie. Vous êtes beau

joueur. Je maintiens mon pari. Et puis vous avez l'air tellement impatient, commençons.

— Eh bien, d'accord. Vous ne pourrez pas dire que vous n'étiez pas averti.

— Non, Jamie, je ne peux pas dire cela! répliqua Michael sèchement.

Ils choisirent deux hommes qui se postèrent près des poteaux d'arrivée; l'un fut chargé de donner le signal du départ et l'autre tenait les enjeux. Jamie sauta en selle, une cravache à la main. Les deux hommes alignèrent leurs chevaux côte à côte. Ils attendirent que les juges aient rejoint les poteaux.

Le starter dit alors :

— Prêts, messieurs? (Ils étaient prêts.) Bonne chance à tous deux. Partez!

Les chevaux s'élancèrent, comme projetés par un arc. Michael laissa d'abord Smoker prendre la tête, un point capital qu'il avait appris de ses courses précédentes. Etoile-Noire avait horreur de suivre un autre cheval. Michael maintint son cheval à une demi-longueur derrière son concurrent jusqu'à la moitié de la course. Jamie lança un coup d'œil en arrière, ses dents étincelaient dans un sourire triomphant.

Michael percevait le déplaisir d'Etoile-Noire; l'animal tirait sur le mors. Michael relâcha finalement les rênes et se pencha pour crier :

— Parfait, beauté! Vas-y, Etoile-Noire! Prends-le!

Dans un délire de vitesse, Etoile-Noire s'élança à hauteur de Smoker. Jamie tourna la tête, étonné et incrédule. Puis Etoile-Noire le dépassa à quelques mètres des poteaux. Du coin de l'œil, Michael vit Jamie frapper de sa cravache l'arrière-train de Smoker.

Michael toucha des talons les flancs d'Etoile-Noire qui accéléra encore son allure. Ils passèrent comme un éclair près des poteaux d'arrivée, à une longueur et demie devant la monture de Jamie.

Michael laissa à son cheval le temps de s'arrêter. Il retourna ensuite aux poteaux et mit pied à terre. Jamie sauta tandis que le teneur d'enjeux remettait son gain à Michael.

— Vous montez fort bien, sir.

Michael se contenta de hocher la tête en signe d'acquiescement, tout en considérant l'argent que l'on était en train de lui compter dans la main.

— Montez-vous Hannah Verner aussi bien?

Michael dressa la tête. Il n'était pas sûr d'avoir bien entendu. Jamie ricanait franchement :

— Tout le monde sait que vous avez passé la nuit du bal dans son lit...

— Vous déshonorez le nom d'une lady, sir!

— Une lady? Une fille de taverne, possédée par n'importe quel homme qui a...

La rage bouillonna en Michael, une rage telle qu'il n'en avait encore jamais éprouvée jusque-là. Il leva la main et frappa Jamie en plein visage. Jamie chancela. Son visage blêmit sous la masse des cheveux roux. Sa main effleura la marque que Michael avait laissée sur sa joue. Il dit d'une voix glaciale :

— Je vous demande réparation, sir.

Michael répondit sur le même ton :

— Avec plaisir, sir!

— Quelles seront les armes? Je préfère l'épée. D'après ce que j'ai entendu dire, vous avez fait très souvent usage de la vôtre en tant que pirate, et je ne souhaite pas prendre un avantage quelconque sur vous.

— Puisque vous le voulez ainsi, Jamie Falkirk, ce sera l'épée.

— Mon témoin passera vous prendre à l'aube. Nous nous rencontrerons au lever du soleil.

— A demain donc, au lever du soleil, sir. (Michael s'inclina.) Permettez-moi de me retirer, messieurs.

Il sauta en selle et partit au grand galop. Il avait

parcouru la moitié du chemin qui le ramenait à Williamsburg quand sa rage commença à tomber. Il ralentit alors l'allure de l'animal qui avança ensuite au pas.

Michael était consterné. Etait-il condamné à se battre en duel avec tous les Virginiens? Lui qui avait cru fermement qu'une fois terminé son séjour chez Edouard Tiche, c'en serait fini des tueries. Il semblait qu'il se fût trompé.

Quant à Jamie... il se souvenait de leurs jeux lorsqu'ils étaient gamins, ils se battaient en duel pour rire, avec des épées en bois. Et comme Jamie était maladroit sur les échasses, tombant en se recroquevillant! Manifestement, il n'était guère plus agile à présent; tandis que Michael s'était exercé à l'épée, ne cessant de répéter les différentes passes jusqu'à ce qu'il eût la certitude que rares seraient ceux qui le surpasseraient. Non. Ce serait un meurtre, purement et simplement un meurtre!

Il comprit tout à coup qu'il ne s'en sortirait pas. S'il était contraint de tuer Jamie, pour quelque raison que ce soit, il ne serait plus jamais en paix avec lui-même.

Il fut sur le point de rebrousser chemin jusqu'à la piste. Mais il se rendit vite compte que cela ne servirait à rien. Pour quelque raison obscure, Jamie tenait à combattre et même s'il réussissait à refuser ce duel, il lui serait tout de même imposé d'une façon ou de l'autre.

A Williamsburg, il dit au garçon d'écurie :

— Desselle l'animal, étrille-le comme il faut, donne-lui à manger et à boire. Je vais en avoir besoin d'ici peu.

Il rentra ensuite à la taverne. Installé devant son écritoire, il plongea une plume d'oie dans l'encre et écrivit :

Madame. Je quitte la Virginie aujourd'hui même. Je suis sûr que je laisse Malvern en de bonnes mains. La conduite qui fut la mienne le soir du bal est inexcusable. Je ne peux qu'avancer l'excès de boisson pour ma justification. Je ne prends pas la peine de vous deman-

*der votre pardon car je sais que ce serait probablement
en vain. Mais peut-être trouverez-vous dans votre cœur
la force de penser à moi avec plus d'indulgence quand
le temps aura passé. Je ne sais pas encore combien de
temps durera mon absence. Puisse Dieu en sa sagesse
être bon pour vous, madame.*

Michael signa et réfléchit encore longtemps. Il y avait
tant de choses qu'il aurait voulu dire, mais il ne pouvait
pas se le permettre.

Il proféra finalement un juron, plia la feuille, la scella
avec une goutte de cire de sa chandelle, puis griffonna
« Madame Hannah Verner ». Il alla crier sur le palier
qu'on lui envoyât un garçon. Un gamin de quatorze ans
s'élança dans l'escalier, l'un des nombreux jeunes sous
contrat à la taverne Raleigh.

— Oui, monsieur Verner?

— Tu sais où se trouve la plantation Malvern?

Le gamin hocha la tête.

Michael prit plusieurs pièces dans sa poche.

— Loue un cheval aux écuries et va porter ce message à Mme Hannah Verner à Malvern. A personne
d'autre, compris? Tu pourras garder l'argent qui restera.

Le gamin hocha vigoureusement la tête.

Michael rassembla ensuite ses affaires personnelles.
Il n'emporterait que ce qui ne chargerait pas trop Etoile-Noire.

Un gentilhomme ne pouvait pas fuir la veille d'un
duel sans se déshonorer, sans passer pour un lâche. Et
cependant, c'était ce que Michael allait faire. Une heure
plus tard, il quittait Williamsburg avec Etoile-Noire, en
direction de l'ouest, incertain de sa destination. Il partait sans un regard derrière lui.

Même après avoir reçu la lettre de Michael, Hannah
n'arrivait pas à accepter le fait qu'il était parti. Elle lut

et relut le bref message, essayant d'en déchiffrer les allusions cachées. Il fallait se rendre à l'évidence, Michael sortait de sa vie.

Elle fut légèrement surprise que son orgueil lui ait permis de s'excuser pour son comportement. Ce n'était pas des excuses qu'elle voulait, mais Michael en personne! Ce qui était impardonnable, c'était la manière dont il la quittait.

Elle montra la lettre à André. Il y réfléchit un long moment, le sourcil froncé. Il essaya de raisonner :

— Il faut considérer une chose, chère lady. Si le jeune Verner est vraiment parti, vous n'avez pas besoin de vous faire de souci en ce qui concerne Malvern. Il vous laisse maîtresse de la plantation...

— Mais je croyais qu'il m'aimait! s'emporta-t-elle.

— Ah... je comprends! Vous l'a-t-il donné à entendre?

— Oui. Ou, du moins, je l'ai cru.

— La question la plus importante peut-être : avez-vous de l'amour pour lui dans votre cœur?

— Oui, je... Ah, André, je n'en sais rien! Je croyais que je... Comment puis-je aimer un homme qui s'échappe et me quitte comme ça?

— Hannah, chère Hannah! Nous ne savons pas s'il *vous* fuit. Il peut avoir de nombreuses raisons de quitter Williamsburg.

— Il n'a même pas dit au revoir, même pas le matin où il est parti!

André agita la lettre. Il dit d'une voix ferme :

— Il semble que ce soit là sa manière de dire au revoir.

— C'est un moyen bien minable, et cruel en plus. Je ne lui pardonnerai jamais cela!

Elle arracha la lettre de la main d'André et quitta la pièce.

Jamie Falkirk arriva à Malvern à cheval, tard dans l'après-midi de ce même jour. Avertie de sa venue, Hannah l'accueillit dehors. Elle ne l'invita pas à entrer, le laissant debout à l'entrée. Il faisait froid et Hannah avait bien du mal à ne pas frissonner.

Jamie annonça avant toute chose :

— Votre amoureux est un lâche, madame!

Elle ne broncha pas au mot « amoureux », mais elle le dévisagea calmement :

— Que voulez-vous dire, sir?

— J'ai provoqué Michael Verner en duel pour ce matin au lever du soleil. Il a accepté mon défi devant témoins, mais il a été trop lâche pour se présenter. J'ai appris à Williamsburg qu'il avait quitté la ville hier, au crépuscule. Michael Verner a révélé sa vraie nature. Aucun gentilhomme ne saurait se dérober à un duel. Le nom de Michael Verner sera considéré avec mépris à Williamsburg à partir de ce jour!

— Pour quel raison ce duel? A cause de moi sans doute, n'est-ce pas, Jamie? Vous avez raconté quelque chose à mon sujet?

— Une vraie lady ne pose pas de questions sur les affaires d'honneur, madame.

Il rejeta la tête en arrière et lança un rire âpre. Là-dessus, sans même prendre congé, il fit virevolter son alezan et partit.

Hannah le suivit des yeux, tremblante de froid à présent. Elle ne rentra pas tout de suite dans la maison. Elle se sentait trahie; le désespoir l'envahit. Il lui fallait bien accepter le fait que Michael avait quitté la Virginie. Elle savait pourquoi.

Michael n'était pas un lâche; elle le savait dans son cœur. Il ne pouvait y avoir qu'une seule explication : il n'avait pas considéré que l'honneur du nom qu'elle portait, elle, Hannah, valait la peine de risquer sa vie dans un duel.

Tous les hommes ne savaient-ils donc que trahir les femmes?

18

Les enfants demandaient encore une histoire du grand John le conquérant.

Bess examina les visages noirs et avides rassemblés devant l'âtre flamboyant de la cuisine. Février touchait à sa fin et le mois avait été plus froid que d'ordinaire. Il y avait des plaques de neige sur le sol et un vent glacial soufflait dans tous les coins, s'engouffrant par les fissures. Dans la cuisine, il faisait chaud et cela sentait bon.

Bess regarda au delà des visages enfantins. Hannah était assise au fond, le visage pincé comme si elle avait froid, repliée sur elle-même, ses bras entourant ses genoux. Pauvre enfant, il semblait que ses tourments n'auraient jamais de fin...

— Bess, s'il te plaît! dirent les enfants à l'unisson.

— Je crois que je vous ai raconté tout ce que je sais comme histoires sur le grand John.

Les enfants grondèrent.

— Bien sûr, le grand John n'a pas toujours gagné contre son maître. Une fois, le grand John est allé trop loin et trop fort et...

Bess se souvint subitement que la dernière fois qu'elle avait raconté une histoire sur le grand John, le nouvel esclave, Léon, avait écouté et l'avait accusée ensuite d'encourager à la rébellion, ou quelque chose comme cela. Fut-ce ce qui lui fit imaginer un autre genre d'anecdote ce soir?

Elle balaya ces pensées de son esprit et commença :

— Le grand John puisait l'eau dans la rivière pour la porter au manoir, dans la mauvaise plantation où il était esclave. Il travaillait dur depuis plusieurs jours. A chaque fois qu'il faisait ça, il se plaignait qu'il était fatigué de tirer de l'eau tous les jours. Un jour, une tortue était accroupie sur un soliveau quand le grand John arriva pour puiser son eau. Comme John commençait à se plaindre, la tortue se leva et le regarda en disant : « Grand John, tu parles trop. »

» Bien sûr, le grand John ne voulait pas croire que c'était une tortue qui lui parlait et il a fait semblant de n'avoir pas entendu. Mais la fois d'après, quand il est arrivé à la rivière avec ses seaux, une tortue était encore accroupie sur un soliveau et John dit : « Je suis fatigué de puiser de l'eau tous les jours. » La tortue dit : « Grand John, tu parles trop. » Le grand John remplit ses seaux et se traîna au manoir. Il dit au maître qu'il y avait une tortue au bord de la rivière, une tortue qui lui parlait. Le maître a ri beaucoup et il a dit à John qu'il devait avoir la tête dérangée. Mais John n'arrêtait pas de dire que la tortue lui parlait. Il voulait que le maître y aille voir par lui-même.

» Le maître a fini par suivre le grand John, mais en lui disant qu'il le rosserait durement si la tortue ne parlait pas. Ils sont donc descendus à la rivière. La tortue était sur le soliveau, la tête rentrée dans sa carapace, elle épiait avec l'un de ses petits yeux.

» John dit à la tortue : « Dis au maître ce que tu as dit. » La tortue, elle ne disait rien. John lui a demandé plusieurs fois, mais elle ne disait rien. Alors, le maître a emmené le grand John dans la grange et l'a bien fouetté. Il lui a dit qu'il irait puiser l'eau tous les jours parce qu'il avait menti. Le lendemain, John descend à la rivière avec ses seaux. La tortue était sur son soliveau, la tête dressée. John ne s'en occupait pas, il grognait seulement : « J'ai dû entendre des voix. N'importe quel fou sait bien que les tortues ne parlent pas. Et maintenant, j'ai le dos en sang à cause de ça ! »

» La tortue alors a levé la tête et a dit : « Grand John, je t'avais bien dit que tu parlais trop ! »

Le rire énorme de Bess tonna et les enfants battirent des mains joyeusement. Bess se leva.

— Il est grand temps que vous alliez au lit. Dehors!

Lorsque les enfants furent partis, elle s'approcha de Hannah qui restait blottie sur elle-même. Elle avait seulement souri faiblement à la fin de l'histoire.

Hannah était enceinte. Elle l'avait dit à Bess peu avant Noël. Elle était rayonnante tandis qu'elle serrait Bess dans ses bras et lui embrassait les joues.

— C'est l'enfant de Michael, Bess! Ce sera un Verner, et ce sera un enfant de l'amour!

Bess avait cru devoir ajouter une remarque prudente :

— Êtes-vous certaine que M. Michael va revenir, ma douce? S'il ne revient pas pour vous épouser, ce sera un bâtard. Les Blancs n'aiment pas ça!

Hannah avait répondu avec effusion.

— Michael reviendra, je le sais. Il m'aime, j'en suis sûre! J'en porte la preuve en moi!

Bess aurait voulu lui dire que ce n'était pas parce qu'une femme portait l'enfant d'un homme que celui-ci l'aimait forcément. Mais elle s'abstint.

Hannah l'avait embrassée de nouveau.

— C'est bientôt Noël, et ce sera la fête à Malvern, Bess, ce sera un Noël plein de joie. Pas comme celui de l'année dernière encore si près de la mort de Malcolm.

Ce fut en effet un Noël très gai, Hannah rayonnait, elle avait donné un cadeau à tous, hommes, femmes, enfants vivant sur la plantation. Chacun conservait en mémoire cet événement fantastique, comme un trésor. Hannah avait même pensé donner un bal, mais André et Bess l'en dissuadèrent.

Et puis les semaines avaient passé, sans aucune nouvelle de Michael Verner, pas le moindre indice. La tristesse descendit alors lentement sur Hannah, elle était abattue. Tout ce que pouvait faire ou dire Bess ne parvenait pas à lui redonner courage.

Bess et Hannah étaient seules à présent. Bess dit doucement :

— Il est temps que vous alliez vous coucher, ma douce. C'est mauvais pour une femme dans votre état de sortir dans le froid.

Bess l'aida à se lever et Hannah s'appuya sur son bras tout le long du passage couvert, jusqu'à la maison et ensuite jusqu'à sa chambre où Bess la mit au lit.

« On dirait une vieille femme », pensa Bess tristement; « elle a pas vingt ans et elle agit comme une vieille avant l'âge ». En fait, même pendant les jours terribles qu'elle avait passés à *La Tasse et la Corne*, Hannah avait fait preuve d'un esprit plus combatif. Bess espérait un événement quelconque qui ramènerait l'Hannah qu'elle avait connue autrefois. C'était urgent!

Bess quitta la chambre. Elle était à mi-hauteur de l'escalier quand elle entendit frapper lourdement à la porte principale en même temps qu'une voix forte criait des paroles incohérentes. Jenny sortit de la salle à manger, les yeux écarquillés.

Bess la fit reculer.

— Ne t'inquiète pas, ma fille. Je vais ouvrir. Qui peut bien venir à Malvern à cette heure?

Elle alla ouvrir la porte en marmonnant. C'était Silas Quint, la face rouge et crevassée de froid. Son nez était violacé et une odeur d'alcool s'échappait par vagues de la bouche de l'homme.

— Vous! Qu'est-ce que vous venez chercher ici? Miss Hannah a donné l'ordre de vous chasser si on vous voyait rôder par ici.

— Hannah est une garce. Je veux la voir.

— Vous la verrez pas! Partez avant que j'appelle John pour vous jeter dehors!

Elle lui claqua la porte au nez.

Silas Quint jura. Il resta planté là un moment, pas très assuré sur ses jambes, se demandant s'il devait frapper encore une fois. Il finit par rebrousser chemin en titubant.

Il était retourné à Malvern plusieurs fois, se cachant pour épier, attendant l'occasion de l'affronter de nouveau, et de demander son dû. C'était devenu une obsession. Mais Hannah ne sortait plus faire sa promenade à cheval chaque jour. Elle restait le plus souvent à la maison et il ne pouvait pas y pénétrer.

Quint descendit l'allée d'un pas cahotant jusqu'au chêne où il avait attaché un cheval. Malvern l'obsédait tellement qu'il avait acheté son cheval en promettant de le payer dès qu'il aurait reçu son dû. C'était un pauvre petit cheval de piètre allure et Quint suspectait le propriétaire de l'écurie de n'avoir été que trop heureux de se débarrasser enfin de l'animal. Quoi qu'il en soit, c'était un moyen plus rapide pour aller et venir de Williamsburg à Malvern.

Quint essaya de se mettre en selle. Mais il tomba de tout son long. Il s'assit, un flot de malédictions à la bouche. Il agita son poing en direction du manoir, il pleurait presque.

— Le diable t'emporte aux enfers, Hannah McCambridge!

— McCambridge? Hannah McCambridge? dit une voix basse et rauque derrière lui, tandis qu'une main aux doigts puissants le saisissait à l'épaule.

— Quoi...? Qui êtes-vous? s'écria-t-il en regardant autour de lui et apercevant une silhouette d'homme dans son dos.

— La maîtresse de Malvern, autrefois Hannah McCambridge? questionna l'homme en durcissant la pression de ses doigts.

— Oui, qu'elle soit damnée! McCambridge était le nom de sa mère quand elle m'a épousé! Et vous, qui êtes-vous et pourquoi voulez-vous savoir ces choses sur Hannah McCambridge?

La silhouette bougea et les doigts se détendirent.

— Moi, fâché, missié. Voulais pas faire de mal. J'ai perdu la tête quand j'ai entendu le nom de McCambridge.

L'homme aida Quint à se relever. Quint l'observa de plus près, toujours vacillant.

— Mais... t'es un nègre! Tu oses porter la main sur moi?

Le nègre se fit doucereux.

— Suis désolé, missié. Vous avez bien parlé de la maîtresse?

L'esprit embrumé de Quint s'éclaircit peu à peu. Il était toujours indigné qu'un Noir eût osé le toucher, mais il y avait tout de même quelque chose de bizarre là-dedans. Il comprit qu'il pouvait prendre l'avantage et demanda sur un ton aussi impératif que possible :

— Comment tu t'appelles, garçon?

— Léon. Je suis Léon, missié. Esclave sur la plantation ici.

— Léon? Moi, je suis Silas Quint. (Il entoura de son bras les épaules de l'esclave, à la manière d'un bon camarade. Ce n'était pas dans sa nature de se rapprocher ainsi des Noirs, mais son cerveau astucieux avait détecté quelque chose qu'il désirait absolument élucider. Il poursuivit :) T'as dit que t'avais perdu la tête quand t'as entendu le nom de McCambridge. Pourquoi?

— Je me trompe, certainement. J'ai connu un jour un homme de ce nom-là. Il avait une petite fille avec des cheveux rouges. Mais elle pourrait pas être maîtresse ici aujourd'hui.

— McCambridge est pas un nom ordinaire. Tu connais son nom de baptême?

— Robert, Robert McCambridge.

Un souvenir très vague nagea dans le cerveau de Quint. Il tenta de le préciser, mais il lui échappait.

— Où est-ce que tu as connu ce Robert McCambridge?

— On était ensemble dans une autre plantation.

— C'était un esclave? Un Noir?

— A moitié. C'était le fils du maître et il était traité autrement que les autres.

Les souvenirs de Quint se précisèrent. Mary lui avait raconté un jour que le père de Hannah s'appelait Robert McCambridge. Quint était excité au point que les dernières vapeurs de l'alcool disparurent de son cerveau.

— C'est en Caroline du Nord que tu l'as connu?

— Oui, missié, je le jure!

— Et c'est lui le père de Hannah?

— Oui. Il vivait avec la femme blanche. Il était un homme libre. Mais Mme Hannah doit pas être la même...

— C'est à moi d'en juger!

Son chemin était dorénavant tout tracé! Elle avait donc du sang noir. C'était une grande nouvelle! Sachant cela, il avait le pouvoir de la faire payer, payer, payer...

Il examina l'esclave. Il se souvenait à présent de l'angoisse de Mary. Et aussi qu'elle lui avait révélé un jour que son mari avait été tué par un esclave en fuite. Or, ce Léon pourrait bien être cet esclave! Ce qui expliquerait sa peur. Peut-être pourrait-il exploiter cette voie par la suite.

— Léon, dit-il sur le ton de la confidence, t'aimerais pas avoir assez d'argent pour t'en aller d'ici et vivre dans un endroit où tu ne serais plus esclave? T'aimerais bien, non?

— Suis heureux ici, missié. C'est une bonne plantation. J'ai pas envie de m'évader, missié.

— T'as été un fuyard avant, non? Avec beaucoup

d'argent dans tes poches tu pourrais aller là où on ne pourrait pas te prendre.

— Qu'est-ce que Léon doit faire pour avoir l'argent? demanda l'esclave avec circonspection.

L'homme était désormais acquis. Quint lui donna une grande tape sur l'épaule.

— Laisse-moi y penser. On en reparlera bientôt, dans une semaine, à la même heure, mais plus loin d'ici, vers la route, sous les arbres. C'est pas la peine qu'on nous entende, hein, Léon?

Léon hocha la tête en silence.

Quint se retourna. Cette fois-ci, il put monter sur son petit cheval sans trop de peine, il était dégrisé.

Ainsi donc, la belle dame de Malvern avait du sang noir dans les veines. Quint se mit à rire tout haut et enfonça ses talons dans les flancs de son cheval tout en proférant des jurons à l'adresse de l'animal. Sans grand résultat.

Un printemps précoce s'installa sur Malvern. Il faisait plus chaud, quelques arbres commencèrent même à bourgeonner.

Hannah reprit quelque peu goût à la vie avec l'arrivée du printemps. Elle s'était faite à l'idée que Michael était parti pour de bon et plus le temps passait, plus elle endurcissait son cœur contre lui.

Elle tourna plutôt ses pensées vers la vie qui s'éveillait dans son sein et se reprit à en éprouver de la joie.

Bess lui ayant fortement déconseillé de monter à cheval, elle lança tous les domestiques de la maison dans un tourbillon de travaux ménagers, surveillant tout, s'activant elle-même, affolant les filles.

Elle portait donc une vieille robe, un torchon enturbannait sa tête et des traces de poussière maculaient son visage quand un après-midi, un coup très fort fut frappé à la porte. Étant justement dans le vestibule, elle ouvrit la porte elle-même.

Silas Quint la regardait en ricanant. Sur le moment, Hannah ne fut pas sûre de le reconnaître. Ses vêtements étaient propres. Même son visage était net et, pour la première fois sans doute depuis qu'elle le connaissait, il ne puait pas l'alcool.

Puis il parla et Hannah ne douta plus.

— Bonjour à vous, madame Verner.

— Que faites-vous ici? Ne vous ai-je pas déjà dit de ne jamais...

Elle allait refermer la porte violemment, mais Quint avança et fit lâcher prise à Hannah en donnant un coup d'épaule dans la porte qui vint heurter le mur.

— J'ai un mot à vous dire, jeune lady.

— Si vous ne partez pas immédiatement, j'appelle quelqu'un...

Quint n'écoutait pas. Son regard avait tout de suite glissé sur son ventre arrondi et il eut une espèce de gloussement sonore. Elle était enceinte! C'était sans doute le rejeton du jeune Verner. Il fut dès lors certain de son fait! Il ne la laissa pas terminer sa phrase.

— Tu vas finir tes boniments, femme, et tu vas m'écouter.

Hannah fut médusée par le ton de la voix. Il y avait dans son comportement une arrogance assurée qu'elle ne lui avait jamais vue auparavant. Un frisson glacé la parcourut.

— Qu'avez-vous à me dire, que nous en finissions vite?

— Ici? Avec les domestiques qui écoutent? Moi, ça m'est égal, mais je crois que vous le regretterez, madame.

Hannah hésita, tentée qu'elle était de le faire jeter dehors; mais ce nouveau Silas la mettait mal à l'aise. Elle comprit à son regard plein de suffisance qu'elle avait hésité trop longtemps.

— Eh bien d'accord, Silas Quint. Venez.

Quint la suivit à pas lents tandis qu'elle le précédait dans le hall. Il prenait son temps. Son regard vif dévorait tout ce qu'il rencontrait. Certains objets lui permettraient de manger et de boire pendant des semaines!

— Quint!

Il sursauta. Elle l'attendait près d'une porte.

— Vous venez, ou bien voulez-vous rester planté là?

— Je viens, je viens, madame Verner!

Quint se hâta d'entrer dans la pièce et Hannah claqua la porte. Puis elle se tourna vers lui:

— Eh bien, venons-en au fait!

— Le fait, ma chère belle-fille, c'est que l'homme qui était votre père...

Hannah se raidit.

— Mon père? Que pouvez-vous savoir de lui?

— Je sais qu'il avait du sang noir! Tu sais ce que ça veut dire. Ça fait de toi une demi-négresse! dit-il d'un ton sarcastique.

Hannah n'en croyait pas ses oreilles.

— Vous mentez, Silas Quint! Comme toujours. Vous n'avez jamais dit un mot de vrai dans votre vie!

— Je dis la vérité, j'en ai la preuve.

— Qu'avez-vous à offrir comme preuve?

— Ici, sur cette plantation, il y a un homme qui a connu votre père, Robert McCambridge,

— Qui est-ce?

— Vous ne me ferez pas dire son nom, mais il existe, je le jure!

Hannah demeura silencieuse, elle réfléchissait de toutes ses forces. Elle connaissait bien Silas Quint et, d'une certaine manière, elle était convaincue qu'il disait la vérité cette fois-ci.

— Admettons que vous disiez la vérité. Et ensuite?

Quint ricana.

— Ce serait un bel os à ronger pour vos gentils voisins s'ils savaient que vous avez du sang noir dans les veines, non?

— Je me fiche pas mal de l'opinion de mes voisins. Ils n'ont pas très bonne opinion de moi de toute façon. Pourquoi m'inquiéterais-je de ce qu'ils pourraient penser de mes antécédents!

Quint fut quelque peu décontenancé. Il n'attendait pas cette réaction de sa part. Sa confiance fut ébranlée pendant quelques instants puis il se reprit:

— Ce rejeton dans votre ventre... Ce ne serait pas celui de Michael Verner. Impossible. Son enfant serait un demi-nègre!

Hannah n'y avait pas songé et elle fut secouée jusqu'à la moelle. Si Michael revenait et apprenait.

Elle retournait en arrière par la pensée, essayant de tirer ses souvenirs de la brume. Elle se souvint de son père, grand, large d'épaules, des mains puissantes; gentil; il avait en effet le teint très mat. De plus, s'il était vraiment sang-mêlé, peut-être même un esclave qui avait fui, cela aurait suffi à expliquer que sa mère avait toujours été évasive quand Hannah lui posait des questions au sujet de Robert McCambridge.

Quint, sachant qu'il avait repris l'avantage, demanda sur un ton satisfait:

— Eh bien, milady?

— Eh bien, quoi? répartit Hannah s'efforçant toujours d'avaler le choc. Je demande à voir l'homme dont vous m'avez parlé. S'il dit la vérité et s'il vous a tout raconté à vous, ne la racontera-t-il pas aussi aux autres?

— Ça, le vieux Quint s'en charge. Il tiendra son clapet, soyez-en sûre. Mais je ne vous dirai pas qui c'est, alors autant n'en plus parler!

— Vous n'êtes pas venu dans le seul but de me dire cela? Que voulez-vous?

— J'ai besoin d'un peu d'argent pour manger et

boire. (Sa voix reprit le ton pleurnichard qui lui était habituel.) Je ne demande pas beaucoup pour garder votre secret. Juste assez pour vivre. Vous devez bien ça à votre vieux beau-père!

Hannah connaissait son avidité. Il réclamerait le maximum. Mais, pour le moment, elle avait besoin de réfléchir au problème sous tous ses aspects. Elle faisait probablement une erreur en lui donnant de l'argent, mais, au moins, elle se débarrassait de l'homme, provisoirement en tout cas.

— Je n'ai pas beaucoup d'argent sous la main. Je n'en garde jamais beaucoup à Malvern, j'ai peur des voleurs. Je vais vous donner vingt livres.

Quint minauda.

— Ce sera parfait... pour le moment.

Hannah se tourna vers le bureau de Malcolm. Elle se plaça de façon à ce que Quint ne vît du bureau que le minimum. Mais il lui fallait tirer du bas et déverrouiller le coffre-fort et, cela, il faudrait qu'il le voie. Elle lui donna l'argent.

Les petits yeux de Quint s'allumèrent à la vue des billets, il se lécha même les lèvres. Il prit l'argent et le frotta entre ses doigts, comme pour s'assurer qu'il était bien réel.

— Merci, madame Verner, dit-il avec son éternel ricanement. Vous êtes bonne pour le vieux Quint. Je vais me retirer à présent. Je me ferai un plaisir de revenir.

— J'en suis sûre!

Elle le regarda partir et ferma la porte derrière lui. Elle se laissa tomber dans le vieux fauteuil de Malcolm et essaya de récapituler tout ce que cela signifiait pour elle. Mais au lieu de réfléchir au problème le plus immédiat, Silas Quint et le sort qu'il y avait lieu de lui réserver, ses pensées retournèrent dans cette cabane où elle avait vécu avant que sa mère ne l'emmenât en toute hâte. Elle retrouvait dans sa mémoire quelque chose d'indéfini qui était lié à l'horreur; elle comprenait à présent qu'elle avait chassé délibérément un événement de son esprit, le jour même de leur fuite.

Peut-être cela lui reviendrait-il à force d'y penser.

19

Isaï, plus connu sous le nom de Léon, était très inquiet. Regrettant déjà ce qu'il avait révélé à Silas Quint, il avait guetté l'homme qui montait au manoir au pas de son cheval. Puis il s'était dissimulé, attendant que Quint en ressortît.

Il avait été fou d'en dire autant à l'homme blanc. Mais il avait été tellement secoué d'apprendre que la maîtresse de Malvern était peut-être la fille de Robert McCambridge qu'il avait tué autrefois qu'il avait parlé sans plus réfléchir.

Ils s'étaient rencontrés deux fois pendant les trois semaines écoulées et Quint lui avait promis beaucoup d'argent. Isaï était tenté de jouer le jeu jusqu'au bout. Il n'avait jamais eu plus que quelques petites pièces en poche et, le plus souvent, il les avait volées. Mais Isaï savait qu'il ne pouvait pas se fier à l'homme. Il reconnut tout de suite Quint pour ce qu'il était : une canaille blanche et un ivrogne.

Ils avaient rendez-vous le lendemain soir; Quint devait lui remettre sa part de l'argent qu'il avait reçu et ils établiraient un plan par la suite.

L'instinct de conservation d'Isaï lui criait de fuir dès maintenant. Il n'avait pas le cœur de conspirer avec Silas Quint. Il soupçonnait l'homme d'avoir l'intention de lui planter un couteau dans le dos une fois qu'il aurait obtenu toutes les informations dont il avait besoin. Isaï était sûr qu'il ne verrait pas beaucoup d'argent. Au début, sans doute quelques miettes pour faire mordre le vieux poisson à l'appât.

De plus, Isaï était fatigué de fuir, à en mourir, et, sans argent, il n'irait jamais loin.

Ainsi, surveillant la maison depuis sa cachette, une idée audacieuse naquit dans son esprit. En cas de réussite, il serait un homme libre. Tout dépendait des souvenirs qu'un adulte pouvait conserver de son enfance. De toute manière, il n'avait rien à perdre sinon la vie, pour autant que l'on puisse dire qu'une vie d'esclave soit une vie.

Quelque peu étonné de sa propre audace, Isaï respira une bonne fois et se dirigea vers la maison. Il n'y était jamais entré. Les ouvriers agricoles n'y étaient admis que très rarement.

Il marcha d'un pas assuré sur la porte principale et entra. Il faillit perdre courage une fois à l'intérieur. Comment la trouver? S'il demandait à une servante, il savait très bien qu'elle refuserait de le conduire à sa maîtresse, elle appellerait même probablement le contremaître.

La maison était étrangement calme. Personne, pas un bruit. Enhardi, Isaï longea le grand vestibule. On lui avait dit qu'il y avait un bureau où la maîtresse passait beaucoup de temps. Comme tous les esclaves nouvellement arrivés sur une plantation, il s'était montré curieux; il avait jeté un coup d'œil par les fenêtres à l'occasion et, une fois, il avait aperçu Mme Verner qui entrait dans une petite pièce au bout du vestibule.

Il gratta légèrement à la porte, retenant son haleine.

— Entrez! dit une voix.

Il entra. La maîtresse de la maison était assise dans l'obscurité, les rideaux tirés devant l'unique fenêtre; une seule chandelle brûlait. Elle le regarda de biais.

— Qui êtes-vous? Oh... Léon.

— Non, madame Verner. Mon nom de naissance est Isaï.

— Isaï? (Elle se frottait les yeux de surprise. Elle se leva et le considéra de plus près :) Oh, oui, je me souviens; Malcolm m'a dit que tu étais un esclave évadé. Tu avais donc changé ton nom? Isaï? Il y a quelque chose de familier... Ton affaire ne peut-elle attendre, Isaï? Je suis tellement... désemparée, avoua-t-elle en passant une main tremblante sur ses yeux.

— Je sais, madame Verner. A cause de ce que l'homme blanc Quint vous a dit.

— Comment saurais-tu cela! Tu... c'est toi l'homme dont il m'a parlé!

— Oui, madame Verner. J'ai connu Robert McCambridge.

— Alors, il était de ta... race?

— Moins de la moitié, maîtresse. Votre père était plus que la moitié d'un blanc. (Il se mit à parler très vite.) C'est sûr que je suis le seul à savoir. Tout ce que je demande, c'est que vous fassiez de moi un homme libre, et je m'en irai. Et alors, le Blanc Quint, il aura plus personne pour le soutenir. Personne ne croira ce qu'il dit. Je vous en supplie, maîtresse, vous me faites libre et je m'en vais.

Un éclair se fit soudain dans l'esprit de Hannah et l'horreur afflua de nouveau en elle. Elle eut la vision étincelante du corps de son père couvert de sang, mort sur le sol de la cabane, et elle se souvint même de son étonnement en apprenant que leur hôte, un homme du nom d'Isaï, n'était plus là.

Comprenant subitement, elle cria :

— Toi! C'est toi qui as tué mon père!

Elle se précipita sur lui; tout le reste avait déserté son esprit. Saisissant un chandelier, elle se mit à frapper l'esclave. Il recula, ses mains devant son visage.

— Je vous en supplie, maîtresse... un accident... Je ne voulais pas.

Hannah n'entendait plus rien. Elle se jetait sur lui en hurlant. Isaï avait reflué dans le hall. Il eut vaguement conscience que des gens accouraient vers eux. Il n'osa pas se défendre. Toutes ces longues années d'esclavage lui avaient enseigné que, pour un Noir, toucher une femme blanche, c'était la pendaison. La terreur l'envahit et il tourna les talons, Hannah derrière lui, toujours hurlante, brandissant le chandelier. Isaï parvint à ouvrir la porte principale et s'élança dehors.

André et Bess rattrapèrent Hannah sur le pas de la porte. Elle se débattit furieusement sans cesser de crier :

— Je te tuerai! Je te tuerai!

André dit :

— Calmez-vous, chère Hannah! Que vous a donc fait cet homme? Mon Dieu!

— Enfant, rappelez-vous votre état. Comment vous vous conduisez maintenant! s'exclama Bess.

Hannah reprit peu à peu son calme. Elle remarqua alors un cheval à l'attache; un homme se tenait sur la première marche du perron, bouche bée devant ce charivari. Hannah sanglotait à présent, incapable de parler. Elle vit vaguement l'homme tandis qu'il avançait vers elle en s'éclaircissant la gorge.

— Vous êtes Hannah Verner?

— Oui, c'est Hannah Verner, dit André avec irritation. Qu'y a-t-il, mon vieux? Ne voyez-vous donc pas que...

— Une lettre, j'ai une lettre pour Hannah Verner.

— Donne! (André prit la lettre et donna une pièce au porteur.) Et maintenant, va-t'en!

Bess fit rentrer Hannah toute secouée de sanglots.

— Hannah! Attendez! s'écria André dans une agitation soudaine. Là, il y a quelque chose que vous attendez depuis longtemps, j'en suis sûr.

Elle se tourna vers lui, essayant de le regarder à travers ses larmes.

— Qu'est-ce que c'est?

— Une lettre de Michael!

Michael! Michael lui avait écrit! Elle l'arracha des mains d'André puis courut dans le bureau où elle la décacheta en tremblant.

8 février 1719. Ma chère Hannah, j'espère que vous m'accorderez le privilège de vous nommer « ma chère Hannah ». Vous êtes constamment dans mes pensées et dans mon cœur depuis que j'ai quitté Williamsburg. J'ai compris la peine que je me suis infligée à moi-même en vous quittant. Peut-être avez-vous endurci votre cœur contre moi pour vous avoir abandonnée ainsi. A l'époque, j'avais cru bien faire. Je sais maintenant que je me suis trompé.

J'ai passé les mois écoulés à la Nouvelle-Orléans. C'est là que j'ai vu clair dans mon cœur. Je vous aime et n'aimerai plus jamais personne d'autre. Je suis rempli d'angoisse à l'idée de ne plus vous revoir peut-être si vous-même ne le souhaitez pas.

Je ne veux pas vous ennuyer avec les détails de ma vie présente. Qu'il me suffise de vous dire, ma chère Hannah, qu'elle est loin d'être fascinante. J'aspire à rentrer à Malvern, auprès de vous. Ce que je ne ferais toutefois que si vous le désirez. Puissiez-vous trouver dans votre cœur le désir de répondre à mon amour.

Cette missive vous est envoyée sur un navire marchand qui fait voile au large de la pointe de la Floride en direction de la côte de la Caroline. Je n'ai pas osé l'envoyer par voie de terre. Cela prendrait beaucoup trop de temps avant d'arriver entre vos mains, et pour votre réponse ensuite.

Je vous demande d'être mon amour, ma chérie, je vous demande d'être ma femme. J'attends votre

réponse avec impatience, priant chaque jour pour
qu'elle soit celle que j'espère.

Le cœur de Hannah battait sauvagement. Elle pleurait de joie, tout le ressentiment qu'elle avait accumulé
contre Michael fondit à ces quelques mots confiés au
papier.

Elle se leva et se dirigea vers le bureau, composant
déjà mentalement la réponse qu'elle allait lui envoyer
aujourd'hui même. Mais elle s'arrêta net, portant les
mains à son ventre. Mon Dieu! S'il revenait pour
apprendre qu'elle avait du sang noir, que son fils avait
du sang noir! Comment réagirait-il? Elle ne songea qu'à
une possibilité : il se détournerait avec dégoût. Quelle
que soit la force de son amour, il réagirait comme tous
les membres de la haute société sudiste.

Il lui fallait faire quelque chose avant qu'il fût trop
tard. Hannah courut ouvrir la porte. Elle demanda à
Jenny d'aller chercher Henry. Hannah arpenta la petite
pièce en attendant l'arrivée du contremaître. Il lui fallait régler le sort de deux personnes. Isaï d'abord, aussi
désagréable que cela fût. Et ensuite, il y avait Silas
Quint.

— Oui, madame Verner? s'enquit Henry.

— Trouve l'esclave qui s'appelle Léon, et amène-le
immédiatement. Dépêche-toi! Il est peut-être en train de
faire des projets de fuite. Assure-le que je ne lui ferai
aucun mal.

Hannah continua ensuite à aller et venir dans le
bureau, impatiente, mais prenant tout de même le
temps de relire la lettre de Michael. Elle poussa un
soupir de soulagement quand Henry réapparut avec
l'esclave visiblement effrayé.

— Laisse-nous, Henry.

« Isaï... Je suis désolée pour tout à l'heure... tu as dit...
que tu as tué mon père par accident?

Isaï hésita avant de répondre :

— Oui, maîtresse. J'étais en fuite, et Robert McCambridge m'a pris chez lui. J'ai appris que les chasseurs et les chiens m'avaient suivi. J'ai pris un couteau à la cuisine et je voulais m'enfuir encore. Robert McCambridge a essayé de m'empêcher. J'ai eu peur et je me suis battu avec lui. Il est tombé sur le couteau. J'ai été bien triste, et je le suis toujours.

Hannah dévisagea l'homme, essayant de jauger la véracité de ses dires. Elle se souvint alors de sa propre peur le soir où elle s'était enfuie de la taverne d'Amos Stritch; elle aurait préféré mourir plutôt que d'être reprise. Elle décida de croire Isaï.

— Bien! Même si tu mens, c'est du passé et le mal est fait. Mais je veux que tu quittes la plantation! Comprends-tu?

— Je comprends, madame Verner. Mais j'ai besoin d'argent et d'être libre. Sans papiers... on me chassera et...

— Oui, oui, bien sûr, fit Hannah en lui coupant la parole d'un geste. Nous allons faire ce qu'il faut. D'abord, dis-moi tout ce que t'as raconté Silas Quint, mot pour mot!

Hannah demeura quelques instants silencieuse et pensive lorsqu'il eut terminé son récit.

— Ainsi donc, il n'y aura plus que la parole de Quint, et elle ne vaut rien sans ton soutien... (Elle s'interrompit et regarda Isaï dans les yeux.) Je vais te donner de l'argent, suffisamment pour que tu puisses aller très loin. J'irai demain à Williamsburg pour faire établir des papiers officiels qui feront de toi un homme libre, un affranchi, et non plus un esclave. Reste dans ton dortoir jusqu'à mon retour. Prépare-toi à partir demain soir.

— Merci, madame Verner, murmura Isaï, croyant à peine à sa chance.

Hannah se dirigeait déjà vers la porte. Elle l'ouvrit en le regardant. Elle ajouta sur un ton sévère :

— Ecoute-moi bien. Si tu ne respectes pas notre accord, si tu ne quittes pas la Virginie, tu le regretteras amèrement. Compris?

Isaï hocha la tête, son regard glissa derrière elle. Elle se retourna et constata que Henry était resté non loin de la porte. Il avait l'air étonné, la bouche ouverte. De toute évidence, il avait entendu la dernière remarque de Hannah.

— J'expliquerai cela plus tard, Henry. Je suis trop fatiguée pour le moment.

Henry bougonna en signe de protestation. Hannah le calma d'un geste.

— Veille à ce qu'Isaï... Léon retourne dans son dortoir. Il sera exempt de travail demain. Comme je te l'ai dit, j'expliquerai tout cela plus tard.

Ce fut un Henry médusé qui emmena Isaï.

Hannah était vraiment fatiguée. Même la pensée de la lettre de Michael n'avait plus le pouvoir de la réconforter. Son ventre lui paraissait lourd et elle sentait comme un poids sur ses épaules. Ses yeux étaient brûlants, son corps fiévreux, et sa gorge était rêche à force d'avoir crié et sangloté.

Elle se traîna toute seule en haut de l'escalier, jusqu'à sa chambre. Elle se jeta sur son lit, elle n'avait même pas pris la peine de se déshabiller complètement. Elle sombra aussitôt dans un sommeil troublé, peuplé de cauchemars.

Elle se reveilla une fois ou deux au son de voix apaisantes et au contact agréable de serviettes fraîches et humides épongeant sa peau fiévreuse.

Quand elle se réveilla enfin tout à fait, sa chambre était inondée de soleil. Elle voulut s'asseoir. Bess se pencha sur elle.

— Restez allongée, ma douce. N'essayez pas de vous lever. Vous avez eu la fièvre toute la nuit. Vous avez crié, vous vous êtes débattue, et vous avez dit des choses sans queue ni tête.

— Mais il faut que je me lève. Il faut que j'aille à Williamsburg! C'est important!

Elle voulut s'asseoir malgré Bess. Elle abandonna finalement sous la douce pression de la vieille femme. Hannah s'aperçut alors à quel point elle était faible.

— Enfant, qu'est-ce qui vous inquiète tant? Vous avez l'air tellement abattue. Ça a à voir avec ce qui s'est passé entre vous et Léon hier?

— Ce n'est pas ton affaire, Bess! Tu vas quelquefois trop loin, tu oublies qui tu es!

Bess recula, choquée. Elle allait partir.

— Bess... (Hannah prit la main de la femme.) Pardonne-moi. Je ne voulais pas te faire de mal pour tout l'or du monde! Mais c'est quelque chose qui ne concerne que moi seule. Je ne peux pas t'en parler.

La large face de Bess s'adoucit.

— C'est bon, ma douce. Je suppose que vous savez ce que vous faites. Mais ce Léon, il peut apporter que les ennuis, je le sens dans ma moelle. (Elle ajouta en soupirant :) Je suis épuisée jusqu'aux os, ma douce. Je vous ai veillée toute la nuit. Je ne suis plus jeune. Je vais faire un somme. Vous aurez qu'à sonner si vous avez besoin de moi.

— Bess... Je ne sais pas ce que j'aurais fait sans toi. Je t'aime beaucoup.

— Moi aussi, ma douce. Vous êtes comme mon propre enfant.

Bess embrassa Hannah sur le front, les yeux remplis de larmes. Puis elle quitta la chambre en hâte.

Hannah mangea de bon appétit le dîner que Jenny lui monta. Cependant, elle était inquiète pour Isaï. Il savait probablement qu'elle n'était pas allée à Williamsburg. Il devait être convaincu qu'elle lui avait menti. N'allait-il pas s'échapper cette nuit? Elle n'osait se confier à personne, pas même à Bess ou à André. Elle était en proie à un mauvais pressentiment. Il fallait absolument qu'elle parle à Isaï.

Elle agita la clochette. Jenny parut.

— Tu peux emporter le plateau. La journée a été dure pour toi, va te coucher. Je vais bien. Je vais dormir aussi maintenant.

Hannah attendit encore une heure. Quand tous les bruits se furent tus, elle se leva et s'habilla rapidement. Elle sortit de la maison sans être vue. Elle prit la direction du quartier des esclaves.

Isaï avait en effet passé sa journée à guetter la calèche. Ne l'ayant pas encore vue à midi, il avait été persuadé que la maîtresse l'avait trompé et avait quelque autre projet en tête. Il pensa à fuir bien que ce fût le grand jour, mais chaque fois qu'il quittait la cabane qu'il partageait avec d'autres esclaves, il voyait Henry qui le surveillait d'un air sombre.

Il se décida finalement à prendre hardiment le chemin de la maison. Isaï avait réfléchi que tant qu'il n'irait pas vers la route ou la forêt, Henry ne bougerait pas. Il avait raison. Henry l'épiait, les mains sur les hanches, mais il ne fit pas un pas.

Il vit Bess à proximité de la cuisine. Il courut l'aborder.

— Mme Verner... elle va pas? Je l'ai pas vue aujourd'hui.

— Qu'est-ce qui te donne le droit de poser des questions sur la maîtresse, toi, Léon?

La colère monta en Isaï. Il en suffoquait presque. Parce qu'elle était une domestique de la maison, elle se figurait qu'elle pouvait regarder de haut les esclaves qui travaillaient dans les champs. Il ravala cependant sa rage et dit calmement :

— Je croyais qu'elle était malade.

— Malade ou non, c'est pas ton affaire! Va t'occuper de tes affaires. J'ai pas le temps.

Bess rentra dans sa cuisine sous le regard d'Isaï. Il retourna au quartier des esclaves. Il s'accroupit, le dos au mur. Il paressa ainsi le reste de l'après-midi. La calèche ne quitta pas la plantation.

Il pensa au rendez-vous qu'il avait avec Silas Quint. Il était indécis. Il savait qu'il s'en irait cette nuit, quand tout le monde serait endormi. Mais il avait besoin d'argent et Quint lui avait promis de lui donner sa part cette nuit. Il fallait donc qu'il rencontre l'homme.

Les esclaves des champs s'endormaient de bonne heure les jours ouvrables. Isaï attendit que tout fût tranquille avant de se glisser hors du quartier des esclaves. Il se fraya un chemin jusqu'au bouquet d'arbres qui bordait la route. C'était là qu'il avait rendez-vous. Quint y était déjà, faisant les cent pas pour tromper son impatience.

— T'es en retard, Léon! J'ai cru que tu ne viendrais pas! Enfin, t'es là. (Il était presque sobre. Il fit sauter quelques pièces dans sa main.) Voilà la part que je t'ai promise. C'est pas beaucoup. La femme a dit qu'elle avait pas beaucoup d'argent sur elle. Mais je te jure qu'on aura plus!

Il donna les pièces à Isaï qui les empocha sans les compter.

Quint sortit plusieurs feuilles de papier de sa poche et dit brusquement :

— Aux affaires sérieuses, maintenant. J'ai écrit là tout ce que tu m'as dit sur la belle dame, Hannah Verner. J'ai pas été beaucoup à l'école et je sais pas bien écrire, mais ça ira. Je sais que tu sais pas signer ton nom, mais je l'ai écrit en bas. T'as qu'à mettre ta marque à côté...

— Non. Je veux pas mettre ma marque sur... rien!

Quint saisit Isaï par le bras tandis qu'il reculait.

— Eh là! Personne ne verra jamais ça, sans doute, ce sera pas nécessaire. Mais tu comprends qu'il faut quelque chose pour soutenir ma parole.

— Non, je veux pas, dit Isaï fermement.

— Tu vas faire ce que je te dis. Ecoute-moi bien! Tu te figures que je crois que tu m'as dit toute la vérité? Le vieux n'est pas un idiot. Je sais que t'as tué Robert McCambridge. Ma femme me l'a dit. Qu'est-ce qui t'arrivera si je parle? Tu seras pendu, mon garçon! Alors, tu ferais mieux de mettre ta marque sur ce document, et fais pas d'histoires!

La terreur qui envahit Isaï le porta au-delà de la peur qu'il avait de toucher un Blanc. Ses grosses mains se fermèrent autour du cou décharné de Quint qui se débattit vainement. Isaï accentua sa pression et Quint devint subitement comme une loque entre ses mains. Surpris, Isaï relâcha un peu son emprise. Puis il sentit quelque chose de glacé qui glissait dans son ventre. Ça devint brûlant en peu de temps, et la douleur l'étourdit. Il tomba en gémissant.

Quint éprouva d'abord de la fierté. Il n'avait jamais levé un doigt sur une autre personne, il s'était toujours dérobé devant tout ce qui aurait pu le mettre lui-même en danger. Pour Mary, c'était autre chose. C'était un accident. Et puis, c'était une femme, c'était moins grave. Quant à Léon, sachant qu'il avait tué une fois, Quint s'était armé pour aller à ce dernier rendez-vous. Il n'avait pas vraiment peur car un esclave osait rarement attaquer un Blanc. Mais il s'était préparé tout de même et se félicitait de sa prévoyance.

Un peu plus tard pourtant, il réfléchit à ce que ce geste pouvait signifier pour lui personnellement. Il ne risquait pas d'être soupçonné, personne n'était au courant de ses rencontres avec Léon. Les esclaves des plantations ne cessaient de se battre entre eux, de sorte que cette affaire serait mise au compte d'un autre esclave.

La mort de Léon ne changeait rien non plus en ce qui concernait Hannah, puisqu'elle ne savait pas que c'était lui qui avait fourni à Quint ses informations. Certes, la marque de Léon au bas du document aurait servi d'attestation en cas de nécessité, mais Quint était convaincu que Hannah Verner était domptée et se garderait bien de demander une preuve quelconque.

Il ne lui restait plus qu'à quitter les lieux. Il essuya le sang de son couteau avec une poignée de feuilles sèches. Il allait retourner à son cheval quand il se souvint des quelques pièces dans la poche de Léon. De quoi acheter une bouteille ou deux de rhum... Non, mieux valait ne pas s'y risquer.

Il grimpa sur son vieux cheval et tambourina des talons contre ses flancs maigres pour essayer de lui faire prendre une allure plus rapide.

Marchant vers le quartier des esclaves, Hannah se ravisa. Elle pouvait difficilement faire irruption seule dans un bâtiment abritant un nombre important d'hommes et demander à voir l'un d'eux en particulier. Indécise, elle s'arrêta. Elle jeta un coup d'œil à la cabane d'Henry où il vivait avec sa femme et trois enfants. Elle était plongée dans l'obscurité. Devait-elle réveiller le surveillant et lui demander d'aller chercher Léon? Ce serait le mettre dans son secret. Son attitude à l'égard de l'esclave qu'il connaissait sous le nom de Léon lui paraissait sans doute déjà bizarre.

Elle fit demi-tour en soupirant. Elle entendit alors le pas lourd d'un cheval du côté de la route. Qui pouvait bien quitter Malvern à cette heure tardive? Elle prit l'allée qui conduisait à la route. Le bruit des sabots

s'était évanoui, mais elle entendit une espèce de gémissement qui venait du bouquet d'arbres. Un animal qui
rôdait? Elle respira profondément et s'engagea dans
cette direction, marchant à l'ombre des arbres; le clair
de lune illuminait les espaces libres. Elle s'arrêta un
moment. Plus aucun bruit. Elle poursuivit son chemin.
Tout à coup, elle aperçut quelque chose par terre. On
eût dit un corps.

Hannah hâta le pas. C'était bien un corps. Un
homme! Elle s'agenouilla à côté de lui avant de voir le
sang et les intestins qui lui sortaient du ventre. Elle
cria. C'était Isaï, mort!

Elle se releva avec peine et chancela jusqu'à l'arbre le
plus proche où elle s'appuya. Son estomac se soulevait,
elle vomit. Il lui fallut du temps avant que son esprit se
remît à fonctionner normalement.

Son premier mouvement avait été d'appeler au
secours, mais, après avoir mieux réfléchi, elle n'en fit
rien. Qui avait tué Isaï? Elle soupçonnait Silas Quint,
étant donné qu'Isaï lui-même avait reconnu être son
informateur. Elle se souvint en même temps avec force
des menaces qu'elle avait proférées contre l'esclave. A
deux reprises, et à chaque fois devant témoins. La première fois qu'elle l'avait menacé de le tuer, elle était en
proie à une crise de nerfs. Bess et André se taisaient,
elle avait confiance. Mais l'homme qui avait apporté la
lettre de Michael, un étranger? Et plus tard, elle redit
encore les mêmes mots et, cette fois, Henry avait très
probablement entendu, même s'il ne l'avait pas voulu.
Les circonstances étaient telles qu'elle serait accusée du
meurtre. Après les événements de l'après-midi, elle ne
pouvait pas proclamer qu'il avait essayé de la violer et
qu'elle l'avait tué pour se défendre. Sa parole n'aurait
pas été mise en doute s'il n'y avait pas eu ces incidents
liminaires. Et puis, il y avait Silas Quint...

Quint connaissait sans doute toute l'histoire à présent. Probablement savait-il aussi qu'Isaï avait tué son père, ce qui lui donnerait un mobile si son beau-père faisait des révélations. Mais, bien entendu, elle ne désirait pas qu'il en fît!

Silas Quint n'allait pas se priver de revenir encore et toujours, et elle n'aurait d'autre recours que de lui donner son argent jusqu'au dernier sou. Et alors, si Michael revenait pour l'épouser, comment expliquerait-elle ces débours considérables? Si elle refusait l'argent, l'homme irait voir Michael et tout serait fini.

Hannah comprit alors ce qui lui restait à faire. Il lui fallait se protéger à tout prix, elle et son bébé.

Hannah rentra au manoir. Elle réveilla Bess, André et Dickie et envoya chercher John. Une demi-heure plus tard, ils étaient rassemblés dans le salon. Hannah demanda à Bess de préparer un thé à l'eau-de-vie.

— Vous en aurez tous besoin, dit-elle.

Quand tous furent servis, elle prit une gorgée du thé fort et brûlant puis annonça :

— Je quitte Malvern définitivement aux premières lueurs de l'aube.

André s'écria avec étonnement :

— Mon Dieu! Chère lady, pourquoi donc?

— Ma douce, vous ne pouvez pas, dans votre état! s'exclama Bess avec inquiétude.

— J'y arriverai bien, Bess, il le faut!

John restait assis, silencieux et impassible. Le visage encore bouffi de sommeil de Dickie s'illumina.

— Ne me posez pas de questions, poursuivit Hannah. Je ne peux pas vous donner les raisons pour le moment, mais... croyez-moi tous, je vous en prie, je dois absolument quitter Malvern sans tarder, malgré le chagrin que j'en ai. Maintenant, je dois savoir qui désire m'accompagner. Si l'un de vous refuse, je lui promets que je ne lui en voudrai pas. Bess, Dickie et vous, John, je vous affranchirai si vous choisissez de rester.

— Quelle est votre destination, chère lady?

— Je ne sais pas encore, André. Venez-vous avec moi?

André haussa les épaules et tendit les mains.

— Naturellement. Puisque je suis obligé de vivre dans ce pays sauvage, peu m'importe l'endroit où je me trouve. Je dois avouer que je me suis attaché à vous, chère Hannah. Oui, je vous suivrai.

— Bess?

— Oh! ma douce, vous donnez beaucoup de soucis à la vieille femme que je suis. Bien sûr, je vais où vous allez. Il vous faut quelqu'un pour s'occuper de vous et faire naître l'enfant quand le temps sera venu.

— Merci, Bess. Dickie?

— Si vous voulez de moi, j'irai où vous allez, milady.

Bien qu'il eût parlé avec modération, Hannah sentit en lui le désir de partir. Il considérait déjà cela comme une grande aventure. Elle lui sourit avec affection, résistant au désir de lui caresser les cheveux : il était trop âgé pour cela.

— John... il m'est pénible d'avoir à vous demander cela car je sais que Malvern est votre foyer depuis des années. Mais je prends la calèche, et j'ai besoin de vous.

— Je pars avec vous, madame Verner, dit John gravement.

Hannah eut l'impression que quelque chose se dénouait en elle. Les larmes lui montèrent aux yeux.

— Merci à tous. Je ne mérite pas... Nous avons encore beaucoup à faire avant de partir. Prenez chacun les affaires dont vous avez vraiment besoin, nous ne pouvons pas nous charger trop.

Bess s'attarda un peu derrière les autres. Elle vint dire tout bas à Hannah :

— Je crois que je sais ce qu'il y a. Au moins une partie.

— Peut-être, Bess. (Hannah lui prit la main

310

doucement :) Mais je ne souhaite pas en parler pour le moment... je ne le peux pas! Plus tard, je te dirai tout. J'ai promis.

Elle quitta le salon en hâte et traversa le vestibule jusqu'au bureau, une chandelle à la main. Elle prit une feuille de papier et écrivit :

Sir, il faut que vous rentriez en Virginie le plus vite possible. Je quitte Malvern aujourd'hui même. Ne vous inquiétez pas, Henry continue de surveiller la plantation, vous savez donc qu'elle est en de bonnes mains.

Inutile que je vous donne la raison de mon départ, vous ne l'apprendrez que trop vite à votre retour. Je...

Penchée sur sa feuille, Hannah hésitait. Elle pleurait et une larme tomba sur le papier sans qu'elle le remarquât. Elle poursuivit :

Je ne prends qu'un peu d'argent et les bijoux que Malcolm m'avait donnés le jour de notre mariage. Je considère la somme d'argent comme une compensation pour avoir dirigé la plantation pendant votre absence. Vous aviez vous-même avancé cette possibilité un jour. Je prends aussi la calèche. Le reste de l'argent est dans le coffre-fort.

Je vous accorde le pardon que vous demandez dans votre lettre, sir. Si, toutefois, il y a quelque chose à pardonner. Je ne sais pas encore où je vais. De toute manière, je ne vous le dirais pas.

Hannah signa, cacheta la lettre à la cire et inscrivit le nom de Michael et « Nouvelle-Orléans ».

Elle se leva en essuyant des traces de larmes. Elle quitta le bureau en laissant la lettre bien en vue. Elle s'élança dans sa chambre où elle rassembla dans un coffre les quelques affaires qu'elle tenait à emporter. Elle s'habilla ensuite pour le voyage. Le ciel s'éclaircissait faiblement à l'est. Il n'y avait pas de temps à perdre. Elle voulait être partie avant que les domestiques de la maison ne commencent leurs travaux quotidiens.

Hannah descendit avec la cassette de bijoux de Malcolm. Les autres l'attendaient en bas.

— La calèche est prête, madame Hannah, et les affaires sont chargées, annonça John.

— Merci, John. J'ai un coffre là-haut. Voulez-vous le descendre dans la voiture avec André, je vous prie? Dickie, cours chercher Henry. Fais en sorte de ne réveiller personne d'autre. Je l'attends dans le bureau. Dis-lui que c'est pressé.

Henry parut bientôt, inquiet et confus.

— Henry, je quitte Malvern dans une heure.

— Mais, madame Hannah, je ne comprends pas...

— Tu n'as pas besoin de comprendre et je n'ai pas le temps de m'expliquer, dit-elle aussi gentiment qu'elle put. Voici une lettre pour Michael Verner. Va à Williamsburg aujourd'hui même. Il rentrera dès qu'il la recevra, j'en suis certaine. En attendant, la plantation reste entre tes mains. Malcolm m'a souvent dit que tu étais capable de diriger Malvern tout seul. Le temps est venu pour toi de prouver que sa fierté et sa confiance étaient bien placées. Maintenant, voici le coffre-fort. Il y a de l'argent dedans, pour le cas où tu en aurais besoin d'ici le retour de Michael. Et aussi des lettres de crédit établies au porteur. C'est à Michael que tu auras à rendre des comptes. Voici la clef. Garde-la sur toi jour et nuit.

Elle posa la clef dans la paume de sa main et referma doucement ses doigts dessus en lui souriant avec tristesse.

— Cher Henry, je sais que tout cela est difficile à comprendre. Mais tout s'éclaircira au retour de Michael, sinon avant...

Elle s'en alla ensuite, laissant derrière elle un Henry complètement éberlué. Bess et Dickie étaient déjà dans la calèche et John avait pris place sur son siège de cocher. André l'attendait près de la portière.

— Chère lady, dit-il avec un sourire ironique, nous avons décidé de vous accompagner en toute confiance. Mais il vous reste à nous informer de l'endroit où nous allons.

Hannah lui lança un regard confus.

— Eh bien... Je ne pensais pas...

— Il serait peut-être temps d'y songer. John doit savoir dans quelle direction il doit partir.

— Je ne sais qu'une chose : il faut que je trouve une taverne à acheter quelque part. Par ailleurs, je sais diriger une plantation. Mais je suis sûre que l'achat d'une plantation est bien au-delà de mes moyens. André, quelles villes sont renommées pour leurs tavernes? Le plus loin possible de Williamsburg.

André réfléchit un moment et leva les épaules :

— Boston! J'ai entendu dire qu'on y trouve des tavernes en abondance. Boston, dans le Massachusetts. Je pense que c'est assez loin!

— A Boston alors, cria-t-elle à John. Vers le nord quand tu seras sur la grand-route, John!

André l'aida à monter dans la calèche. John donna de la voix à l'adresse de l'attelage et la calèche s'ébranla lentement.

Hannah quittait Malvern. Selon toute vraisemblance, elle n'y reviendrait jamais. Comme la voiture s'engageait sur la route, Hannah jeta un dernier regard en arrière. Le manoir baignait dans la lueur vaporeuse de l'aube. Elle laissa sa mémoire s'imprégner de cette vision tout en refoulant ses larmes avec peine.

Puis elle regarda résolument devant elle.

Après avoir tué l'esclave, Silas Quint attendit deux jours avant de s'aventurer de nouveau à Malvern. Il avait éprouvé quelque inquiétude tout d'abord, mais, le domaine étant resté calme, il supposa qu'il n'était pas suspecté. Il montait toujours le même vieux cheval, mais il avait dépensé les vingt livres de Hannah à s'habiller de neuf. Il avait bien l'intention de lui soutirer ce jour-là suffisamment pour s'offrir une monture convenable.

Il attacha son cheval au poteau. Il remarqua bien en passant que la plantation était étrangement déserte, mais il était trop tendu sur sa rencontre imminente avec Hannah pour réfléchir plus avant.

Quint s'arrêta un moment à la porte, remettant en place d'un revers de mains les manches de sa veste rouge. Ses culottes étaient en velours. Ses bas étaient blancs et ses chaussures rouges avec des boucles en laiton. Quint n'avait jamais dépensé autant d'argent pour se vêtir. Il n'avait plus d'argent pour le moment, mais il espérait bien quitter le domaine les poches pleines.

Il redressa les épaules, afficha un sourire suffisant et frappa à la porte avec fermeté. Il entendit bien des pas se précipiter à l'intérieur, mais la porte ne s'ouvrit pas. Il frappa de nouveau. En vain. Quint pensa ouvrir lui-même et entrer hardiment, mais ce serait peut-être aller trop loin.

Il frappa une troisième fois. La porte restant close, il proféra un juron et décida de longer la maison par le côté. A peine avait-il atteint l'angle du bâtiment qu'un homme noir parut à sa rencontre. Le Noir lui lança un regard chargé d'animosité à peine voilée.

— Je viens voir Hannah Verner, dit Quint avec arrogance.

— La maîtresse pas ici. Partie.

— Partie? Où? A Williamsburg?

— Partie, pour toujours. Elle a pas dit où.

Quint écarquillait les yeux.

— Partie pour toujours? Je ne te crois pas. Tu mens. C'est elle qui t'a dit de mentir! Mais ça ne marche pas. Je sais qu'elle est chez elle!

— Mme Verner a pas dit à Henry de mentir. Elle est partie avec la calèche au lever du soleil, il y a deux jours.

Les pensées de Quint se bousculaient. Il était tellement consterné qu'il dut s'appuyer au mur.

— Pourquoi est-ce que je croirais à la parole d'un esclave des champs?

— Je ne suis pas esclave des champs. Je suis un homme libre. Je m'appelle Henry! dit le Noir en se redressant fièrement. La maîtresse m'a laissé la charge du domaine jusqu'au retour de M. Verner. Et maintenant, partez Silas Quint. Vous êtes pas le bienvenu à Malvern.

Henry tourna les talons et disparut à l'angle de la maison.

Dans sa rage et sa frustration, Quint frappa le mur de ses poings jusqu'à ce que le sang perlât à sa peau. Jurant grossièrement, il repartit vers son cheval en chancelant comme un homme ivre. Que n'aurait-il pas donné alors pour une goutte de rhum! Or, ses poches étaient vides! Que faire à présent? Si la garce était partie définitivement, il ne recevrait jamais son dû. L'avenir lui semblait plus noir que jamais.

Tandis qu'il repassait le portail, il se retourna vers le manoir. Une idée lui vit alors.

Le coffre-fort! Cette boîte où elle avait pris les vingt livres. Elle devait contenir de l'argent pour permettre à ce crétin de Noir de faire marcher la plantation.

Quint élabora son plan. Il volerait le coffre-fort cette nuit. Non, ce ne serait pas un vol. C'était son dû!

Il prit le chemin de Williamsburg. Quand il fut hors de vue du manoir, il alla se dissimuler dans un bouquet d'arbres au bord de la grand-route. Il y attendrait l'obscurité. Si seulement il avait une bouteille de rhum!

Il se mit à rêver des bouteilles de rhum qu'il pourrait s'acheter avec le contenu du coffre-fort.

20

La Nouvelle-Orléans de 1719 faisait songer à un bébé braillard né de l'accouplement d'un prisonnier et d'une prostituée. C'était l'idée que Michael Verner s'en faisait.

En fait, ce n'était pas tout à fait faux. Colonisée depuis un an seulement, la ville avait quelques milliers d'habitants : pour la plupart des criminels bannis de France et des prostituées qui les avaient accompagnés dans le Nouveau Monde.

C'était une ville à l'aspect primitif et grossier, puant les déchets de toutes sortes, humains et animaux. Elle était la proie d'une multitude d'insectes variés et demeurait constamment sous la menace des crues du Mississippi. A Williamsburg, Michael avait lu dans un journal français une lettre enthousiaste du père Duval qui présentait La Nouvelle-Orléans comme « un charmant pays qui se peuplait peu à peu... où les maisons étaient simples mais confortables... La ville est bien cotée aux alentours... la région est pleine de mines d'or, d'argent, de cuivre et de plomb... ».

Ces promesses de plaisirs délicieux et de richesses avaient attiré Michael. Il ne savait pas d'où le bon père tenait ses informations concernant les richesses car elles n'étaient pas évidentes du tout. Pas une mine à des miles à la ronde.

Et la chaleur... Michael était habitué aux hivers virginiens, mais il n'avait aucune expérience de la chaleur humide de la Nouvelle-Orléans.

La plupart des gens vivaient dans des huttes grossières. Les quelques maisons décentes qu'on pouvait y voir avaient des toits pointus fortement pentus qui se prolongeaient à l'extérieur des murs pour former une sorte de galerie. Les plafonds étaient hauts, les fenêtres ouvraient sur toute la hauteur, du plancher jusqu'au plafond, permettant ainsi une meilleure ventilation. Les maisons les plus cossues étaient construites sur pilotis, ce qui assurait une meilleure répartition du peu d'air qui circulait et évitait les inondations périodiques du Mississippi et les invasions de vermine.

Les maisons étaient serrées les unes contre les autres et occupaient la majeure partie des rues étroites et boueuses, de sorte qu'une personne à pied était obligée de marcher sur la chaussée. Le seul avantage de toutes ces maisons était qu'elles possédaient en général un jardin par-derrière.

Michael était accoudé à la fenêtre de l'une de ces maisons, fumant un cigare et regardant dans la rue déserte en cette heure matinale.

L'aube venait de pointer et le corps dénudé de Michael était baigné de sueur. L'air qui entrait par la fenêtre était lourd et suffocant.

Michael eut un rire bref. C'était pour cela qu'il avait chevauché pendant des semaines à travers des marais pestilentiels, et des forêts presque impénétrables, sans compter les rencontres, qui faillirent lui être fatales, avec les Indiens ou les Blancs renégats.

Il avait toujours considéré les Français comme un peuple civilisé et raffiné. Il s'était attendu à trouver au minimum un Paris en fac-similé. Il s'était bien trompé!

Il fit une grimace et jeta dans la rue son cigare qui se consumait sans fumée. Impossible de trouver seulement un cigare acceptable! Le cigare tomba dans une flaque boueuse et Michael se mit à rire. Ici au moins, pas de danger d'incendie! Il fallait plutôt craindre la surabondance de l'eau. L'année précédente, le Mississippi avait débordé et emporté presque toute la ville.

Une voix somnolente s'éleva derrière lui :

— Michael?

Michael se tourna vers le lit. Marie Corbeil était l'une des rares femmes importantes de la ville. Importante tant au point de vue physique qu'au point de vue économique. Elle était propriétaire de cette bâtisse et procurait logement et nourriture aux messieurs occupant un rang social supérieur.

C'était une femme aux formes voluptueuses, seins et fesses lourds. Elle avait quelques années de plus que Michael, d'où son expérience précieuse qu'elle savait faire valoir au lit. Elle était sensuelle, et Michael avait connu auprès d'elle de grandes jouissances, même s'il se morigénait souvent pour son tempérament luxurieux.

Elle était étendue, toute nue, ses cheveux noirs éparpillés sur l'oreiller, les genoux repliés en l'air, ses cuisses blanches et fortes faisaient songer à des vantaux refermés sur un jardin secret de plaisirs érotiques. Ses yeux noirs étincelaient, ses lèvres charnues se courbèrent en un sourire lascif.

— Chéri, viens, dit-elle en lui tendant les bras.

Michael la rejoignit en soupirant. La chaleur de son corps accueillant était aussi humide que celle de l'air ambiant, mais la douceur de sa peau frémissante d'attente chassa bien vite toute pensée de l'esprit de Michael. Tandis qu'il dansait à la rencontre du corps tendu vers lui, Michael eut une pensée fugace pour Hannah. Hélas, la chasteté ne s'accordait nullement à sa nature.

Quand elle s'éveillait près de lui dans son lit, le matin, Marie n'avait pas besoin de préliminaires. Elle était toujours prête pour lui. Sous l'étreinte de Michael, son corps s'élançait frénétiquement vers l'ultime sommet du plaisir.

Satisfaits, ils reposaient côte à côte; elle caressait les poils humides de sa poitrine.

— Je ne sais pas ce que je ferais dans cette porcherie

de ville si tu n'étais pas là, chéri. Je serai bien triste quand tu partiras, murmura-t-elle.

— Qu'est-ce qui te fait croire que je partirai? dit Michael en jouant avec ses longs cheveux, un sourire sur les lèvres.

Elle souleva la tête pour le regarder gravement :

— Tu me prends pour une idiote? Je ne t'ai posé aucune question sur ton passé, de même que toi tu ne m'en as pas posé sur le mien. Mais je sais que tu attends un mot de quelqu'un. Une femme, naturellement. Quand ce mot arrivera, tu partiras.

Michael était silencieux, mais pas tellement surpris. Cette femme était étonnamment perceptive. Effectivement, il ne savait pas d'où elle venait ni pourquoi elle était en ce lieu. Elle était d'origine française mais parlait parfaitement l'anglais. Il supposait qu'elle avait dû être une prostituée d'un rang supérieur à une époque de sa vie, car elle n'était pas sans éducation. En tout cas, elle n'exigeait rien de lui, ni engagement ni protestations d'amour; elle ne lui demandait que de satisfaire ses sens, ce qu'il faisait avec joie.

Marie s'assit en bâillant. Elle déposa un baiser sur ses propres doigts qu'elle agita ensuite vers Michael.

— Il est temps que je descende surveiller la préparation des petits déjeuners.

Somnolent, Michael la regarda s'habiller. Elle vint l'embrasser légèrement et quitta la chambre.

Michael resta encore un peu au lit, les mains sous la nuque, les yeux au plafond. Il pensait à Hannah. Répondrait-elle à sa lettre? C'était le mois de mai. Si elle avait écrit sans tarder, sa lettre devrait arriver bientôt. Il l'espérait. Il n'avait pas envie de passer l'été ici. Dans un mois, la chaleur serait insupportable.

Et si elle ne répondait pas? Si elle ne l'aimait pas ou si elle ne souhaitait plus le revoir? Que ferait-il alors?

Il lança un juron et sortit de son lit. Il refusait de

réfléchir plus avant pour le moment. Il serait toujours temps de prendre une décision s'il apparaissait qu'elle n'avait pas l'intention de répondre à sa déclaration d'amour.

L'après-midi trouva Michael chevauchant Etoile-Noire en direction des faubourgs nord de la Nouvelle-Orléans.

Dans un sens, il avait eu de la chance : il n'avait pas eu de problème pour gagner sa vie. Le jeu était une passion, en même temps qu'un moyen de vivre pour les citoyens de la Nouvelle-Orléans. Ils jouaient sur tout. Même sur la hauteur des eaux à la suite de la fonte des neiges, au printemps.

Michael avait donc trouvé facilement de quoi vivre confortablement. Son sort avait tout de même une touche d'ironie. Il avait fui Williamsburg pour ne pas avoir à tuer un homme. Or, dans le bref laps de temps qu'il avait passé ici, il avait été obligé d'en tuer deux. La racaille de la Nouvelle-Orléans n'avait rien à voir avec les mœurs des gentilshommes; ils provoquaient en duel tous ceux qui les irritaient et ils supportaient mal de perdre au jeu.

Nombreux étaient ceux qui pensaient qu'un homme qui gagnait gros aux cartes était un tricheur, et ils n'hésitaient pas à le proclamer. Michael dut se défendre plusieurs fois contre de telles accusations; des hommes allèrent jusqu'à tirer leur pistolet de leur ceinture à deux occasions. Michael n'avait pas le choix : il les avait tués pour se défendre. Où qu'il portât ses pas, il semblait qu'il fût obligé de tuer. Quelle fatalité pesait donc sur lui? Etait-ce son châtiment pour avoir traité son père comme il l'avait fait?

Michael repoussa ces réflexions qu'il jugeait fantaisistes et inutiles pour lui.

Le jeu était d'ailleurs le but de sa sortie ce jour-là. Il avait déjà assisté à plusieurs combats de coqs, lesquels étaient très populaires à la Nouvelle-Orléans. Lui jugeait ces combats par trop cruels et sanglants. Mais aujourd'hui, il s'agissait d'un affrontement exceptionnel; la curiosité jointe à l'ennui lui avaient faire prendre le chemin des faubourgs.

Michael aperçut devant lui quelque cinquante personnes rassemblées. Il trouva une place pour son cheval à l'écart de la foule. Etoile-Noire en effet ne supportait pas l'odeur du sang et le match en promettait beaucoup.

L'événement de ce jour était inhabituel, même pour la Nouvelle-Orléans : un combat entre un taureau et un ours. Michael alla se joindre à la foule. Des baraques avaient été dressées où l'on offrait toutes sortes de nourritures et de boissons. Il se fraya un chemin jusqu'à la place. C'était une vision étrange en vérité! L'arène était délimitée par de longs rondins bruts fichés en terre et suffisamment espacés pour que les spectateurs puissent voir le combat. A l'intérieur de l'arène, deux grosses cages de bois, une à chaque extrémité. Dans l'une, un puissant taureau gris ardoise. Dans l'autre, un ours grisâtre d'aspect terrifiant.

Des hommes pénétrèrent dans l'arène avec des perches pointues et se mirent à agacer les animaux à travers les barreaux. Le taureau rugit en projetant en avant sa tête aux cornes imposantes. L'ours grogna et essaya d'écarter d'un coup la perche qui le tourmentait. Le sang macula bientôt les poils des deux animaux.

Des hommes passaient parmi les spectateurs, offrant des paris. L'ours semblait être le favori pour la plupart des gens. Michael était d'un avis différent, mais il s'abstint de parier; il regrettait déjà d'être venu.

Les deux animaux furent bientôt suffisamment excités. Le taureau avait la gueule écumante; il ébranlait les barreaux de sa cage à force d'y frapper sa tête.

Tous les hommes quittèrent l'arène sauf deux. Chacun monta au sommet des cages. Les portes furent ouvertes au signal convenu. Le taureau chargea le premier, tête baissée; il vint se jeter contre les énormes rondins avec une force telle que le sol en fut ébranlé. La foule apeurée recula.

L'ours sortit plus lentement. Le taureau le vit et s'ébroua en labourant le sol de ses sabots. Puis, brusquement, il chargea. L'ours se dressa sur ses pattes postérieures, les mâchoires béantes. Le taureau vint directement sur l'ours. Celui-ci donna un puissant coup de patte qui érafla le côté de la tête du taureau et fit dévier les cornes crochues.

Les spectateurs poussaient des exclamations grondantes tout en se rapprochant de nouveau de la barrière, les yeux avides.

Le taureau s'immobilisa, secouant la tête d'étonnement. Puis il rugit en faisant pivoter sa tête. Quand il vit l'ours, il chargea encore. L'ours, maladroit et lourd, ne put éviter les cornes cette fois-ci, et l'une d'elles s'enfonça dans son flanc et le sang jaillit.

Comme le taureau continuait à galoper, l'ours grondant de douleur et de rage le poursuivit. Il rattrapa le taureau au milieu de l'arène; se dressant encore sur ses pattes de derrière, il lança un coup de patte qui s'abattit sur le dos du taureau, les ongles lui raclant la peau. La puissance du choc mit le taureau à genoux; le sang ruisselait le long de son flanc. Il se remit debout en grondant et recula. Il regarda un instant l'ours dressé. Et alors, poussant un rugissement d'une force inouïe, il revint à la charge encore une fois. Il atteignit cette fois sa cible et ses deux cornes s'enfoncèrent dans le ventre de l'ours. Le taureau secoua la tête et l'ours retomba. L'animal touché alla se tapir dans un coin pour lécher ses blessures. Des hommes le poussèrent alors avec leurs perches pointues à travers les rondins, mais l'ours refusa de bouger.

Le taureau, comme s'il était conscient de sa victoire, se pavanait fièrement en beuglant tandis que la foule l'encourageait et que les gagnants récoltaient les mises.

Michael, malade de ce qu'il avait vu et dégoûté de lui-même pour avoir assisté à ce spectacle sanglant et cruel, se fit son chemin à travers la foule et retourna en ville.

Marie Corbeil l'attendait avec une lettre.

— Voilà ce que tu attends, chéri, dit-elle sur un ton plaintif. La Nouvelle-Orléans a vu Michael Verner pour la dernière fois.

Ce fut par une paisible et chaude journée de la fin du mois de juin que Michael Verner rentra à Malvern. Ne souhaitant rencontrer personne, il se rendit directement sur la plantation. Il laissa Etoile-Noire prendre son pas naturel. Homme et cheval étaient fatigués et éprouvés par ces semaines de voyage. Ils ne s'étaient arrêtés qu'aux heures où l'obscurité était trop profonde pour leur permettre de trouver leur chemin.

L'animal força l'allure en arrivant en vue de Malvern.

— Tu as raison, beauté. Nous arrivons chez nous. Une vue agréable d'ailleurs. Pourvu que nous n'ayons pas à en repartir.

La plantation paraissait normale et en ordre. La fumée s'échappait de la cheminée de la cuisine et Michael constata que les champs étaient verts du tabac qui poussait. Il alla directement à l'écurie. Les enfants s'arrêtèrent de jouer pour le regarder avec de grands yeux.

Tandis qu'il conduisait Etoile-Noire dans l'écurie, un homme émergea de l'obscurité. Ce n'était pas John; c'était quelqu'un que Michael ne connaissait pas.

— Où est John? demanda-t-il en descendant de cheval.

— Il est parti, missié, avec la maîtresse.

— Je suis Michael Verner. Desselle le cheval, donne-lui de l'eau et de l'avoine, étrille-le bien ensuite.

— Oui, monsieur Verner.

Michael partit vers la maison, non sans étonnement. Il agissait déjà comme le maître de ce domaine. Peut-être son père avait-il raison après tout. Peut-être aurait-il dû le faire depuis longtemps.

Après une si longue absence, il se demandait s'il saurait encore les noms des gens de Malvern. Il tomba juste sur une jeune Noire à la porte principale de la maison.

— Voyons... toi, c'est Jenny. C'est bien cela?

— Oui, monsieur Verner, dit-elle en secouant la tête.

Michael respira à fond. Il était chez lui!

— Veux-tu me faire chauffer de l'eau, Jenny. J'ai terriblement besoin de prendre un bain. Et tu m'enverras Henry quand il rentrera des champs. Il est encore ici, oui?

— Oh! oui, Henry est ici. Il dirige la plantation depuis que la maîtresse est partie.

Michael prit un long bain, se frottant tout le corps. Puis il se rasa de près. Il n'avait apporté comme vêtements que ceux qu'il avait sur le dos; ils étaient bien froissés et sales après ces journées de voyage. Il trouva dans son ancienne chambre un paquet de vêtements qu'il avait portés avant de quitter Malvern. Ils étaient un peu justes, mais ils feraient l'affaire en attendant qu'il puisse en acheter d'autres.

Il faisait nuit quand il descendit. Il trouva une bouteille d'eau-de-vie dans la salle à manger. Il l'emporta dans le bureau, sans oublier un verre. Il avait faim, mais il désirait voir Henry avant de dîner. Il se versa de l'eau-de-vie et but. Il découvrit dans un tiroir la boîte de cigares de son père. Il en alluma un à la flamme d'une chandelle. Le cigare était vieux et sec, mais cependant, meilleur que ceux de la Nouvelle-Orléans.

Il fit une autre découverte qui lui arracha un grognement. Son père avait coutume de garder ses valeurs et
un peu d'argent dans un coffre-fort rangé dans le tiroir
inférieur du bureau. Or, le coffre-fort n'y était pas. Hannah l'avait-elle pris?

Michael sortit sa lettre et la relut encore bien qu'il en
connût le contenu par cœur. Pourquoi aurait-elle menti
sur ce point? Il examina une fois de plus la petite tache
ronde qui faisait friser le papier. Il avait cru tout
d'abord que c'était de l'eau. Puis l'idée lui était venue
qu'elle avait écrit en pleurant et qu'une larme était tombée. Il espérait ardemment que cette explication fût la
bonne.

Il y eut un bruit et Michael remit la lettre dans sa
poche. Il se retourna et vit Henry s'encadrer dans la
porte, triturant son chapeau.

Le visage de Henry exprimait un immense soulagement.

— Le Seigneur soit loué, monsieur Michael, moi, très
content de vous revoir!

— Oui, Henry. Je suis content d'être rentré, dit
Michael d'un air absent. Le coffre-fort de père... Hannah l'a-t-elle emporté?

— Oh, non missié. La maîtresse me l'a confié. Elle
m'a donné la clef.

Henry tira la clef de sa poche et Michael poussa un
soupir de soulagement.

— Très bien! Alors, tu l'as mis ailleurs?

— Non, maître. Il est parti, dit Henry non sans
malice.

— Parti! Parti où?

— Quelqu'un l'a volé. Trois jours après le départ de
Mme Hannah, je suis venu pour voir si tout était en
ordre. Le coffre-fort était parti. La fenêtre, là, le loquet
avait sauté.

— Un esclave de la plantation?

— Oh! non, ils ont trop peur de voler.

Henry semblait étrangement hésitant tandis que Michael l'observait derrière ses paupières à demi baissées.

— Tu soupçonnes quelqu'un... Allons, dis-le!

— Je... c'est un Blanc, je crois. Silas Quint.

— Qui est Silas Quint?

— Le beau-père de Mme Hannah. Un bon à rien. Depuis qu'elle était à Malvern, il arrêtait pas de rôder autour, il lui demandait de l'argent. Elle l'a toujours renvoyé, jusqu'au dernier jour. Elle a parlé avec lui. C'est Bess qui me l'a dit. Elle a dû lui donner de l'argent. Il est revenu deux jours après que la maîtresse est partie, il était habillé de neuf. Avant, il allait toujours comme un mendiant. Il était fou quand je lui ai dit que la maîtresse était partie. Le jour d'après, la boîte était plus là.

— Je vais parler à ce Silas Quint! s'écria Michael, l'air sombre. Mais Henry, comment as-tu fait sans argent pendant tout ce temps.

— Je... J'ai parlé avec les commerçants de la ville et j'ai obtenu un crédit en échange de la récolte de tabac de l'année. Une bonne récolte, monsieur Michael, annonça Henry avec fierté.

— Tu es un brave homme, Henry, et tu t'en es bien sorti, dit Michael en venant lui frapper sur l'épaule. Maintenant... dis-moi tout ce que tu sais. D'abord, as-tu une idée de ce qui a pu pousser Hannah à prendre la fuite de cette façon? J'ai bien reçu une lettre, mais je ne suis guère plus avancé.

Henry chercha parfois ses mots pour relater ce qu'il savait à propos du départ de Hannah, en compagnie de Bess, Dickie, John et André Leclaire. Il évitait de faire mention de la grossesse de Hannah, ne sachant pas trop comment s'y prendre.

— C'est tout? demanda Michael à la fin du récit, agitant les mains tant il était exaspéré. Henry, tout cela n'explique absolument rien!

A moins qu'elle ne m'aime pas et ne veuille pas me revoir, pensa-t-il subitement. Pourtant, cette larme sur la lettre? N'était-ce vraiment qu'une goutte d'eau?

Henry disait :

— ... une chose étonnante, monsieur Michael.

Michael émergea en sursaut de ses divagations.

— Quoi Henry?

— Le soir avant qu'elle parte, la maîtresse m'a dit que je saurais bientôt pourquoi elle s'en allait. Le jour d'avant, elle avait disputé un esclave qui travaillait aux champs, un homme que M. Verner avait acheté avant de mourir. Il s'appelait Léon. Mais Mme Hannah l'appelait Isaï, et elle l'a chassé de la maison avec un chandelier et criant qu'elle allait le tuer.

— Et ensuite? demanda Michael en fronçant les sourcils.

Henry reprit son souffle.

— A peu près une heure après que la maîtresse fut partie, Léon était mort, près de la grand-route, le ventre ouvert...

— Tu crois que c'est cela qui l'a fait partir? Les gens croiraient qu'elle avait tué un esclave! Si c'est la raison... Bon sang, c'était la chose la plus idiote à faire! Qui aurait jamais accusé la maîtresse d'une plantation d'avoir tué... (Il ravala la fin de sa phrase et se mit à faire les cent pas.) Et puis, ce ne peut pas être Hannah qui l'a tué. Elle est vive et volontaire, Dieu le sait! Mais tuer? Non. Je n'y crois pas. Personne ne le croirait!

— C'est ce que je pense aussi, monsieur Michael.

— Etait-elle tombée par hasard sur le corps et avait-elle eu peur qu'on l'accuse d'avoir tué ce Léon?

— C'est possible.

— Fuir était la pire des choses qu'elle pût faire! (Il frappa du poing la paume de son autre main et alla regarder par la fenêtre. Rien :) Que t'a-t-on dit à Williamsburg quand tu es allé faire la déclaration?

— J'ai rien dit à personne, monsieur Michael. Léon, je l'ai enterré à Malvern. personne ne sait.

— Tu as fait quoi? Tu as pris un risque terrible, Henry!

— Qui remarque un esclave en moins?

Henry le regardait droit dans les yeux et Michael dut détourner la tête malgré lui.

— Oui, bien sûr, tu as raison. Mais enfin, c'était un risque. Tu penses que... de cette manière, personne ne saura jamais rien ni ne songera à accuser Hannah d'avoir mal agi.

— Je... oui. (Henry tenait les yeux baissés sur le chapeau qu'il tournait et retournait dans ses mains :) Léon, il était mauvais. C'est ma faute. C'est moi qui ai dit au vieux maître de l'acheter.

Michael vint lui frapper sur l'épaule de nouveau.

— Je suis content de toi, Henry. Pour tout ce que tu as fait... Mais cette fille idiote! Pourquoi? Pour l'amour du ciel, pourquoi? As-tu une idée de l'endroit où elle peut être?

— Aucune, maître. Elle n'a rien dit. Je sais seulement que la calèche est partie vers le nord.

— C'est-à-dire qu'elle peut être partout. Aucun espoir de la retrouver! Je me demande si Silas Quint a une idée, lui?

— Je sais pas.

— Je vais aller à Williamsburg demain et je vais dire quelques mots à ce Silas Quint. Et, maintenant, tu peux t'en aller, Henry. Je suis fatigué jusqu'à la moelle. Passe par l'office en partant et dis à celui qui est de service que je voudrais avoir mon dîner de bonne heure.

— Oui, maître.

Henry hésitait encore. Michael le considéra attentivement. Le contremaître examinait son chapeau.

— Eh bien, Henry?

Henry hésitait visiblement à parler.

— Il y a autre chose, monsieur Michael... Mme Hannah attend un enfant.

— Mon Dieu! Que dis-tu? Es-tu certain?

— Oh oui, ça se voyait déjà.

Les pensées de Michael se bousculaient. Il essayait de rassembler ses souvenirs. Quand était-ce? Fin novembre? Etait-ce son enfant à lui?

— Tu ne sais pas depuis combien de temps... non, bien sûr, tu ne peux pas. Bien, merci, Henry. Tu peux te retirer.

Quand Henry fut parti, Michael se versa un autre verre d'eau-de-vie qu'il but d'un trait. Il alluma un autre cigare et s'enfonça dans le vieux fauteuil de son père. Stupéfait de ce nouveau développement, il essayait de comprendre la situation. Hannah enceinte? Si c'était vrai et si c'était son enfant à lui, pourquoi s'était-elle sauvée? La seule réponse possible était toute simple, c'était celle que Michael refusait d'accepter : l'enfant n'était pas de lui.

Ces derniers mois, Silas Quint menait une vie qu'il n'aurait jamais osé imaginer pour lui-même. Le coffre-fort qu'il avait rapporté chez lui contenait des richesses qui dépassaient ses rêves les plus fous. C'était la fortune. Il avait enfin reçu son dû!

Qui le soupçonnerait jamais d'avoir subtilisé le coffre-fort? Hannah serait la seule à pouvoir le faire. Or, elle était partie.

Il s'était acheté de beaux vêtements et une bonne monture. Il prenait ce qu'il y avait de meilleur comme nourriture et comme boisson. Quand on l'interrogeait sur la source de sa nouvelle fortune, il proclamait :

— C'est un héritage d'un parent qui habitait la lointaine Angleterre. Un parent dont le vieux Quint ne connaissait même pas l'existence!

Comme il avait pris l'habitude de régaler ceux qui l'interrogeaient ainsi, ils acceptaient son explication sans rechigner. Il était même le bienvenu à la taverne Raleigh; avant ce « coup de chance », il en aurait été chassé à coups de bottes s'il y avait seulement risqué le bout de son nez.

Il n'avait rien dépensé pour l'amélioration de sa masure. Quint n'accordait que fort peu d'intérêt à l'endroit où il dormait. Un coin où coucher, c'était tout ce qu'il demandait en fait de logement.

Il avait répandu son mensonge parmi quelques-uns de ses compagnons de beuverie, ajoutant qu'il pensait entreprendre un voyage en Angleterre pour visiter la tombe du bon oncle qui avait laissé son bien à son pauvre neveu. A moins que ce ne fût une tante. Il avait de la peine à retenir le sexe de son riche parent d'un récit à l'autre.

Ainsi, lorsque son lit se mit à tanguer le lendemain d'une soirée mémorable passée à la taverne Raleigh, Quint pensa tout d'abord qu'il était en train de rêver de cette fameuse traversée. Puis ce fut un grand fracas suivi d'un grincement du lit; Quint eut l'impression d'être cahoté et se réveilla alors complètement, comprenant enfin qu'il ne rêvait pas. Son lit avait véritablement bougé.

Quint s'assit et essaya de chasser de ses yeux les vapeurs du rhum. Il s'était couché tout habillé, il avait même gardé ses chaussures. Un souvenir lui échappait...

Puis une voix triomphante s'écria :

— C'est bien ici! Henry avait raison!

Une silhouette d'homme surgit de l'endroit même où il avait coutume de s'agenouiller pour dissimuler sous son lit le coffre-fort volé. La terreur s'empara alors de

Silas Quint, cependant que le choc lui nettoyait le cerveau des dernières brumes d'alcool.

— Comment osez-vous entrer chez moi sans y avoir été invité? Qui êtes-vous et qu'est-ce que vous voulez?

— Je suis Michael Verner et je veux ce coffre-fort que vous avez volé à Malvern, Silas Quint! Je me doutais bien que vous seriez assez stupide pour le garder près de vous. J'ai frappé assez fort pour réveiller un mort. Comme il n'y avait pas de réponse, j'ai fait ce que vous avez vous-même fait à Malvern, je suis entré sans y être invité. Puisque je n'arrivais pas à vous tirer de votre sommeil baigné de rhum, je me suis mis à chercher tout seul. Vous n'êtes pas seulement un voleur, vous êtes stupide en plus. Je peux vous faire mettre en prison. Des hommes ont été pendus pour beaucoup moins.

— Je n'ai pas volé, non! pleurnicha Silas Quint. J'ai seulement pris ce qui m'était dû.

Michael fronça les sourcils. Henry avait raison. Cet homme était méprisable, immonde, abruti par l'alcool, vivant dans une porcherie. Cependant, il avait un aspect étonnant : il n'était pas aussi terrorisé qu'aurait dû l'être un homme convaincu de vol.

— Qu'entendez-vous par « votre dû »? demanda Michael d'un ton bref.

— C'est de l'argent qui devait me revenir! La fille, Hannah, a été placée en apprentissage chez Amos Stritch. Elle s'est sauvée et le vieux Stritch n'a plus voulu me servir. Je suis allé à Malvern, mais madame n'a pas voulu me donner ce qu'elle me devait. Sauf la dernière fois, elle a fait un geste, conclut Quint avec un sourire ambigu.

— Vous êtes un homme répugnant! Placer sa propre fille comme serveuse de taverne!

— Pas ma fille. Pas de mon sang, dit Quint avec indignation. Mary avait déjà la gamine quand je l'ai épousée.

— Vous ergotez, mon vieux. Elle était de votre famille. Peu importe pour le moment. Savez-vous où est Hannah?

— Elle aurait pas osé me le dire, pas Mme Hannah!

— Pourquoi pas? Est-ce à cause de vous qu'elle a quitté Malvern?

— Peut-être. Mme Hannah a peut-être eu peur de se retrouver encore face à face avec le vieux Quint, avança l'homme, affichant son regard rusé.

— Et pourquoi donc?

— A cause de ce que je sais sur elle. Sur elle et sur l'homme qui l'a engendrée! dit Quint en élevant la voix et en projetant sa face rougeaude vers Michael.

— Comment pouvez-vous savoir quelque chose sur son père?

— Je sais ce que m'a raconté l'esclave noir, Léon...

Quint ravala le reste de sa phrase.

Pour Michael en fait, les événements apparurent soudain en pleine lumière.

— Léon est mort, Quint. Et c'est vous qui l'avez tué! (Michael saisit l'homme par sa chemise et le tira du lit :) C'est vous qui avez assassiné cet homme!

— Non, non, c'est pas vrai! (Quint, pour la première fois, avait l'air effrayé, s'efforçant en vain de repousser Michael :) Je jure que le vieux Quint n'a tué personne! C'est sans doute elle, Hannah, qui l'a fait! Pour qu'il ferme son clapet!

— Vous mentez, espèce de déchet! (Michael le secouait durement :) Et à présent, j'exige la vérité!

— J'ai besoin d'une goutte de rhum, jeune Verner, pour me remettre en route.

Michael le lâcha et recula.

— C'est bon, cela vous ramènera peut-être à la raison.

Quint se hâta de prendre la bouteille qu'il n'omettait jamais de poser à la tête de son lit. Assis par terre, il buvait à même le goulot, ne s'arrêtant que pour reprendre haleine, et pour demander en même temps à Michael :

— Vous voulez pas une goutte, jeune Verner?

— Je ne bois pas avec les canailles!

— Peut-être bien que vous en aurez besoin quand vous aurez entendu...

— Eh bien, justement, parlez mon vieux! dit Michael avec impatience.

— Avec joie, mon jeune monsieur. (Quint s'installa au bord de son lit :) Je vais vous dire ce qu'il en est de Hannah McCambridge et de son père. Quand vous saurez tout, vous n'aurez plus envie que votre nom soit mêlé à la vie de la fille qui s'appelait Hannah McCambridge...

21

Hannah acheva sa chanson sous un tonnerre d'applaudissements et les cris d'une foule d'hommes et de quelques femmes assis sur des bancs et des chaises qui occupaient plus des deux tiers de la grande salle de la taverne.

La chanson était chantée et jouée pour la première fois ce soir-là. Les doigts souples d'André s'immobilisèrent sur les touches du virginal et Hannah se pencha legèrement vers le public.

— Merci, mesdames et messieurs, pour vos aimables applaudissements. Laissez-moi vous présenter mon accompagnateur, André Leclaire, qui est aussi le compositeur du morceau que j'ai eu le plaisir de chanter devant vous.

Elle fit signe à André et celui-ci, vêtu d'or et de blanc,

portant une perruque blanche de sa fabrication, quitta son tabouret et vint la rejoindre.

— Voici André Leclaire, mon très cher ami et votre hôte à tous pour le reste de la soirée.

André prit la main de Hannah et les applaudissements augmentèrent encore. Hannah s'inclina et André plia le genou avec grâce.

— Chère lady, comme toujours, vous enjolivez mes pauvres mots et ma modeste musique.

— J'enjolive! lança-t-elle à voix basse. Vous êtes un menteur, André! Vous savez que vous êtes le premier à admirer vos propres compositions.

— C'est peut-être vrai, madame, murmura-t-il en riant. Mais une voix... plaisante n'enlève rien à leur charme. Et puis, n'oubliez pas celui qui vous a appris à chanter, chère Hannah.

Toute souriant derrière sa main, Hannah lui donna un coup de coude dans les côtes. Les applaudissements s'éteignirent et des cris s'élevèrent parmi les spectateurs :

— Une autre!

— Je suis désolée, dit Hannah en levant les mains. Une seule représentation par soirée, c'est la règle de cette auberge. Je vous demande maintenant la permission de me retirer, mesdames et messieurs.

Elle s'inclina une troisième fois, plus profondément, et les hommes tendirent le cou, d'autres se levèrent même, pour tenter de voir mieux encore ce que laissait entrevoir le décolleté audacieux de la robe dessinée par André.

— Je suis sûre que vous pouvez demander à M. Leclaire de jouer encore pour vous, dit-elle.

Elle quitta rapidement la petite estrade et monta au second étage par l'étroit escalier caché derrière le rideau. A vrai dire, l'auberge n'accueillait aucun client pour la nuit. Tout le deuxième étage avait été converti en logements pour Hannah et son entourage.

Elle souriait tandis qu'elle montait l'escalier, se souvenant des conseils d'André le soir où elle avait chanté pour la première fois devant un public :

— Laissez-les toujours en demander davantage, chère lady. Traitez-les comme vous traiteriez un amoureux : chatouillez-les et tentez-les. Si vous les comblez tout de suite, ils ne reviendront pas. Par contre, laissez-les sur leur faim et ils reviendront. Certainement!

Comme toujours, André avait raison. Hannah éclata de rire. Non, il n'avait pas toujours raison. Il avait fait une innovation dans leur première taverne bostonienne qui avait failli les mener au désastre...

En haut de l'escalier, la porte de la chambre de Michèle était entrouverte. Hannah la poussa avec précaution et entra sur la pointe des pieds. Une chandelle brûlait doucement et Bess sommeillait dans un fauteuil à bascule, près du petit lit. Elle sursauta.

— Soyez tranquille, ma douce. Elle dort.

Hannah s'approcha sans bruit du lit et contempla l'enfant qui dormait. Sa fille et celle de Michael. Elle avait espéré un garçon mais elle était heureuse tout de même. L'enfant avait les cheveux cuivrés et les longs cils de sa mère, mais elle ressemblait beaucoup à Michael par ses yeux noirs et ses traits.

Hannah avait demandé à André quel était l'équivalent français de Michael.

— Michèle, avait-il répondu, mais je ne crois pas avoir jamais connu une fillette portant ce nom.

— Elle s'appellera Michèle...

Le cœur de Hannah était plein d'amour en regardant ainsi l'enfant. Si seulement il pouvait la voir! Elle essaya de ne plus penser à lui. C'était le mois de mars de l'année 1721. C'était le printemps en Virginie, mais pas ici, sous le climat rude de la Nouvelle-Angleterre. Elle n'avait pas revu Michael depuis plus de deux ans.

Ce pouvait être une folie de croire qu'elle l'aimait encore après tout ce temps. Mais en des moments tels que celui-ci, le souvenir de Michael envahissait son esprit. Elle repoussa tendrement une mèche de cheveux tombée sur les paupières closes de l'enfant et résista en soupirant au désir de l'embrasser, par crainte de l'éveiller.

— Va te coucher, Bess. Il est tard. Elle va dormir toute la nuit sans se réveiller maintenant.

— Oui, ma douce.

Bess se leva en bâillant. Elle avait son lit dans la même chambre que l'enfant, de sorte qu'elle était tout de suite là au moindre bruit.

— Bonne nuit, Bess.

— Bonsoir, ma douce.

Hannah sortit en fermant la porte doucement et reprit le couloir jusqu'à la porte suivante, celle de sa chambre. Elle ôta sa robe et s'assit à sa table de toilette pour brosser ses cheveux. Ses pensées remontaient le temps, jusqu'à cette aube qui l'avait vue pour la dernière fois à Malvern...

Les débuts avaient été difficiles. Il y eut d'abord la naissance de Michèle, peu après qu'ils se furent installés à Boston. Heureusement pour eux tous, ils étaient arrivés au printemps. De toute manière, ce ne fut qu'après la naissance de l'enfant que Hannah avait pu s'occuper réellement de l'ouverture d'une taverne. Et, à ce moment, les cinquante livres qu'elle avait emportées étaient presque épuisées.

Ce fut une chance pour elle d'avoir les conseils d'André et de pouvoir compter sur son aide concrète. Ce fut lui qui vendit les bijoux et il se montra un négociateur rusé, obtenant bien plus qu'elle n'aurait cru possible.

— Et moi qui croyais que vous étiez un piètre homme d'affaires!

336

— Mais, c'est vrai, chère lady! Quand j'ai affaire avec des gens honnêtes, je m'attendris trop. Tandis que ceux qui ont acheté vos bijoux... ce ne sont que des rapaces qui se nourrissent du malheur des autres. Ils connaissaient parfaitement la valeur de vos bijoux, mais ils étaient convaincus qu'ils avaient été volés; ils ont donc cru qu'ils les auraient pour une bouchée de pain. Ce qui aurait été le cas s'ils avaient négocié avec vous. Quand j'ai à discuter avec des esprits bas et rusés, je sais être aussi tortueux qu'eux.

— Vous êtes étonnant, André, vous ne cessez de m'émerveiller, dit-elle en laissant courir ses doigts parmi les pièces et les billets. Je remercie Dieu au moins une fois par jour de vous avoir à mes côtés.

André avait récolté plus d'argent qu'il n'en fallait pour reprendre une taverne de Boston dont le propriétaire était fortement endetté; il leur céda le local pour le montant des dettes.

Elle le mit au nom d'André, exigeant même qu'il joue lui-même le rôle du propriétaire. Elle craignait de voir son nom divulgué. Que se passerait-il si l'on apprenait en Virginie qu'une Hannah Verner résidait à Boston?

Les affaires débutèrent mal pour eux, il existait déjà de nombreuses tavernes à Boston et la plupart des clients restaient fidèles à leur établissement habituel.

Bess, John et Dickie avaient chacun leur tâche. John s'occupait des calèches et des chevaux; Bess était à la cuisine; quant à Dickie, devenu un adulte, il était chargé du comptoir. Hannah et André tenaient les livres de comptes et réglaient tous les détails de l'exploitation proprement dite.

André, toutefois, se sentit bientôt désœuvré. Deux mois avaient passé et il était clair qu'ils couraient à l'échec. Il fit alors une proposition :

— Chère lady, il faut faire quelque chose pour attirer la clientèle. J'ai d'ailleurs une idée. Nous allons divertir nos clients pendant qu'ils mangeront et boiront. Je ne comprends pas que personne n'y ait songé avant moi!

— Les divertir? De quelle manière, André?

— Une saynète, par exemple. Je peux en écrire une! Un divertissement léger qui n'exige que quelques acteurs, pour que la dépense ne soit pas trop lourde. Je peux même jouer un rôle moi-même!

— Je ne sais pas, André, dit Hannah avec scepticisme. Cela n'a jamais été fait...

— Raison de plus pour commencer! s'écria André triomphalement. Vous allez voir. Ils vont venir en foule!

Hannah finit par consentir.

— J'insiste pour que vous ne voyiez rien avant la première représentation en public. Je veux que vous soyez surprise et que vous vous divertissiez au même titre que les spectateurs.

André choisit comme acteurs Dickie et une serveuse nommée Merry, et il se réserva également un rôle.

Le trio travailla dans le plus grand secret pendant deux semaines. Hannah comprit pourquoi le soir de la première.

Installée à l'avant de la salle obscure, elle fut effectivement surprise, médusée et amusée. C'était vraiment spirituel et la foule, attirée par une affiche qu'André avait clouée sur la façade annonçant « un divertissement pour tous », se tordait de rire. La saynète ridiculisait l'un des plus hauts magistrats de Boston, un individu ventripotent et prétentieux bien connu pour ses perruques extravagantes. Ce personnage était l'époux d'une femme considérablement plus jeune que lui et le bruit courait qu'il était cocu. André en fit un portrait caricatural que le public identifia immédiatement avec des grands éclats de rire.

La courte pièce connut un succès sans pareil. Tout Boston en parlait et la taverne dut refuser du monde pendant une semaine.

Puis le modèle lui-même entendit parler de cette nouveauté et se présenta fort en colère chez le directeur de la taverne, suivi d'autres notables de la ville, tous d'ascendance puritaine; ils déclarèrent que si ce « divertissement » ne prenait pas fin immédiatement, tous ceux qui se rattachaient de près ou de loin à la taverne seraient jetés en prison, spectateurs y compris.

Le bruit se répandit bientôt et plus personne n'osa s'aventurer dans le local. Hannah dut fermer les portes définitivement. Elle laissa André tempêter. Elle l'écoutait à peine, trop occupée par ses propres réflexions. Il fallait faire très vite quelque chose, sinon, ils n'auraient bientôt plus d'argent.

— Si nous trouvions un local hors de Boston, au bord d'une route fréquentée si possible, ils ne pourraient pas nous inquiéter. Nous pourrions aussi offrir une attraction, mais d'une autre sorte, dit-elle.

André la considéra d'un air circonspect.

— D'une autre sorte? A quoi pensez-vous, madame? Quand vous affichez cette mine-là, je m'attends à des dégâts!

— Oh, je veux seulement dire que nous pourrions offrir nous-mêmes le spectacle.

— Nous? Comment cela, nous?

— Vous jouerez du virginal et je chanterai!

Il la regarda, horrifié.

— Vous chanteriez? Devant un public fait en majorité d'hommes?

— Qui est en train de jouer le prude à présent?

— Mais, chère lady...

— A Malvern, vous m'avez dit que j'avais une voix. Vous m'avez appris beaucoup. Je crois que nous réussirions ensemble. Avec quelques leçons en plus, bien sûr. Si vous ne vous croyez pas capable de me faire progresser suffisamment, je pourrais distraire nos clients...

— Chère Hannah, André serait capable d'apprendre

à chanter à une corneille aussi joliment qu'un canari!

Ce qui fut dit fut fait.

Ils trouvèrent une auberge à quelque trois miles de Boston, au bord de la route postale qui partait vers le sud-ouest. La taverne était close depuis plus d'un an et Hannah l'obtint pour un prix modique, toujours au nom d'André. Il y avait des travaux à y faire, mais dès que les chambres des étages furent habitables, Hannah et les siens (y compris Merry) s'y installèrent. Hannah acheta un virginal et ils travaillèrent dur pendant trois mois. André écrivit plusieurs chansons. Il s'efforça de lui inculquer le métier et la prestance indispensable pour se montrer en public. Quant à l'aplomb, elle n'en manquait pas, lui avait-il dit.

Lorsqu'ils furent prêts, il déclara en soupirant :

— J'ai entendu de meilleures chanteuses, bien sûr. Mais pas dans ce pays du bout du monde... c'était en France... Bah, peut-être sera-ce suffisant. Qui sait ce que chanter veut dire ici ?

— Je vous remercie de votre généreux compliment, dit Hannah sur un ton sarcastique. J'insiste en tout cas pour que mon nom ne soit pas rendu public.

— Mon Dieu, Hannah! n'êtes-vous pas en train d'exagérer votre mystère?

— Désolée, André, mais j'y tiens.

— Eh bien, d'accord. La dame mystérieuse. Vous arrivez sans être annoncée, vous quittez la scène sans être nommée. Quelle idée fantastique!

André baptisa la taverne *Les Quatre Tous*. Il fit faire une très grande enseigne qu'il suspendit au-dessus de la porte de la taverne. En plus du nom de l'établissement, l'enseigne montrait une peinture représentant un palais et sur chacune des quatre marches, un roi, un officier en uniforme, un ecclésiastique en froc et un homme du commun habillé en bourgeois. Au bas de l'enseigne s'inscrivait cette explication satirique :

1. L'officier : Je combats pour tous.
2. L'ecclésiastique : Je prie pour tous.
3. Le roi : Je vous gouverne tous.
4. L'homme du commun : Je paie pour tous.

Hannah décida de servir des plats virginiens, Bess supervisant toujours la cuisine.

— A défaut d'autre chose, dit-elle à André, nous mangerons au moins décemment. Mis à part les hivers atroces, je crois que ce que je déteste le plus, c'est cette nourriture insipide de la Nouvelle-Angleterre!

Certains ingrédients furent difficiles à trouver. Hannah passa finalement une commande à un navire marchand cabotant le long de la côte. La marchandise arriva de Virginie quelques jours avant l'ouverture de la taverne.

La semaine précédant l'inauguration, Hannah fit passer une annonce dans l'Almanach que publiait le Dr Nathaniel Ames, lui-même propriétaire d'une taverne à quelques miles plus au sud. L'annonce était ainsi rédigée :

Avis! Nous signalons l'ouverture de la taverne *Les Quatre Tous* à toutes personnes voyageant sur la grande route postale du sud-ouest de Boston, à trois miles de cette ville. Les voyageurs qui le désireront se verront offrir des rafraîchissements et un divertissement pour un prix raisonnable. Il y sera servi des plats typiques du Sud, introuvables nulle part ailleurs en Nouvelle-Angleterre.

Ce fut un succès dès le premier jour. La cuisine sudiste et le tour de chant de Hannah furent bientôt au centre des conversations des habitants de Boston. Quelques murmures scandalisés s'élevèrent à cause de l'allusion ironique au roi que comportait l'enseigne, et Hannah craignit que quelque action légale ne fût entreprise contre eux. Ses craintes s'apaisèrent avec le temps.

André voulut bien mettre au crédit de Hannah une part de leur succès.

— Votre rôle de dame mystérieuse a épicé considérablement votre apparition en scène, constata-t-il.

En effet, tous ceux qui s'activaient à la taverne à un titre quelconque étaient assaillis de questions concernant Hannah. Qui était-elle? D'où venait-elle? Comment s'appelait-elle? C'était André qui, avec son charme habituel et son sourire en coin, répondait adroitement à chacun, racontant à chaque fois une histoire différente. Tantôt elle faisait partie d'une famille royale régnant sur le continent. Tantôt elle était une célèbre courtisane qui avait décidé d'abandonner sa vie de pécheresse pour donner sa beauté et son talent à un public de choix. Ou bien encore elle était la fille légitime d'un gouverneur d'une colonie sudiste.

Ces histoires amusaient beaucoup Hannah. Il arrivait parfois que quelque spectateur curieux l'abordât, mais John, dont la tâche principale était désormais de la protéger, le remettait immédiatement à sa place.

Ainsi l'auberge était florissante. Certes, il fallut parfois fermer plusieurs jours d'affilée, quand la neige et la glace interdisaient toute circulation sur la route. Mais comme c'était pratiquement la seule grande artère qui menait aux colonies du Sud, elle n'était barrée que dans les cas extrêmes.

L'auberge était fermée, Hannah était heureuse de rester à l'intérieur, bien au chaud, dans une atmosphère douillette. Elle en profitait pour perfectionner son art et passait beaucoup de temps avec Michèle.

Sa beauté chaude drainait vers Hannah de nombreux cadeaux et beaucoup de lettres émanant d'admirateurs masculins. Elle les repoussait tous, renvoyant les cadeaux avec un mot aimable non signé.

Hannah n'approcha à peu près aucun homme pendant l'année qui suivit son arrivée à Boston, sauf ceux de son entourage. André ne comprenait pas. Il lui dit un soir :

— Chère Hannah, je ne vous comprends pas! Nous avons du succès. Vous n'avez pas besoin de passer tout votre temps à travailler. Détendez-vous et amusez-vous. Ce n'est pas normal qu'une femme aussi aimable et jolie que vous demeure loin de la compagnie d'un homme. Voulez-vous rester fermée sur vous-même pour le reste de votre vie? Faites-vous nonne alors!

Certainement, son corps avait faim d'amour. Depuis que Michael avait éveillé ses sens endormis, Hannah savait quelle avait une nature particulièrement sensuelle.

Finalement les admonestations d'André et ses propres sentiments l'amenèrent à sortir de sa coquille. Elle invita l'un de ses admirateurs à un souper préparé dans son appartement privé. Elle s'était laissé fléchir par les sentiments évidents qu'il avait fait valoir dans la lettre qu'il lui envoya :

Madame, je vous adore! Je contemple chaque soir votre beauté et j'écoute la douceur de votre voix mélodieuse. Je m'imagine que vous chantez pour moi seul. Je vous en prie, faites-moi la grâce d'un entretien. Je ne demande qu'à être auprès de vous, dans la chaleur de votre beauté. Je ne veux rien de plus. Votre adorateur dévoué. Grant Endicott.

D'après les brefs contacts qu'elle avait eus avec les hommes de Boston, Hannah s'était fait une opinion sur eux : ils étaient froids et distants, leur cœur était aussi rude et glacial que les hivers de leur Nouvelle-Angleterre et à peu près aussi insensible que celui d'un animal de trait. Cependant, la lettre de Grant Endicott l'intriguait et elle répondit :

Sir. Merci pour votre aimable missive et vos compliments flatteurs. Voulez-vous me faire l'honneur de souper avec moi ce vendredi soir, après ma représentation?

Elle ne signa pas, selon son habitude.

Ce soir-là, Hannah remarqua avec amusement que le repas qui fut monté était particulièrement soigné; très certainement l'œuvre de Bess en personne.

Lors de la rénovation de la vieille taverne, deux pièces avaient été réservées au logement de Hannah : une chambre à coucher, l'autre ayant été transformée en salon-salle à manger. Ce fut là que Hannah reçut Grant Endicott.

Grant Endicott était un homme grand et mince d'une trentaine d'années. Ce ne fut pas sans surprise que Hannah apprit qu'il était un gentilhomme du Sud; il était né et avait grandi sur la côte de la Caroline du Sud. Sa famille était dans la marine marchande et venait d'ouvrir un bureau à Boston dont Grant, l'aîné des fils Endicott, assurait la direction.

Après s'être incliné gracieusement en portant sa main à ses lèvres, il dit :

— Vous rendez-vous compte, madame, que je ne sais même pas votre nom?

— C'est Hannah.

— Hannah? Simplement Hannah?

— C'est tout ce que vous avez besoin de savoir.

— Puisque c'est votre désir, madame. Mais... vous venez du Sud. Tandis que vous chantiez, je n'en étais pas certain, mais, maintenant, je le sais. Votre voix n'a rien de commun avec les intonations abruptes des femmes de la Nouvelle-Angleterre! Ai-je raison?

— Je n'en dirai pas davantage, sir. Une partie de mon charme est dans le mystère qui m'entoure. Souhaitez-vous déchirer ce voile?

— Absolument pas, madame! (Ses yeux étaient d'un brun chaleureux et prirent une expression grave et intense :) C'est cependant différent... s'il s'agit de vous connaître en tant que femme!

344

— Nous verrons, dit Hannah avec une nuance de préciosité dans la voix.

Hannah et son hôte étaient assis face à face à la table éclairée par une chandelle. Les spécialités de Bess furent appréciées : jambon fumé, patates douces, pois à œilletons noirs, et pour terminer, un délicieux pudding.

Une fois le repas achevé et la table débarrassée, Hannah suivit les deux servantes et ferma discrètement la porte à clef derrière elles. Elle se tourna vers Grant, installé devant le feu, rassasié de nourriture et de vin.

— Une goutte d'eau-de-vie, sir?

Il se redressa et la regarda, l'air un peu hésitant.

— Il se fait tard, madame.

— Pas du tout! Je me couche rarement avant minuit.

— Dans ce cas, j'accepterai volontiers.

Hannah remplit deux verres. Elle était toute chaude et heureuse, impatiente du plaisir à venir. Hannah s'assit tout près de lui. Il s'agita, légèrement gêné, mais ne s'écarta pas. Hannah n'avait plus rien bu depuis le dernier grand bal de Malvern, et elle se sentait un peu étourdie.

Cependant, la boisson délia la langue de Grant qui se mit à parler de la Caroline du Sud; il était clair qu'il avait le mal du pays. Hannah écoutait à peine, le regard fixe sur les flammes; elle se contentait de faire une réponse anodine de temps en temps.

Grant se dressa subitement lorsqu'il entendit sonner la pendule :

— Madame, mille pardons! Il est très tard. J'ai abusé de votre hospitalité...

— Pourquoi partez-vous? murmura-t-elle. Vous êtes mon invité et je ne vous ai pas demandé de vous en aller.

Elle posa une main légère contre sa cuisse et posa la tête sur le dossier du canapé, les lèvres imperceptiblement entrouvertes. Il la regarda intensément dans les yeux, il était tout près, avalant sa salive. Puis il émit une sorte de gémissement et se pencha sur elle en l'enlaçant. Ce fut un baiser timide et Hannah sentit la tension qui était en lui, comme s'il s'attendait à ce qu'elle le repoussât. Elle n'y songeait pas du tout, au contraire. Elle répondit à son baiser avec ardeur, ses mains lui caressant le dos. Grant ne portait pas de perruque. Elle plongea ses doigts dans ses longs cheveux bruns et pressa sa bouche contre la sienne. Elle lui murmura ensuite à l'oreille.

— Pourquoi ne pas aller dans ma chambre? Ce serait plus confortable qu'ici.

— Madame, je ne souhaite pas prendre un avantage quelconque, nous nous connaissons depuis si peu de temps...

Sa protestation était faible. Hannah se leva et l'entraîna :

— Venez, Grant.

Il la suivit comme un aveugle. Il était tour à tour timide et audacieux; Hannah dut se déshabiller elle-même et même l'aider à se débarrasser de ses vêtements.

Une fois au lit, Grant se conduisit d'une manière assez satisfaisante, son propre besoin d'amour physique lui permettant en effet de la combler. Elle s'endormit profondément.

Quand elle s'éveilla, il était parti. Grant Endicott ne reparut plus jamais à la taverne.

Puis vint le capitaine Joshua Hawkes, un homme né et élevé en Nouvelle-Angleterre.

C'était lui qu'elle attendait ce jour-là tandis qu'elle se brossait les cheveux. Un véritable coup de tonnerre se fit entendre à sa porte et Hannah releva la tête, toute souriante de bonheur. Le capitaine avait coutume de s'annoncer avec brio. En fait, il faisait tout avec brio.

Hannah courut ouvrir la porte à l'homme de haute taille, aux épaules larges et au visage barbu qui entra aussitôt en rugissant de rire. Il referma la porte d'un coup de botte et souleva Hannah dans ses bras.

— Josh! Je ne savais même pas que ton navire était à Boston!

— Je ne savais pas moi-même que j'y serais! Nous étions à deux jours du port quand nous avons découvert une fissure dans la cale. Alors nous sommes rentrés pour réparer. Sans cela, Josh Hawkes servirait sans doute de nourriture aux poissons à l'heure qu'il est. C'est ce que tu souhaiterais?

— Oh, non, Josh chéri, rétorqua-t-elle en riant. Quoique je doive avouer que tu serais probablement à leur goût, dit-elle en laissant courir ses mains sur son dos musculeux.

— Peut-être. (Il la reposa à terre et se frotta rudement les mains :) Où est l'alcool, Hannah? J'ai besoin de me réchauffer!

— A sa place habituelle.

Elle le suivit d'un regard affectueux tandis qu'il traversait la pièce en martelant le plancher de ses bottes. Il se versa une bonne rasade qu'il but d'un trait.

Hannah pensait parfois à Michael lorsque Josh était près d'elle. Certes, il n'y avait rien d'élégant en lui; elle ne l'avait jamais vu autrement qu'en gros vêtements de marin et en bottes; il mangeait, buvait et faisait l'amour avec grand appétit. Mais il y avait cette barbe noire et ces yeux vifs : ce fut suffisant pour qu'elle songeât à Michael, ou plutôt au pirate qui se nommait Dancer.

Josh l'avait fait culbuter dans le lit dans l'heure qui avait suivi leur premier rendez-vous dans le logement privé de Hannah. C'était son navire qui transportait les marchandises destinées à la taverne et provenant de Virginie et de Caroline. Hannah l'avait vu deux fois à bord de son bateau, lorsqu'elle était allée commander les ingrédients dont elle avait besoin. La troisième fois, il était venu se faire payer à la taverne. Il consomma généreusement dans la grande salle du rez-de-chaussée et écouta Hannah chanter avant de lui faire dire qu'il désirait la voir. Elle avait dit à John de le faire monter, pensant qu'il ne s'agissait que d'une visite d'affaire.

En fait, après qu'ils eurent réglé leurs comptes, Josh l'avait enlevée dans ses bras et portée dans la chambre. L'ayant déposée sur le lit, il retroussa ses jupes et passa aussitôt à l'acte. Hannah avait d'abord résisté puis, excitée par la lutte, elle s'était jetée passionnément à la rencontre de son corps.

Ce n'était pas le grand amour entre eux. Simplement du respect et de l'affection. Quant aux jeux de l'amour, Hannah en jouissait avec la même simplicité rude que Josh, sans réclamer ni promettre un engagement émotionnel quelconque.

22

Amos Stritch avait su faire son chemin à Boston. Ses affaires avaient prospéré depuis son départ brusque de Williamsburg. En effet, si la défaite de Barbe-Noire et de son équipe avait éloigné les bateaux et les pirates des côtes de la Caroline et de la Virginie, ils avaient trouvé un marché fort profitable plus au nord. En quelques semaines, Stritch fit la connaissance de plusieurs patrons de navires qui avaient de l'alcool à vendre. La fin misérable de Barbe-Noire s'était partout répandue et les pirates craignaient un peu d'aborder directement les taverniers; ils furent donc bien contents de trouver en Stritch un agent travaillant pour leur compte.

En un peu plus d'un an, Stritch avait réuni les fonds

nécessaires à l'achat de sa propre taverne. Elle se trouvait au sud de Boston, au bord de la route postale. Il cessa dès lors de servir d'intermédiaire entre les pirates et les taverniers pour mener la vie d'un gentilhomme aubergiste...

Il baptisa son local *La Tasse et la Corne*. Ici, pas d'esclaves à acheter; quant aux rares domestiques en apprentissage, leurs prix étaient trop élevés; Stritch dut donc se contenter du personnel qu'il trouvait à engager. Cela l'irritait considérablement, mais il n'y avait rien d'autre à faire. La plupart des gens qu'il engageait ainsi ne restaient pas longtemps chez lui. Ils partaient en général dès que Stritch se mettait en colère et les menaçait de sa canne. Inutile de dire qu'il n'était pas très aimé de ses employés. Mais son affaire prospérait tout de même car il possédait son métier à fond, mieux que la plupart des aubergistes bostoniens, pensait-il.

Il entendit parler de la nouvelle taverne des *Quatre Tous*, sans y prêter grande attention. Après tout, elle était éloignée de plusieurs miles; comment pourrait-elle affecter son propre commerce? Quant à l'attraction, cette femme qui chantait, il jugea le procédé farfelu. A son avis, un homme fréquentait une taverne pour boire, voire pour manger un morceau et bavarder avec ses compagnons, à la rigueur pour jouer aux cartes. Une miauleuse détournerait les hommes du but qu'ils poursuivent lorsqu'ils viennent dans une taverne! Stritch était persuadé qu'il n'y avait pas de quoi s'inquiéter.

Pourtant, il nota bientôt que son commerce baissait. Il lui sembla que les hommes étaient de moins en moins nombreux.

Un soir glacé de mai, Stritch se chauffait le dos près de l'âtre quand un homme nommé Fry, un habitué, entra. Un homme dans la quarantaine, presque aussi rond que Stritch. Fry s'approcha en souriant.

— Bonsoir, monsieur Stritch!

— Vous n'êtes pas venu ces deux derniers soirs. Vous étiez malade?

— Non. J'étais à la nouvelle taverne, *Les Quatre Tous.*

— Pourquoi diable faire tout ce chemin pour un peu de rhum?

— On m'avait parlé de la dame qui chante là-bas.

— Comment peut-on parler d'une « dame » pour une fille qui vit dans une taverne?

— Celle-ci en est une, on peut le dire! Personne ne sait son nom. Et en plus, elle est bien avenante! Elle chante comme un oiseau. Et quelle poitrine! A vous donner tout de suite envie de monter avec elle et d'y mettre la main!

Stritch fronçait les sourcils.

— Elle n'a pas de nom, vous dites? Bizarre.

— Peut-être, en tout cas, les clients viennent en foule. Tout le monde ne peut s'asseoir, il faut rester debout.

— Je ne comprends pas pourquoi un homme va dans une taverne pour écouter une fille roucouler. Ça l'empêche de boire.

— On voit que vous n'y êtes jamais allé. En plus, on y sert d'autres plats, la cuisine du Sud, comme ils disent là-bas.

Une espèce de frisson glacé parcourut Stritch.

— La cuisine du Sud? Ici, à Boston?

— Oui. Ça change, et c'est bon. Les gens se précipitent dessus comme un ours sur du miel. Bien sûr, on parle beaucoup de la variole en ville, et les gens sont peut-être contents de trouver un moyen de sortir un peu.

Stritch se tourmenta pendant deux semaines encore puis décida de voir par lui-même ce qu'il en était réellement de cette nouvelle taverne.

Le nombre de chevaux, d'équipages et de calèches rassemblés aux alentours de la taverne des *Quatre Tous* le consterna et le surprit tout à la fois. Il lut l'enseigne avec un léger ricanement : ce type d'enseigne en faveur dans la région était trop compliqué pour son goût.

C'était le début du mois de juin et la température commençait à monter. Ne voulant pas prendre le risque d'être reconnu et sans doute raillé, Stritch avait mis une longue perruque et un chapeau à trois pointes qui lui descendait sur les yeux; il s'était enveloppé d'une grande cape.

Stritch clopina dans la salle bondée. Tout au fond de la longue pièce se trouvait quelque chose que Stritch n'avait encore jamais vu auparavant : une sorte de plate-forme surélevée sur laquelle trônait un virginal. De chaque côté de la plate-forme, un rideau en mousseline descendait du plafond jusqu'au sol.

Que de place perdue, pensa Stritch. Il se fraya un chemin jusqu'au comptoir en s'aidant de sa canne. Le jeune homme qui servait lui parut vaguement familier. La tête penchée, il était très occupé avec les clients qui réclamaient ses services. Les deux filles qui servaient dans la salle avaient de la peine à satisfaire tout le monde.

Ayant enfin réussi à obtenir une chope de bière, sans même que le jeune homme ait levé la tête vers lui, Stritch, toujours donnant de la canne, alla s'installer sur un banc, près de la porte.

Peu après, le comptoir fut fermé; les deux serveuses et le jeune homme firent le tour de la salle pour éteindre quelques chandelles, laissant la taverne dans l'obscurité. Le jeune homme disparut ensuite derrière le rideau pour réapparaître très vite avec un candélabre en cristal rutilant de chandelles qu'il posa sur le virginal. Il leva les mains et la foule se tut.

— M. Leclaire! annonça-t-il.

Un homme élégamment habillé et portant une perruque blanche comme neige parut sur l'estrade. Il s'inclina sous les applaudissements et s'assit au virginal. Il joua une mélodie légère. Stritch se concentra dédaigneusement sur sa bière. Il ne connaissait rien à la musique; tout cela n'était que gâchis.

La mélodie achevée, Stritch leva de nouveau la tête. L'homme à la perruque blanche disparut à droite, derrière le rideau. Un silence tendu descendit sur l'assemblée. Puis l'homme revint, accompagnant une grande femme aux formes épanouies, à la chevelure de cuivre. Elle portait une robe de velours rouge au décolleté profond. Elle fut saluée par des applaudissements sonores.

Stritch en eut le souffle coupé. Il cligna des yeux. Il n'était pourtant pas ivre...

La femme commença à chanter. Non, il ne se trompait pas, c'était bien Hannah McCambridge! La colère monta alors en lui, son cœur lui fit mal et il pensa qu'il risquait une crise d'apoplexie. Cette femme infernale allait-elle le poursuivre jusqu'à la fin de sa vie?

— La femme est bien, non? dit le voisin de Stritch, un homme de haute stature à la barbe noire bien fournie et vêtu comme un marin.

Stritch sortit de sa torpeur pour répondre :

— Oui, oui! Ne s'appelle-t-elle pas Hannah!

— C'est vrai. (Il laissa échapper un rire tonitruant.) Je lui avais bien dit que son secret ne tiendrait pas longtemps.

Stritch tenait son regard rivé sur Hannah qui chantait déjà une autre chanson. Jamais encore autant de haine n'avait couru dans ses veines.

Quand elle eut terminé, elle fit une gracieuse révérence tandis qu'éclataient les applaudissements. Ignorant les « Une autre! », elle s'élança derrière le rideau. Stritch remarqua vaguement que son voisin barbu avait quitté son siège et longeait le mur de droite d'un air dégagé. Il s'arrêta au rideau pour jeter un regard circulaire dans la salle puis passa rapidement en dessous et disparut.

Stritch était toujours assis, sa chope vide, ses pensées le torturaient comme un amas de reptiles venimeux.

En haut. Hannah était assise devant sa table de toilette, elle se brossait les cheveux en attendant son visiteur.

Elle se précipita à la porte dès qu'elle entendit frapper. Josh entra et elle se mit sur la pointe des pieds pour l'embrasser.

— Bonjour, Josh chéri. Je suis contente que tu sois là.

— Moi aussi. A vrai dire, ces voyages me paraissent de plus en plus longs tellement je suis impatient de te revoir.

— Tu pourrais abandonner la mer et trouver un emploi sur la côte, dit-elle gravement.

— Ça te plairait, hein? Prendre un homme qui n'a jamais connu que la mer et l'enchaîner à la terre!

— Mais non, Josh! Je plaisantais!

— Je sais, je sais.

Ses grandes mains l'attrapèrent sous les bras et la soulevèrent de terre, la faisant tourner deux fois avec lui.

— En tout cas, ton secret n'en est plus un, dit-il en la posant.

— Lequel de mes nombreux secrets?

Josh alla se verser de l'eau-de-vie et en but une longue gorgée.

— Ton nom. Pendant que tu roucoulais en bas, un homme m'a demandé si tu ne t'appelais pas Hannah.

— Oh! je savais bien que mon nom ne pourrait être tenu caché éternellement.

Hannah haussa les épaules, elle n'était pas vraiment inquiète. Rien de désagréable ne s'étant encore produit, elle avait commencé à croire que le mur de secret dont elle s'était entourée avec tant de peine était en fait ridicule, comme le pensait André.

Josh vida son verre et s'approcha d'elle en souriant tendrement :

— Je n'ai pas beaucoup de temps ce soir, Hannah.

— Toujours pressé, railla-t-elle. Je n'ai jamais vu un homme aussi débordé de travail!

— Oh! Il m'arrive d'avoir du temps, femme. Tu dois le reconnaître.

Comme pour en faire la preuve, il se fit tendre, lui faisant l'amour avec une lenteur étudiée. Ses caresses étaient ce soir d'une intensité toute nouvelle pour Hannah, ce qui ne laissa pas de la surprendre.

Amos Stritch soupçonnait fortement le marin à barbe noire d'être monté se glisser dans le lit de cette garce aux cheveux roux. Il resta sur son banc, sa chope vide à la main, un goût de fiel dans la bouche. Une heure plus tard, il ne restait plus que quelques hommes dans la salle. Une serveuse s'approcha pour lui demander s'il désirait une autre bière; il la renvoya hargneusement.

Son attente fut enfin récompensée. L'homme à la barbe noire surgit de derrière le rideau et se dirigea vers la porte, fier comme un coq.

Il l'a culbutée! pensa Stritch. Parfait! Elle serait donc sans doute encore au lit. Cela faciliterait les choses.

Stritch se leva et longea le mur droit en s'appuyant sur sa canne, exagérant même son clopinement. Constatant que personne ne l'observait, il passa derrière le rideau. Il se trouva aussitôt au pied d'un escalier très étroit. Mais là, sur la première marche, se dressait un grand nègre, les bras croisés.

— Personne n'a le droit de venir ici.

— Je voudrais voir votre maîtresse, Hannah. C'est très urgent.

John secoua la tête. Cet homme gras lui rappelait quelqu'un.

— Personne n'a le droit de monter sans l'autorisation de Mme Hannah.

— Elle sera contente de me voir. C'est au sujet d'un chargement d'alcool. Dis à ta maîtresse que... Ben Fry souhaite lui parler.

— Je vais aller demander, dit John en hésitant. Attendez ici.

John monta puis s'arrêta subitement, la mémoire lui revenant.

— Vous mentez! Vous vous appelez...

Il redescendit et Amos Stritch le reçut par un coup de sa grosse canne sur la tête. John s'affala sans un bruit. Stritch regarda autour de lui. Aucun son nulle part. Il cracha sur la forme recroquevillée et l'enjamba. Il monta en haletant.

Il poussa une porte et aperçut un enfant qui dormait. Il la ferma avec précaution avant d'en ouvrir une autre. Celle-ci donnait sur un salon faiblement éclairé. Le feu mourait dans l'âtre. La pièce était vide mais il y flottait une odeur féminine. Stritch découvrit à sa gauche un rectangle obscur : une porte grande ouverte. Son instinct lui dit qu'il était dans le logement de Hannah.

Il entra aussi vite qu'il put et referma la porte derrière lui. Il avança d'un pas mais trébucha et dut se rétablir en s'aidant de sa canne. Une voix somnolente s'éleva alors dans l'obscurité :

— Josh, mon chéri? C'est toi? As-tu oublié quelque chose?

Stritch se tint tranquille, essayant de maîtriser son halètement.

— Josh? répéta Hannah, certaine d'avoir entendu du bruit dans son demi-sommeil.

Ne recevant pas de réponse, elle se leva et, vêtue de

sa seule chemise de nuit, alla voir dans le salon. Là, elle s'arrêta net en voyant l'étranger.

— Qui êtes-vous? Que faites-vous chez moi?

— Eh bien, ma fille, tu ne reconnais pas le vieux Stritch? C'est pourtant pas si loin. A moins que ton amoureux t'ait complètement brouillé l'esprit?

— Amos Stritch! Mon Dieu! Comment m'avez-vous trouvée?

— Je suis venu voir pourquoi mes clients ne fréquentaient plus ma taverne! Ils disent que tu chantes bien. C'est sans doute pas tout. Tu travailles en haut aussi. J'ai vu le marin. Tu as trouvé ta voie : tu étais une fille de taverne avant, et tu l'es redevenue!

— L'homme qui était ici est un vieil ami, rien de plus. Et maintenant, partez, Amos Stritch. avant que John ne vienne vous prendre votre canne.

— Un ami! Je vais croire ces balivernes! Quand je pense que tu jouais la mijaurée avec moi!

Stritch bouillonnait de colère. Se rappelant l'époque où elle l'avait méchamment blessé en se débattant, il sut soudain ce qu'il allait faire : il fallait la frapper jusqu'à la défigurer! Elle n'aurait plus jamais d'attrait pour aucun homme.

Hannah lança durement :

— Amos Stritch, sortez d'ici ou j'appelle John!

Stritch émit un ricanement mauvais :

— Qui répondra à tes appels? Ton nègre est mort en bas de l'escalier!

Il leva sa grosse canne qu'il maintenait fermement dans ses deux mains et avança vers elle. Hannah recula, comprenant un peu tard qu'elle courait un danger mortel; le regard étincelant de l'homme était celui d'un fou. Stritch avança encore et fit siffler sa canne. Hannah tenta bien de s'écarter en se recroquevillant, mais elle ne fut pas assez vive. Elle reçut le coup sur l'épaule, et son bras fut aussitôt comme paralysé.

Elle réussit à contourner l'homme en direction de la porte. Comme ses mains saisissaient la poignée, Stritch l'attrapa par les cheveux et la projeta à travers la chambre. Elle tomba sur ses mains et ses genoux. Elle allait se relever mais la canne s'abattit sur son dos. La douleur la parcourut comme une traînée de feu et elle cria.

— Crie, garce, crie donc! Ça ne te sert pas à grand-chose!

La canne s'abattit de nouveau brutalement sur les épaules nues.

— Tu m'as ruiné une fois, et tu es en train de recommencer! Je te jure que quand j'en aurai fini avec toi, tu ne seras pas près de me ruiner encore!

Cette fois, la canne tomba avec une telle violence qu'elle laissa une traînée de sang sur les épaules. Hannah cria encore.

A ce moment, la porte s'ouvrit et André s'élança. Ses yeux lancèrent des éclairs en embrassant la scène.

— André, c'est Amos Stritch! Faites attention, je crois qu'il est devenu fou!

— Ah, c'est cette canaille de Stritch?

Stritch se retourna en brandissant sa canne. André l'esquiva adroitement.

Stritch rugit :

— Ne vous mêlez pas de cela. C'est entre moi et elle. C'est pas votre affaire!

— Oh, mais si, justement, canaille!

André attrapa le tisonnier près de la cheminée. Il avança sur Stritch, tenant le tisonnier comme une épée.

— A nous deux! En garde! cria-t-il à Stritch en lui picotant le ventre avec son arme improvisée.

Stritch battait l'air avec sa canne. André parait à chaque fois en donnant un coup sur la canne et en piquant le bout du tisonnier dans le ventre de Stritch. Des taches de sang apparurent sur sa chemise.

Hannah se relevait lentement, regardant le combat,

comme fascinée. André était soudain un autre homme. Elle comprit intuitivement que la mort n'était pas une étrangère pour lui.

André était trop fort pour Amos Stritch. Le vieil homme était fatigué, sa respiration sifflante et les coups de canne étaient de plus en plus faibles. André était en train de l'acculer au mur, toujours dansant de gauche à droite et piquant l'homme au ventre et à la poitrine.

Stritch n'avait plus de place pour manœuvrer. Il avait les dos contre la seule fenêtre de la pièce. Il jeta sa canne en poussant un cri rauque.

— Assez! Assez, je vous en prie!

— Non, pas assez, scélérat! Je vais vous transpercer!

Il posa la pointe de son tisonnier contre le cœur de Stritch. Si André avait tenu une épée au lieu du tisonnier, nul doute qu'il l'eût transpercé. Hannah crut vraiment qu'André avait oublié ce qu'il tenait dans sa main.

La pression du tisonnier déséquilibra Stritch. Il hurla, ses bras battant l'air pour tenter de se remettre d'aplomb. Ce fut alors qu'il tomba à la renverse et alla s'écraser sur la terre, en bas de la bâtisse.

— Mon Dieu! dit André d'une voix blanche.

— Non, André, vous n'êtes pas à blâmer, dit Hannah en lui prenant la main. C'est un accident.

— Oui, un accident... dit-il en soupirant et en haussant les épaules. Il faut que j'aille voir dans quel état il est. Restez ici, Hannah.

Hannah se souvint alors :

— John! Stritch a dit qu'il avait tué John!

Hannah s'élança à la suite d'André. Elle poussa un soupir de soulagement en arrivant au bas de l'escalier. John était assis sur une marche, se tâtant doucement la tête. Le sang coulait le long de son cou. Merry et Dickie étaient près de lui.

Tandis qu'André sortait, Hannah ordonna :

— Merry, va chercher de l'eau et une serviette. Dépêche-toi!

Elle était en train de laver le sang quand André revint.

— Amos Stritch est mort, dit-il. Il s'est brisé le cou.

Hannah se redressa et dit à Dickie :

— Va vite chercher le shérif de Boston. Je lui raconterai ce qui s'est passé... du moins ce qu'il a besoin de savoir. Amos Stritch a attaqué John traîtreusement, puis il s'est glissé dans ma chambre et s'est jeté sur moi. Je me suis débattue et il est tombé accidentellement par la fenêtre ouverte.

23

Quelques jours après la dernière visite de Josh, Hannah entendit dire qu'il avait contracté la variole dans la maison d'un ami marin, près du port de Boston.

— Il faut que j'aille le voir! annonça Hannah.

André protesta énergiquement :

— Chère lady, c'est très dangereux. J'ai vécu moi-même une telle épidémie sur le continent.

— Je dois pourtant bien cela à Josh!

— Il ne vous a pas réclamée, si?

— Il est trop fier pour cela. Ou peut-être trop malade.

— Dans ce cas, quel bien pourrait-il tirer de votre visite?

Hannah réfléchissait cependant. Etant installés assez loin de Boston, les rumeurs qui leur parvenaient de la ville étaient affaiblies; jusque-là, l'épidémie de variole ne paraissait pas trop grave. Il semblait que les choses fussent en train de changer : le fléau s'étendait rapidement. Craignant pour Michèle autant que pour les autres, Hannah avait fermé la taverne.

— J'ai lu dans la Gazette de Boston un article sur la vaccination contre la variole. Qu'est-ce que c'est? Si j'allais voir le Dr Zabdiel Boylston pour me faire vacciner? Qu'en pensez-vous, André?

— Je ne sais que ce j'ai lu là-dessus. Des expériences d'inoculation ont été faites en Europe il y a quelques années. Elles ont suscité des controverses passionnées parmi les médecins.

— En quoi consiste le procédé?

— Il n'a rien d'agréable, madame, assura André avec une grimace. Le médecin ouvre une veine et verse dans l'incision des humeurs prélevées sur une victime de la maladie. C'est du moins ce que j'ai compris.

— Pouah! C'est dégoûtant! Est-ce que c'est efficace, au moins?

André haussa les épaules.

— Comme je vous l'ai dit, il y a beaucoup de controverses. Ce brave Dr Boylston proclame que c'est efficace pour une bonne partie des cas. On dit qu'il a vacciné son enfant, il faut donc que sa foi soit grande.

— Alors, je vais essayer! Je vais voir le Dr Boylston aujourd'hui même.

— Parfait, puisque vous insistez. Je vous conduirai en calèche. Vous savez que je ne risque rien puisque j'ai déjà eu la variole, je suis donc immunisé pour le reste de ma vie.

Hannah examina avec étonnement la peau douce de son visage.

— Je croyais...?

— Je n'ai pas de marques, voulez-vous dire? J'ai eu de la chance, Mais il est vrai que la plupart de ceux qui ont eu cette maladie et qui ont survécu sont restés avec le peau grêlée.

Hannah frissonna :

— J'en ai vu. C'est horrible!

— Peut-être devriez-vous vous abstenir?

— Non! dit-elle fermement. Je vais me faire vacciner.

Les rues de Boston étaient étrangement vides et de nombreux commerces étaient fermés. Seuls quelques nègres nettoyaient les rues. Certaines maisons arboraient des drapeaux rouges à leurs portes. C'était un avertissement : ces maisons abritaient un malade. Au début, des gardes avaient été postés aux portes de ces demeures pour en éloigner les passants. Mais l'épidémie s'était tellement étendue qu'il n'y avait plus assez de gardes.

André accompagna Hannah jusque chez le Dr Boylston. Il avait l'air terriblement fatigué.

— Je suis debout vingt heures par jour. Je soigne les affligés et j'essaie de convaincre mes collègues qu'ils devraient vacciner les bien portants.

Le médecin les introduisit dans son petit cabinet. C'était la première fois que Hannah pénétrait dans un cabinet médical et les instruments bizarres qu'elle y vit l'effrayèrent. Quand, ses yeux s'habituant à l'obscurité, elle aperçut dans un coin un squelette qui se balançait, elle saisit la main d'André en soupirant convulsivement. André sourit.

— Celui-ci ne risque plus de vous faire de mal, chère lady.

Le Dr Boylston lui lança un regard pénétrant.

— Etes-vous certaine de vouloir vous prêter à cette expérience, madame...?

— Hannah Verner, précisa la jeune femme qui ne songeait plus à cacher son nom. Est-ce que cela empêchera la maladie?

— A mon avis, oui, dans certains cas. Peut-être pas dans la majorité des cas, je le crains; le procédé est loin d'être parfait. (Il soupira :) Si vous alliez consulter mes collègues, tous vous déclareraient que je suis un fou.

— J'ai compris que vous aviez vacciné votre enfant?

— C'est vrai, madame.

— Eh bien, il ne sera pas dit que ma foi aura été plus faible que la vôtre, dit-elle avec détermination.

L'inoculation se fit en quelques instants pendant lesquels le médecin ne cessa de parler pour détourner l'attention d'Hannah. Il dit enfin :

— Voilà, madame. Je vous conseille de rentrer chez vous et de vous mettre au lit. Vous allez avoir quelques symptômes, un peu de fièvre, des douleurs, vous allez même sans doute être très abattue pendant plusieurs jours. Mais ne vous inquiétez pas. Si ma vaccination fait de l'effet, vous vous remettrez en peu de temps et vous serez totalement immunisée. (Puis se tournant vers André :) Et vous, sir, avez-vous le courage de Mme Verner?

— J'ai déjà eu la variole, docteur Boylston, dit André en souriant.

— Ah, vous êtes l'un de ces veinards!

— Docteur Boylston, dit Hannah. J'ai une fillette de deux ans...

— Ne vous approchez pas d'elle avant d'être complètement remise ni d'aucun membre de votre entourage d'ailleurs.

— Avez-vous une idée du temps que durera cette épidémie? demanda André tandis que le Dr Boylston les accompagnait à la porte.

— Nous en avons sans doute pour quelque temps, peut-être jusqu'à la fin de l'année. Et les morts seront nombreux!

Dehors, André aida Hannah à monter dans la calèche. Elle lui dit aussitôt installée :

— Et maintenant, conduisez-moi dans la maison où Josh est couché.

— Mais, chère lady, dit André sur un ton désapprobateur, le médecin vous a recommandé de rentrer chez vous tout de suite!

— Je le ferai quand j'aurai vu Josh. Si j'attends trop longtemps, il sera mort et enterré!

André grimpa sur son siège en marmonnant.

La maison où Josh reposait arborait le drapeau rouge. André refusa d'accompagner Hannah à l'intérieur, arguant que si elle voulait faire une sottise, il se refusait à en être complice.

Elle frappa et la porte s'entrebâilla. Elle aperçut par la fente un visage blême à la barbe grisonnante. Devant la détermination rageuse de Hannah, l'homme se résigna à lui indiquer une porte close au bout du couloir. Hannah s'y dirigea et pénétra dans une chambre obscure où ne brûlait qu'un bout de chandelle. Une odeur âcre de pourriture et de mort assaillit ses narines.

— Josh? C'est Hannah.

Il y eut un gémissement sourd du côté du lit et Hannah osa s'approcher davantage. La forme bougea sur le lit et la jeune femme haleta d'horreur. Les yeux de Josh brûlaient comme des flammes et son visage... Dieu, ce visage! La barbe avait été rasée et la peau était recouverte de boutons, semblait-il. Mais, à mesure qu'elle s'accoutumait à la pénombre, Hannah vit qu'il s'agissait en réalité de cloques remplies de pus.

Le regard enfiévré de Josh s'éclaira un peu et il murmura, comme angoissé :

— Hannah! Seigneur, qu'est-ce que tu fais là! Ne me regarde pas, va-t'en avant qu'il ne soit trop tard! Je ne veux pas te voir, compris?

Hannah qui, jusque-là, avait été comme paralysée, se ressaisit tout à coup et s'enfuit de la maison, la peur et l'horreur en elle.

André l'accueillit dans ses bras.

— Oh, André! Son visage! C'est horrible!

A l'auberge, André l'emmena en haut sans perdre de temps et lui donna un verre d'eau-de-vie. Hannah était silencieuse, elle était épuisée et son cœur lui faisait mal. André faisait les cent pas, les mains derrière le dos. Il s'arrêta finalement devant elle :

— Vous devriez emmener Michèle, et Bess bien entendu, loin d'ici jusqu'à la fin de l'épidémie. Il paraît que beaucoup de gens ont fui la ville. C'est ce que vous devriez faire aussi.

— Je ne sais pas où aller, fit Hannah, la mine désemparée.

— Et si vous retourniez à Malvern?

— Non! s'écria-t-elle en secouant la tête violemment. Je n'y serais sans doute pas la bienvenue!

— Pourquoi pas? dit-il sur le ton de la provocation. Hannah, le moment est venu de me dire ce qui vous a poussée à quitter Malvern.

Elle haussa les épaules après un temps de réflexion.

— Oui. C'est votre droit de le savoir.

Ce fut ainsi que Hannah lui conta son aventure par le menu.

André l'écouta attentivement. Quand elle eut terminé son récit, André la considéra pensivement pendant un long moment, fit le tour de la pièce et revint vers elle.

— Ce sang noir qui est en vous et en Michèle, et qui vous fait si peur... D'après ce que vous m'avez dit de votre père, il pourrait descendre d'un roi africain. Y avez-vous jamais pensé? C'est le cas de nombreux esclaves, vous savez. Vous avez peut-être du sang royal dans vos veines, chère lady!

— Et puis après? De toute manière, ce n'est pas ce que moi je pense qui est important, mais ce que les autres peuvent penser.

— Vous voulez dire le jeune Verner, je suppose?

— Oui, Michael!

— Avez-vous parlé de Michèle dans la lettre que vous lui avez écrite?

— Non. Mais je suis sûre qu'il est au courant à présent. Mon beau-père a dû le lui dire!

— L'idée ne vous est-elle jamais venue que vous étiez injuste envers le jeune Verner en lui prêtant une opinion qu'il n'a peut-être pas?

— André, vous avez vécu assez longtemps dans le Sud. Quels pourraient être les sentiments d'un fils de planteur qui a lui-même possédé de nombreux esclaves en apprenant que la fille qu'il a engendrée a une part de sang nègre, aussi minime soit-elle?

— Oui, bien sûr, mais vous auriez pu attendre qu'il s'exprimât devant vous.

— J'en ai été incapable!

André soupira et eut un geste de colère impuissante.

— En France, nous ne nous soucions guère de ce genre de choses, mais dans ce pays... Mon Dieu! Combien d'années faudra-t-il encore pour que les gens se civilisent... Ainsi, vous n'envisagez pas de rentrer à Malvern?

— Jamais!

Quelques jours plus tard, André vint annoncer à Hannah que Josh était mort. A ce moment-là toutefois, Hannah était elle-même couchée, brûlante de fièvre, le corps douloureux, délirante par instants, de sorte qu'elle n'était guère en état de pleurer Josh.

Le Dr Boylston lui rendit visite dans les derniers jours de sa réclusion. Elle avait recouvré suffisamment de raison pour entendre son diagnostic :

— Mme Verner sera debout dans quelques jours, André. Les symptômes étaient bénins. Je vous fais tous mes compliments quant aux soins que vous lui avez prodigués.

Deux jours plus tard, Hannah était en effet debout. Elle était encore faible, mais elle n'avait plus de fièvre et elle avait faim. Elle avait perdu plusieurs kilos pendant ces jours où elle était restée alitée.

— Dites à Bess de m'apporter quelque chose de solide à manger. A propos, comment va Bess? et Michèle? Et les autres?

— Ils sont tous en parfaite santé, madame. Je n'ai ouvert la porte à personne, sauf à ce bon docteur. La maladie n'a donc pas pu entrer ici, à moins qu'elle ne fût apportée par quelque esprit malfaisant!

— Je pensais... si l'inoculation a été efficace pour moi, elle devrait l'être aussi pour les autres?

— Ah! Je m'attendais à cela. J'ai parlé avec tout le monde. John et Bess s'y refusent absolument. Quant à Dickie, il n'est pas très enthousiaste... Madame, songeriez-vous aussi à Michèle?

— Oui. J'ai surmonté le choc, et Michèle est de mon propre sang; et puis, le Dr Boylston a vacciné son enfant. J'ai confiance, le résultat devrait être positif chez elle.

— Je voudrais en être aussi sûr que vous.

— André, allez chercher le Dr Boylston à Boston!

André s'exécuta à contrecœur.

Le Dr Boylston semblait encore plus maigre que quelques jours plus tôt et sa silhouette voûtée était celle d'un vieil homme.

— Madame, dit-il, je vais vacciner votre fille puisque vous le désirez, mais je vous répète que je ne puis garantir un résultat positif.

— Allez-y docteur.

Un peu plus tard, Hannah et André servaient au bon médecin un verre d'eau-de-vie et un repas substantiel. Ils étaient installés dans la salle déserte de la taverne. L'alcool et le repas ramenèrent quelque couleur sur les joues grises du médecin.

Quand il eut terminé, il se renversa sur sa chaise en soupirant.

— Je crois que c'est la première fois depuis des semaines que je peux m'asseoir et manger un vrai repas.

— Vous avez l'air surmené, docteur, dit Hannah.

— En effet, mais il faut en passer par là. Tous mes collègues sont surmenés aussi, mais les malades et les mourants ont besoin de nos pauvres services. Nous souffrons surtout du manque d'infirmières. La plupart des femmes valides ont fui la ville et celles qui sont restées et qui ne sont pas atteintes ont peur de s'aventurer dehors. Les femmes immunisées et en même temps volontaires sont malheureusement trop rares.

— En quoi consistent exactement les soins à donner? Faut-il avoir des connaissances spéciales?

— Oh! Nullement. Il faut seulement tenir les malades propres, les baigner une ou deux fois par jour, leur donner de la nourriture liquide et veiller à brûler leurs draps régulièrement.

— Eh bien, je suis capable de faire tout cela!

— Chère lady! s'écria André avec consternation, vous n'y songez pas?

— Pourquoi pas? Le Dr Boylston a besoin de quelqu'un. J'ai une dette de gratitude envers lui.

— Madame, j'apprécierais hautement votre assistance, dit le médecin avec ferveur. Soyez assurée de ma reconnaissance.

— C'est donc décidé. J'irai chez vous dès que Michèle sera remise.

Une semaine plus tard, Hannah était devenue une silhouette familière dans les rues de Boston. Elle avait appris à conduire elle-même la calèche, laissant André s'occuper de ceux qui restaient à la taverne. Michèle avait surmonté magnifiquement la vaccination.

Hannah était déprimée par le spectacle qu'offrait

Boston. Le nombre de drapeaux rouges s'accroissait. Les familles étaient décimées. Les rues n'étaient sillonnées que par des groupes qui se rendaient dans les demeures pour y tenir les services funèbres. Presque toutes les boutiques étaient closes, la vie s'était arrêtée. Le soir, Hannah rencontrait souvent la « charrette de la mort » cahotant sur le pavé. Les corps y étaient parfois empilés, comme des bûches de bois à brûler. Le pire de tout était peut-être le glas qui retentissait presque sans cesse. A chaque fois qu'il y avait un mort. Le fléau tenait la ville inexorablement

Un après-midi, Hannah arrêta son service plus tôt que d'ordinaire. Elle avait pris son bain très chaud et enfilé ses vêtements de ville. Elle rencontra le Dr Boylston dans le corridor. Il l'invita à prendre une tasse de thé avec lui. Le brave médecin était inquiet.

— Madame, vous avez les traits tirés, et vous semblez épuisée. Vous avez beaucoup maigri. Vous en avez peut-être fait trop. Je vous conseille de prendre quelques jours de repos au lit. Cela vous fera du bien.

— Avec tous ces gens qui meurent tous les jours? Vous-même vous ne vous arrêtez pas une heure... je suis même étonnée que vous trouviez du temps pour parler avec moi. Non, je suis jeune et forte. Je n'ai pas l'intention de ralentir mes efforts.

Le médecin sourit en secouant la tête.

— Votre André m'avait prévenu que vous étiez têtue. Parfait, madame Verner. J'insiste en tout cas pour que vous rentriez chez vous ce soir. Je vous accompagne à votre calèche.

Dehors, ils trouvèrent une foule assemblée. Un murmure s'éleva aussitôt qu'ils se montrèrent. Puis ce fut un silence lourd de menace.

— Je n'aime pas cela du tout! marmonna le Dr Boylston. Peut-être devriez-vous rester ici cette nuit. Je vais faire envoyer un messager à l'auberge.

— Non! répliqua-t-elle, la tête haute et lui tendant le bras. Je ne veux pas avoir peur devant eux!

Le médecin hésita un instant puis lui prit le bras. Ils se dirigèrent vers la calèche. Des cris se firent entendre :

— Les voilà! Le diable et sa sorcière!

— Le diable et sa servante!

— C'est eux qui nous ont amené la variole!

— Satan! Sorcière!

— On devrait les mettre au poteau!

Puis s'abattit sur eux une pluie de fruits et de légumes qui laissa sur eux des taches et des débris de toutes sortes. Le Dr Boylston entraîna Hannah; un bras tendu pour la protéger de leurs assaillants, l'autre bras lui entourant les épaules, il se fraya un chemin jusqu'à la calèche. Il ouvrit la portière d'un geste vif.

— Vite, madame, montez! Je vais conduire.

Hannah monta, le dos courbé. Le médecin claqua la portière et grimpa sur le siège de cocher. Il prit le fouet qu'il fit cingler autour de lui. La foule régressa. Il encouragea les chevaux d'une voix forte. La calèche se mit en branle et cahota bientôt sur la chaussée à une vitesse insensée.

André se précipita à leur rencontre. Hannah courut à la porte de l'auberge sans le voir.

— Restez chez vous pendant quelques jours, jusqu'à ce qu'ils aient déversé tout leur venin, ordonna le Dr Boylston.

L'injonction du médecin était inutile. Le lendemain, en effet, Hannah se réveilla avec des frissons glacés, de la fièvre et des douleurs dans tout son corps. Le délire la reprit. Elle criait en s'accrochant à un bras. Dans un moment de lucidité, elle se rendit compte que c'était le bras d'André. Elle le secoua en chuchotant :

— Je vais mourir, n'est-ce pas? Le Dr Boylston s'est trompé. J'ai la variole!

— Chut, Hannah, chut, dit André doucement. Vous

avez besoin de vous reposer et de dormir, c'est tout, assura-t-il en lui passant une serviette humide et froide sur le front.

Elle demeura ainsi prostrée et gémissante pendant plusieurs jours. Il lui arriva de voir Bess qui lui mettait une chemise de nuit propre.

— Bess, tu ne devrais pas être ici! Je vais te contaminer!

— Chut, ma douce. Dépensez pas vos forces inutilement.

— Michèle... Elle va bien?

— L'enfant est superbe, ma douce. Dépêchez-vous de guérir pour qu'elle puisse revoir sa maman bientôt.

Dans un rêve, elle vit Michael dans sa chambre, penché sur elle, le visage triste et grave. Bizarrement, elle constata que son visage ne portait aucune trace de blâme.

Elle perçut vaguement par deux fois la présence du Dr Boylston. Il lui donnait une cuillerée d'un liquide horrible. Fâchée contre lui parce qu'il lui avait menti, elle cracha la potion. André la maintint alors fermement et la força à ouvrir la bouche, de sorte qu'elle fut bien obligée d'avaler le médicament au goût de moisissure.

Un jour enfin, elle s'éveilla avec l'esprit clair. Elle était faible, elle pouvait à peine bouger. Elle se regarda et s'aperçut qu'elle avait fondu pendant sa maladie. Elle se tâta le visage, mais laissa vite retomber ses mains effrayée à l'idée de ce qu'elle pourrait y découvrir. Le soleil entrait à flots dans sa chambre. Elle entendit frapper à sa porte. Trop faible pour lever la tête, elle demeura immobile. André se penchait sur elle.

— Hannah?

— Oui, André?

Un sourire de joie fleurit sur son visage.

— Ah, Dieu soit loué! la fièvre est tombée. Vous avez

été très malade, chère lady, mais le médecin a dit que vous vous remettriez vite une fois que la fièvre serait tombée.

Retrouvant un instant son esprit frondeur, Hannah rétorqua :

— Comment puis-je faire confiance à cet homme? Ce sont les gens de Boston qui avaient raison!

— Ah, voilà l'Hannah que je connais! Pourtant vous ne devriez pas parler ainsi de ce cher homme. Il est venu vous voir très souvent, il vous couvait comme une poule ses poussins. Sans lui, vous nous auriez quittés définitivement, sans doute!

Il recula, se prenant le menton d'une main, un sourire énigmatique sur les lèvres.

— J'ai l'impression que vous allez suffisamment bien pour recevoir un visiteur

— Je n'ai pas envie de recevoir de visites.

— Je parierais pourtant que c'est quelqu'un que vous serez heureuse de voir!

Elle considéra André, vaguement intéressée.

— Ce visiteur a donc quelque chose de particulier?

— Oui, son nom : Michael Verner, ma chère! Michael Verner désire vous voir!

24

— Michael! Michael est ici!

— Oui, en train de ronger son frein. Il fait les cent pas dans le couloir... depuis plusieurs jours.

— Mais alors... ce n'était pas un rêve, dit-elle doucement.

— Non, chère lady, ce n'était pas un rêve. Il est venu vous voir une fois.

— André, allez vite me chercher un miroir! dit Hannah, subitement excitée.

Hannah arracha le miroir de la main d'André. Elle s'y examina en retenant son souffle. Elle était pâle, le visage était maigre, mais il ne portait aucune cicatrice. Surprise, elle se passa les doigts sur les joues, poussant de petits cris de joie en constatant la douceur de sa peau.

— Chère Hannah, je me suis efforcé de vous faire comprendre que vous n'aviez pas eu la variole. Le Dr Boylston a dit que vous souffriez de surmenage, sans doute mêlé à de la grippe, voire à une certaine récurrence des effets de votre inoculation. Vous êtes tranquille maintenant, les choses ont évolué normalement.

— Mais... j'y pense tout à coup, André, comment Michael m'a-t-il trouvée? Comment a-t-il su que j'étais ici?

— Je lui ai écrit il y a deux mois, le jour où vous m'avez révélé les circonstances de votre fuite de Malvern. Il s'est mis en route dès qu'il a reçu mon message; il est venu par mer, sur le premier bateau qu'il a trouvé. Il est ici depuis trois jours.

Elle considéra André, l'air pensif :

— Vous avez pris une grande responsabilité en agissant ainsi sans mon consentement!

— J'aurais pu attendre longtemps, je crois.

Hannah se taisait, sachant qu'il avait raison. Elle contemplait son miroir. Elle avait encore une question importante à poser.

— Sait-il... A-t-il demandé...?

André l'observait d'un air amusé, le menton appuyé sur sa main.

— Le jeune Verner ne m'a rien demandé, Hannah. Il était surtout inquiet... Je vais le faire entrer et vous déciderez ensemble qui doit poser les questions et qui doit y répondre.

— Oh, non, André! Pas encore! Il ne peut pas me voir comme je suis là. Aidez-moi, je vous en prie! Que j'aie au moins l'air d'une vivante, sinon Michael va reprendre le premier bateau pour la Virginie.

— Ah, voilà bien la vanité des femmes! Parfait, nous allons voir ce que nous pouvons faire, dit André en éclatant de rire.

Hannah était prête quelques minutes plus tard. Elle était assise dans son lit, le cœur battant sauvagement, le souffle court tant était grande son émotion.

Puis Michael s'encadra dans la porte. Ils restèrent silencieux pendant un long moment. Michael était plus vieux que dans le souvenir de Hannah, et son visage était très grave.

Il avança vers le lit, ses yeux noirs cherchant les siens.

— Hannah. Oh, ma chérie! J'ai eu tellement peur de ne jamais te revoir!

— Et moi... je craignais tant que tu ne veuilles plus me revoir!

— Chère idiote! Je t'aime, mon cœur!

— Ah, Michael! Je t'aime aussi! s'écria-t-elle en pleurant, les bras tendus.

Il s'assit sur le bord du lit et la prit dans ses bras. Elle blottit sa tête contre sa poitrine, Michael caressait ses cheveux en murmurant des mots tendres.

Elle se redressa enfin, les yeux brûlants de larmes :

— Il y a certaines choses que je dois dire avant...

— Chut, ma chérie. Tu n'as rien à me dire. Je sais tout, dit-il en posant gentiment sa main sur sa bouche.

— Tout? Tu sais tout sur mon père aussi?

— Oui, Silas Quint m'a tout raconté...

Il lui parla alors du vol du coffre-fort et de sa découverte dans la masure de Quint.

— C'est ce jour-là qu'il m'a parlé de ton père. La canaille croyait que ses révélations me forceraient à me taire à propos du vol qu'il avait commis. Il a même avoué avoir tué l'esclave Isaï.

— Il a bien dû parler à d'autres gens à mon sujet, non?

— Silas Quint ne dira plus jamais rien à personne, ma chérie. Il est mort. Ton beau-père est mort, Hannah.

— Comment cela?

— Je l'ai fait mettre en geôle pour le meurtre de l'esclave et pour le vol. Selon toute probabilité, Quint, lui, était à ce point l'esclave de l'alcool qu'il a fait une espèce de crise de delirium dès qu'il en fut privé complètement. Le geôlier l'a trouvé pendu quatre jours après son incarcération.

Hannah pensa brièvement à Amos Stritch. Les deux hommes avaient eu la fin qu'ils méritaient.

— Tu sais que mon père était un sang-mêlé et cela ne t'a pas empêché de m'aimer?

— Cela n'a affecté en rien mon amour, Hannah. Je t'aimais avant de le savoir et je t'aime toujours. Je suis resté bien des nuits sans dormir à Malvern, le corps tout douloureux tant je désirais ton étreinte.

— Michèle... tu es au courant?

— Et comment! Une belle enfant. Je crois qu'elle ressemble à son père, dit-il, une nuance de fierté dans la voix.

— Tu crois vraiment? s'exclama Hannah en riant.

Comme si c'était là un signal, la porte s'ouvrit et Bess entra, Michèle dans ses bras. Michael alla à leur rencontre.

— Michael!

Il s'arrêta net et se retourna, l'air interrogateur.

— La variole... y as-tu déjà été exposé? Tu es venu par Boston?

— Non. André m'avait averti. J'ai débarqué à New York et j'ai acheté un cheval pour faire le reste du trajet.

Hannah poussa un soupir de soulagement et sourit tandis que Michael prenait l'enfant dans ses bras. Il la tenait avec précaution; son visage se penchait avec tendresse sur la petite fille.

— L'enfant est solide, monsieur Michael, dit Bess en faisant rouler son rire. N'ayez pas peur de la casser.

— J'aurais désiré que ce fût un fils, je suis désolée, dit Hannah après que Bess eut emporté l'enfant.

— Nous avons encore du temps devant nous, ma chérie. Je suis certain que tu me donneras un fils le moment venu.

Il reprit place au bord du lit.

— Pourquoi crois-tu que je suis venu? Pour te ramener à Malvern comme mon épouse. Nous allons partir d'ici dès que ta santé le permettra. Nous nous marierons dans le Maryland, on peut le faire très rapidement là-bas. En Virginie, ce serait trop long, il faudrait publier des bans et je ne sais quoi encore. Ainsi, nous rentrerons à Malvern comme mari et femme... à moins que tu ne souhaites un bal nuptial et tout le tralala.

— Et choquer toute la Virginie? Alors que j'ai donné naissance à ta fille il y plus de deux ans? Non, merci. Ta proposition me convient.

— Parfait!

— Oh, Michael! dit Hannah en jetant les bras autour du cou de Michael, jamais je n'aurais osé rêver d'un tel bonheur!

L'auberge fut pleine de joie pendant les jours qui suivirent. Hannah reprenait des forces. Lorsqu'elle put enfin s'aventurer dehors, elle prenait plaisir à s'asseoir à l'ombre du grand arbre qui se dressait derrière la maison; là, elle regardait Michael jouer avec sa fille.

Le Dr Boylston lui annonça un jour sa guérison définitive. André l'avait mis au courant de la situation. Il dit à Hannah :

— Madame, vous avez toute ma gratitude pour l'aide que vous m'avez apportée et je vous souhaite beaucoup de bonheur. A présent l'épidémie semble avoir atteint son paroxysme. Elle durera encore quelque temps, mais je crois que le plus mauvais est passé.

Le lendemain, Hannah rassembla tout son monde dans la salle à manger.

— Michael et moi quittons la Nouvelle-Angleterre et rentrons à Malvern dans quelques jours. Je vous ai réunis pour savoir si vous désirez rentrer avec nous ou rester ici. Bess, je crois comprendre que tu préfères retourner en Virginie?

— Oh, doux Seigneur, oui! ma douce! J'ai fait mon plein d'hiver ici. Le froid me transperce les os!

— John?

— Je rentre à Malvern, madame Hannah. Vous avez besoin d'un cocher. Les chevaux et la calèche ont été mis à rude épreuve ces derniers temps et il faut une main ferme aux guides.

— Merci. Bess... John. Je vous avais promis votre affranchissement. Vous pourrez être libres si vous le souhaitez dès que nous serons à Malvern.

— Malvern est mon foyer, dit John simplement.

— Ma douce, qu'est-ce qu'une vieille femme comme moi ferait toute seule? dit Bess. Et puis, il faut quelqu'un pour l'enfant, j'ai l'impression que vous aurez autre chose à faire une fois que vous serez à Malvern! conclut-elle dans un éclat de rire tonitruant.

Hannah se sentit rougir et préféra ne pas regarder Michael à ce moment. Elle se tourna plutôt vers André.

— André?

Il avait l'air pensif.

— Quelles sont vos intentions en ce qui concerne l'auberge?

— Je n'ai pas encore décidé. Avez-vous une suggestion?

Il sourit et fit une révérence de comédie :

— Peut-être votre humble serviteur pourrait-il rester ici et remettre le local en exploitation, madame? Oh! je sais, chère lady, vous trouverez cela étrange sans doute, mais j'ai pris goût au métier d'aubergiste. Surtout pour ce qui touche à la partie « attraction ». Je suis certain de trouver une autre lady mystérieuse qui prendra votre place. A moins que je n'écrive d'autres saynètes, qui sait?

— Moins vicieuses que la première, j'espère!

— Oh, Boston sera trop occupée à se remettre de l'épidémie pour se soucier des effronteries des faubourgs.

— Et toi, Dickie, que veux-tu?

— Moi, j'ai pris goût aussi à la taverne, milady. Je me sens mieux ici que sur la plantation. Vous ne m'en voudrez pas?

— Pas du tout. C'est toi qui choisis. Tu es un homme à présent. Tu es au terme de ton contrat.

Ayant constaté que Dickie ne se privait pas de soulever les jupons de Merry, Hannah ne craignait plus de le voir tomber sous l'influence d'André. Elle proposa :

— André, la taverne est déjà à votre nom. Si vous êtes d'accord pour prendre Dickie comme associé, je vous fais cadeau des *Quatre Tous*.

— Je serais heureux de prendre Dickie comme associé. Surtout que j'ai peu de goût pour le côté pratique de l'affaire. Mais vous êtes trop généreuse, chère lady. Je suis confondu!

Hannah l'embrassa sur les joues et lui prit les mains.

— André, vous avez été bien plus qu'un ami. Sans vous, je n'aurais sans doute pas survécu. Aucun de nous n'aurait peut-être survécu. C'est décidé, l'auberge vous appartient, à vous et à Dickie.

André se détourna. Hannah aurait pu jurer qu'elle avait vu des larmes dans ses yeux. Ce fut l'une des rares fois où elle vit André Leclaire manquer de repartie!

Une semaine plus tard, tous étaient prêts pour le départ. La calèche était chargée. Bess et Michèle installées à l'intérieur, John sur le siège du cocher.

Michael serra la main de Dickie puis celle d'André.

— Monsieur, vous avez toute ma gratitude pour avoir veillé sur Hannah, dit-il avec chaleur.

— Jeune ami, ce fut un plaisir. Elle est parfois fort exaspérante, mais parfois aussi charmante, conclut-il, avec son sourire en coin.

Les larmes aux yeux, Hannah embrassa Dickie. Puis ce fut le tour d'André, qu'elle baisa sur la bouche.

— Cher André! Vous allez me manquer. Je vous souhaite bonne chance.

— Chère lady, que les dieux vous soient favorables.

— Peut-être apprendrai-je un jour qu'André Leclaire est un dramaturge célèbre... A moins que vous ne terminiez vos jours en prison.

— Ah! voyez-vous, comme dit Shakespeare, l'important, c'est de jouer. Au revoir, chère lady, dit-il en portant la main de Hannah à ses lèvres.

La calèche s'ébranla. Hannah ne se retourna pas. Elle ne laissait aucun regret en ce lieu, sauf pour les deux amis dont elle se séparait.

Michael et Hannah devinrent mari et femme dans un petit village du Maryland, à la fin d'un bel après-midi.

Le pasteur ne laissa pas d'être surpris quand il découvrit que les témoins étaient des Noirs, dont l'un portait un enfant blanc dans les bras.

Hannah sourit sous cape quand il fallut lui dire que l'homme et la femme qu'il devait unir portaient tous deux le même nom de famille. Le pauvre homme eut sans doute de la peine à se remettre du choc!

Il accomplit néanmoins la cérémonie nuptiale et Michael se tourna enfin vers Hannah pour lui donner le baiser nuptial. Hannah comprit alors qu'elle avait tout ce dont elle avait besoin.

Le village n'avait qu'une auberge. L'unique chambre dont ils disposèrent était sombre et sentait un peu le moisi.

— Mes excuses, madame. C'est en vérité une pauvre chambre nuptiale.

— Oh, Michael, ça m'est égal. Je la trouve princière!

Michael la prit dans ses bras en riant. Ils s'embrassèrent et leur rire céda la place à la passion. Hannah se sentit consumée par un désir sauvage qui parcourait tout son corps. Ce fut un mélange d'amour et de volupté qui la porta aux confins de l'extase. Elle vécut un plaisir encore jamais éprouvé.

La calèche arriva à Malvern au crépuscule d'une froide journée de septembre. Bien que fatiguée, Hannah se redressa et regarda avidement par la fenêtre tandis que la voiture s'engageait dans l'allée familière.

— Malvern! (Elle prit Michèle des bras de Bess et la tint le visage tourné vers l'extérieur pour qu'elle pût voir le manoir.)

Tous les esclaves étaient rassemblés devant la maison, comme s'ils avaient été prévenus. Henry s'avança pour ouvrir la portière et aider Hannah à descendre.

— Bienvenue à Malvern, madame Hannah.

— C'est bon de revenir ici, Henry.

Puis ce fut le tour de Michael. Il tapa sur l'épaule de Henry.

— Comment vont les affaires à Malvern, mon vieux?

— Malvern va bien, maître, dit Henry. C'est bien que vous reveniez à temps pour voir la récolte.

Prenant Michèle dans ses bras, Hannah courut à la porte de la maison. Elle voulait être la première à faire franchir à sa fille le seuil du manoir. Michael s'attardait derrière, parlant avec Henry.

Hannah exultait tandis qu'elle allait de pièce en pièce. Elle entendit tout à coup Michael qui criait :

— Hannah! Où es-tu, femme?

— Qu'y a-t-il? demanda-t-elle en s'élançant dans le hall.

Michael indiqua d'un geste le grand escalier.

— Te rappelles-tu la dernière fois que nous sommes montés ensemble?

— Oui, monsieur! Vous vous êtes servi de moi...

Elle considéra alors tous les visages souriants tournés vers elle avec malice.

— Ce que je compte bien faire encore! assura Michael.

Avant même que Hannah comprît son intention, il l'enleva dans ses bras et l'emporta dans l'escalier.

— Michael, je suis chez moi, enfin! lui murmura-t-elle à l'oreille, le visage écarlate.

Les joues en feu mais riant malgré son embarras, Hannah mit ses bras autour du cou de Michael et cacha son visage au creux de son épaule, se laissant envahir par un flot de bonheur.

Elle se répéta mentalement : Maîtresse de Malvern!

L'AVENTURE MYSTÉRIEUSE

Editions J'ai Lu, 31, rue de Tournon, 75006 Paris

diffusion
France et étranger : Flammarion, Paris
Suisse : Office du Livre, Fribourg
Canada : Flammarion Ltée, Montréal

« Composition réalisée en ordinateur par KAPPA »

Achevé d'imprimer sur les presses de l'imprimerie Brodard et Taupin
7, Bd Romain-Rolland, Montrouge. Usine de La Flèche,
le 15 avril 1980
1519-5 Dépôt Légal 2e trimestre 1980 ISBN : 2 - 277 - 21056 - 0
Imprimé en France